DAVID MARK

De mazen van het net

De Fontein

Deze uitgave bevat tevens een voorproefje van de volgende thriller van David Mark. Zie pagina 321 e.v.

Eerste druk april 2014

Oorspronkelijke titel *Dark Winter*
Oorspronkelijke uitgever Quercus, Londen
Copyright © 2012 by David Mark
The moral right of David Mark to be identified as the author of this work has been asserted in accordance with the Copyright, Designs and Patents Act 1988
Copyright © 2014 voor deze uitgave Uitgeverij De Fontein, Utrecht
Vertaling Gert-Jan Kramer
Omslagontwerp De Weijer Design BNO
Omslagillustratie Julian Calverley/Corbis/Hollandse Hoogte
Opmaak binnenwerk ZetSpiegel, Best
ISBN 978 90 261 3439 5
ISBN e-book 978 90 261 3440 1
NUR 332

www.uitgeverijdefontein.nl

MIX
Papier van
verantwoorde herkomst
FSC
www.fsc.org   FSC® C110751

Voor mijn grootouders.
Geweldige verhalenvertellers, allemaal.

Genade dwingt men niet, ze schenkt zichzelf,
als milde regen valt zij uit de hemel
op aarde neder. Dubbel is haar zegen,
ze zegent hem die geeft, en hem die neemt.

William Shakespeare, *De koopman van Venetië*

Proloog

De oude man kijkt op, en even lijkt het alsof hij door het verkeerde uiteinde van een telescoop staart. De journaliste is veertig jaar van hem verwijderd.

'Meneer Stein?'

Een warme, tedere hand op zijn knokige knie.

'Kunt u ons vertellen wat u zich herinnert?'

Het vergt een fysieke inspanning om naar het heden terug te keren.

Hij knippert met zijn ogen.

Blijf erbij met je kop, spreekt hij zichzelf vermanend toe, als een oude man die bang is zijn geheugen te verliezen.

Je bent er nog, zegt hij tegen zichzelf. Je leeft nog.

'Meneer Stein? Fred?'

Je leeft nog, zegt hij weer tegen zichzelf. Je bent aan boord van het supercontainerschip *Carla*. Zeventig mijl voor de kust van IJsland. Een laatste interview, hier in de kombuis, met de stank van gebakken eetwaren en verbrande koffie, de lucht van diesel en opstuivend zeewater; de diepe basstemmen van ongewassen kerels en de geur van natte wollen kleding.

Zo veel herinneringen...

Hij knippert opnieuw met zijn ogen. Het wordt een gewoonte. Waar blijven de tranen, denkt hij. Dit verdient tranen.

Nu pas ziet hij haar goed. Vooroverzittend op de stoel met de harde rugleuning, net een jockey op een paard. Met de microfoon voor zijn gezicht, als een kleuter die wil dat hij van haar lolly likt.

Hij sluit zijn ogen en het verleden spoelt als een golf over hem heen.

Een moment lang is hij weer dat broekie dat begint aan een dienst van achttien uur, dat een trui aantrekt die stijf staat van het visafval en slijm. Wanneer hij geen havermout in zijn mond lepelt om zijn maag te vullen, warmt hij zijn handen aan een mok thee. Hij heeft het stervenskoud. Probeert zichzelf ervan te overtuigen dat de handen zijn eigen handen zijn. Hij hoort de stem van de schipper. De urgentie van zijn kreten. Hij zwaait met de haak. De handbijl. Haalt uit naar het ijs. Hakt het los, in stukken die je schedel zouden kunnen inslaan als je niet goed uitkijkt. Hij voelt dat het schip begint te kantelen...

'Het geluid van de wind,' zegt hij. Zijn vingers maken in zijn jaszak een kruisje, betuigen hun respect op het gladde, zijdezachte oppervlak van het pakje Benson & Hedges. Het is een oude gewoonte, overgehouden aan een katholieke opvoeding.

'Kunt u het voor ons beschrijven?'

'Alsof je een hutje in een storm zit,' zegt hij, het ene oog dichtknijpend. 'De wind kwam van alle kanten. Huilend. Loeiend. Beukend. Het leek wel alsof hij ons te grazen wilde nemen. Ik trilde mee met de wind. Net als zo'n stemvork. Ik voelde het dek onder mijn voeten trillen, en ik bleef stokstijf staan. Kreeg mijn poten niet opgetild.'

Ze knikt naar haar cameraman, waarna ze hem gebaart door te gaan. Deze oude dibbes biedt waar voor zijn geld, met dat pak uit een liefdadigheidswinkel en die stropdas van de Hull Kingston Rovers, het plaatselijke rugbyteam. Alles bij elkaar houdt hij zich behoorlijk kranig. Hij trotseert de kou beter dan zij. Heeft betere zeebenen, dat moet ze hem nageven. En een sterkere maag. Sinds ze op dit zware weer zijn gestuit, heeft ze amper een maaltijd binnengehouden, en het helpt ook niet dat alleen de vettige keuken, bespetterd met etensresten, genoeg ruimte biedt voor haar, haar cameraman en de geluidshengel. En dat noemt zich een supercontainerschip. Het is geen keuken, het is een kombuis, corrigeert ze zichzelf, met de striktheid van een journalist.

'Vertel verder, meneer Stein.'

'Als ik eerlijk ben, liefje, waren het de laarzen,' zegt de oude man, die het hoofd afwendt. 'De laarzen van mijn vissersmaten. Ik kon ze op het dek horen piepen. Ze maakten een rubberig geluid op het hout. Ik had dat nooit eerder gehoord. In al die acht jaar op de trawlers had ik nooit voetstappen gehoord. Niet boven het rumoer van de motoren en de generatoren. Maar die nacht wel. De wind ging net lang genoeg liggen om de anderen te horen rennen. Aardig van meneer de wind, vind je niet? Vuile ploert. Het was alsof hij eerst op adem moest komen voordat hij de beuk erin gooide. En ik stond daar maar en dacht: ik kan hun laarzen horen. Veertig jaar later is dat wat ik me herinner. Hun verdomde laarzen. Ik kan dat geluid niet meer verdragen. Als het regent blijf ik binnen. Zodra ik een laars op iets nats hoor piepen, kun je me oprapen. Ik wil er niet eens aan denken. Dat was mijn grote angst voor deze tocht. Niet de golven. Niet het rotweer. Maar het geluid van rubberlaarzen op een nat dek en dan het gevoel krijgen alsof het nooit weg is geweest...'

De verslaggeefster knikt begrijpend. Caroline. Ergens in de dertig. Grote houten oorbellen en het kapsel van een negenjarig jochie. Niets bijzonders om te zien, maar zelfverzekerd en heel pienter. Opgemaakt als een nieuwslezeres. Londens accent en een drietal dure ringen aan haar vingers, met nagels die aan het begin van de tocht prachtig verzorgd waren, maar nu een beetje schilferig en slordig bijgelakt aandoen.

'Toen stak de wind weer op,' zegt hij. 'Het was alsof je in een blikken schuur stond, waar iemand met een cricketbat tegenaan sloeg. Erger dan dat. Alsof je op een startbaan stond met honderd opstijgende vliegtuigen. En toen kwamen de golven op ons af rollen. Het stuivende water bevroor in de lucht, zodat het leek alsof je door miljoenen naalden tegelijk werd gestoken. Mijn gezicht en handen deden allemachtig pijn. Ik dacht dat mijn oren van mijn kop zouden vriezen. Ik was verkleumd. Kon niet opstaan. Kwam geen stap in de richting die ik op wilde. Ik tuimelde gewoon heen en weer over het dek, botste en beukte overal tegenaan. Een flipperballetje, meer was ik niet. Ik stuiterde rond, wachtend tot alles zou ophouden. Ik moet daarbij iets gebroken hebben, dat kan niet anders, maar ik kan me niet herinneren dat het pijn deed. Het was alsof mijn zintuigen het allemaal niet konden bevatten. Dus bleven alleen de kou en het lawaai over. En het gevoel dat de hemel aan flarden werd gescheurd.'

Nu heeft ze haar zin, denkt hij. Ze vindt dit geweldig. En hij is ook best trots op zichzelf. Het is veertig jaar geleden dat hij dit verhaal heeft verteld zonder een glas bier in zijn hand. De mok thee in zijn mollige, blauw dooraderde knuist is inmiddels koud geworden zonder één moment zijn lippen te hebben geraakt.

'Wanneer kwam het bevel om het schip te verlaten?'

'Alles verliep heel chaotisch. Het was pikkeduister. Zodra we de rotsen raakten, vielen de lichten uit. Heb je ooit sneeuw en stuifwater in het donker gezien? Het is alsof je in een kapotte televisie bent beland, alleen maar ruis om je heen. En je kunt ook niet rechtop staan. Je weet niet meer welke kant boven is...'

Hij brengt vlug een hand naar zijn wang. Vangt een traan op en kijkt ernaar. De zilte druppel glanst hem vanaf een ruwe, gebarsten knokkel beschuldigend toe. Hij heeft zijn eigen tranen in geen jaren gezien. Niet sinds zijn vrouw stierf. Ook toen overvielen ze hem plotseling. Na de begrafenis. Na de wake. Nadat iedereen naar huis was gegaan en hij de borden opruimde en droge korsten en knabbels in de vuilnisbak gooide. De tranen kwamen alsof iemand een sluis had opengezet. Ze stroomden zo lang dat hij er op het laatst om had gelachen, verbaasd over zichzelf, voorovergebogen over het afwasteiltje, met de gekke gedachte dat er aan weerszijden van zijn neus een kraantje moest zitten, dat de oceaan die hij voor haar had opgegeven uit hem weglekte.

'Meneer Stein...'

'Zullen we het daarbij laten, moppie? Even pauze. Goed?' Zijn stem klinkt nog steeds schor, doordrenkt van sigarettenrook en bitter bier. Maar hij lijkt opeens te beven. Te beven in zijn pak met glanzende mouwen en versleten knieën. Zweten doet hij ook.

Caroline lijkt op het punt te protesteren. Hem erop te wijzen dat dit juist de reden is waarom ze hier zijn. Dat het tonen van emoties de kijkers laat zien hoezeer dit hem heeft aangegrepen. Maar ze legt zichzelf het zwijgen op, want ze wil niet overkomen als iemand die een man van drieënzestig opdraagt te huilen als een klein kind voor de camera.

'Morgen, schat. Na de dinges.'

'Oké dan.' Ze geeft haar cameraman te kennen dat hij moet stoppen met filmen. 'U weet wat er morgen gaat gebeuren?'

'Je praat mij er vast wel doorheen.'

'De kapitein is ermee akkoord gegaan ons een uur te geven op de plaats waar jullie zijn gezonken. We zullen snel moeten zijn, en het weer wordt niet veel soeps, maar we hebben tijd voor de ceremonie. Goed warm aankleden, hè? Zoals gezegd, er is een eenvoudige krans en een gedenkplaat. Wij zullen u filmen terwijl u ze overboord laat glijden.'

'Prima, liefje,' zegt hij, maar het klinkt niet als zijn eigen stem. Het is een piepend geluid. Als de rubberzool van een laars op nat hout. Meteen voelt hij weer die benauwdheid op zijn borst. Hij werpt haar de beste grootvaderlijke glimlach toe die hij in zich heeft en wenst haar welterusten. Moeizaam verheft hij zich van zijn harde stoel, waarbij hij het protest van zijn knieën negeert, en zet drie wankele stappen naar de open deur. Hij sleept zichzelf de smalle gang in en loopt, sneller dan hij in jaren heeft gedaan, richting het dek. Een van de bemanningsleden komt van de andere kant. Hij knikt glimlachend en spreidt zich als een zeester tegen de wand om de oudere man te laten passeren. De man grijnst en mompelt iets in het IJslands, maar Fred kan niet de kracht vinden zich een taal te herinneren die hij decennialang nauwelijks heeft gesproken. Het geluid dat hij maakt in het voorbijgaan van de man, gekleed in een oranje overall, is weinig meer dan een gorgelend kuchje.

Hij krijgt geen lucht. Voelt een pijnscheut in zijn arm, die door zijn schouders trekt.

Kuchend en naar adem happend glibbert hij het dek op als een vis uit een trawlnet, waar hij met dichtgeknepen ogen zijn longen volzuigt met de ijskoude stormlucht.

Het dek ligt er verlaten bij. Achter hem staat de door mensen vervaardigde berg van vrachtcontainers, die door dit supercontainerschip over drie dagen aan land worden gezet. Bij de boeg ziet hij de vierkantjes geel licht van de brug. Halogeenlampen werpen bleke lichtcirkels op het rubberig groene oppervlak van het dek.

Hij staart naar het water. Vraagt zich af hoe zijn scheepsmaten er nu uitzien. Zouden hun skeletten nog intact zijn? Of hebben de woelige baren ze uit elkaar getrokken en door elkaar gehusseld? Hij vraagt zich af of de benen van Georgie Blanchard in de clinch liggen met die van Archie Cartwright. Die twee konden nooit goed met elkaar overweg.

Hij stelt zich voor hoe zijn eigen lijk eruit zou hebben gezien. Laat het hoofd hangen als hij bedenkt dat hij veertig gestolen jaren verloren heeft laten gaan.

Hij reikt in zijn jaszak en haalt zijn sigaretten eruit. Het is jaren geleden dat hij een lucifer moest aansteken bij windkracht vijf, maar hij herinnert zich de kunst om het vlammetje met een gekromde palm te beschermen en snel een diepe teug sigarettenrook te nemen. Hij leunt met zijn rug tegen het dolboord, kijkt om zich heen en probeert zijn geest te kalmeren. Kijkt naar de rafelige duimnagel van de maan, die als een zeis neerkomt in een kussen van wolken. Kijkt naar de witte rimpels op de zwarte zee, waar het vrachtschip zich door de diepe wateren klieft.

Waarom jij, Fred? Waarom heb jij het overleefd en zij niet? Waarom –

Fred krijgt nooit de kans om die gedachte af te maken. Om zijn sigaret op te roken. Om de krans te leggen en de gedenkplaat te laten zakken, en vaarwel te zeggen tegen de achttien bemanningsleden die nooit levend terugkwamen.

Even voelt het alsof het schip aan de grond loopt. Hij wordt voorover geworpen en raakt het dolboord met een klap die alle lucht uit zijn longen en één versplinterde rib door zijn borst drijft. Er sproeit bloed over zijn lippen en zijn benen zakken onder hem weg. Hij glibbert omlaag op zijn knieën, waarna zijn handen wegglijden op het natte dek en hij plat op zijn buik valt. Als hij tegen de grond slaat, breekt de ribsplinter af en schiet een helrode pijn door hem heen, die zijn verdoofde geest lang genoeg op scherp zet om hem de ogen te doen openen.

Hij probeert overeind te komen. Om hulp te roepen.

En dan wordt hij opgeschept door sterke armen, als een flentertje kabeljauwfilet op een hete visschep. Heel even, één seconde, kijkt hij zijn belager in de ogen.

Dan voelt hij zichzelf vliegen. Snel en onelegant vallen. Koude lucht suist langs hem heen. De wind loeit in zijn oren. Het zeewater spat tegen zijn rug.

Plof.

Een bottenbrekende, adembenemende klap op het dek van een kleine houten boot, dansend op water met de kleur van donker bier.

Beetje bij pijnlijk beetje opent hij zijn ogen en versuft vangt hij een glimp op van het verdwijnende schip. Voelt het deinen en wiegen van een te kleine reddingsboot op een reusachtige oceaan.

Hij is te moe om zijn herinneringen in beelden om te zetten, maar als de kou hem omhult en de maan lijkt te doven, herinnert hij zich vaag dat dit hem vertrouwd voorkomt.

Dat hij dit eerder heeft gedaan.

DEEL EEN

I

14.14 uur, Holy Trinity Square. Twee weken voor Kerstmis. Er hangt sneeuw in de lucht. Het is te ruiken. Het is te proeven. Die scherpe metaalsmaak; het tintelende gevoel achter in de keel. Frisse menthol. Bijna iets van koper. McAvoy haalt diep adem. Vult zijn hele lijf met die koele, rijke Yorkshire-lucht, doordrongen van het ziltige stuifwater aan de kust; de rook van olieraffinaderijen; de gebrande cacao uit de chocoladefabriek; de penetrante geur van veevoer dat vanochtend door een groot containerschip in de havens is gelost; de sigaretten- en bakluchtjes van een volk in verval, en een stad die op zijn gat ligt.

Hier.

In Hull.

Zijn thuis.

McAvoy blikt omhoog naar de hemel, waar wolkenlinten in flarden uiteendrijven.

Koud als het graf.

Hij speurt naar de zon. Zwiept zijn hoofd heen en weer, op zoek naar de bron van het heldere, waterige licht dat het marktplein overspoelt en de ruiten van de eetcafés en pubs rondom dit drukke plein laat blinken. Met een glimlach ontdekt hij uiteindelijk de zon, veilig achter de kerk, vastgenageld aan de hemel als een koperen plaquette. Aan het zicht onttrokken door de hoge torenspits met zijn mantel van zeildoek en steigers.

'Nog een keer, papa. Nog een keer.'

McAvoy kijkt omlaag. Trekt een gezicht naar zijn zoontje. 'Sorry. Papa zat met zijn gedachten heel ergens anders.' Hij tilt de vork op en stopt nog een stuk chocoladecake in de opengesperde, glimlachende mond van de jongen. Ziet hem kauwen en slikken, waarna de mond weer opengaat, net als een babyvogeltje dat wacht op een worm.

'Dat ben je,' zegt McAvoy lachend, wanneer het bij hem opkomt dat Finlay die beschrijving wel grappig zal vinden. 'Een babyvogeltje dat om wormen vraagt.'

'Twiet-twiet.' Finlay fladdert schaterend met zijn armen. 'Meer wormen.'

McAvoy lacht en terwijl hij de laatste cake van het schoteltje schraapt, buigt hij zich voorover en kust hij de jongen op het hoofd. Fin draagt een warme ijsmuts en een fleece jack, zodat McAvoy de heerlijke geur van zijn zoons pasgewassen haar wordt ontzegd. Het liefst zou hij de muts eraf grissen om de geur op te snuiven van vers gemaaid gras en honingraat die hij met het wilde rode haar van de jongen associeert. Maar het is hier – op het terras van de trendy koffiebar, met de zilverkleurige tafels en metalen stoelen – veel te koud, dus kietelt hij het joch alleen onder de kin en geniet van zijn glimlach.

'Wanneer komt mama terug?' vraagt de jongen, die zijn gezicht afveegt met het hoekje van een papieren servet en zijn lippen aflikt met een tong die onder de chocolade zit.

'Duurt niet lang meer,' antwoordt McAvoy, terwijl hij instinctief op zijn horloge kijkt. 'Ze koopt cadeautjes voor papa.'

'Cadeautjes? Waarom?'

'Omdat ik braaf ben geweest.'

'Net als ik?'

'Net als jij.'

McAvoy leunt voorover.

'Ik ben echt heel braaf geweest,' verklaart Finlay. 'Ik krijg een heleboel cadeaus van de Kerstman. Een hele-, hele-, heleboel.'

McAvoy glimlacht. Zijn zoon heeft gelijk. Over twee weken ligt er met kerst onder de rode slingers en zilveren takken van de kunstboom een maandsalaris aan cadeaus op Fin te wachten, met strikken en linten en al. De halve woonkamer van hun onopvallende, twee-onder-een-kapnieuwbouwhuis ten noorden van de stad zal bedolven worden onder de voetballen, kleren en worstelfiguurtjes. Ze zijn al in juni begonnen met de kerstinkopen, net voordat Roisin ontdekte dat ze weer in verwachting was. Het geld dat ze hebben uitgegeven, kunnen ze eigenlijk niet missen. Nog niet eens de helft, gezien de kosten die het nieuwe jaar met zich meebrengt. Maar hij weet hoeveel kerst voor Roisin betekent, dus heeft hij zijn creditcard flink laten wapperen om haar te geven wat ze verdient. Op kerstochtend zal ze in haar eigen sok een platina ketting met granaatsteentjes vinden. Een rode leren jas voor wanneer ze haar zwangerschapspondjes weer kwijtraakt. Dvd's van *Sex and the City*. Kaartjes voor het UB40-concert in Delamere Forest in maart. Ze zal gilletjes slaken en de geluidjes maken waar hij zo van houdt. Naar de spiegel rennen om de jas over haar flodderige T-shirt en opbollende, zwangere buik aan te trekken. Haar mooie, fijne gezichtje in glimlachen plooien en hem daarna overstelpen met kussen als ze vergeet dat het een feestdag is voor kinderen en hun zoontje zijn eerste cadeau nog moet uitpakken.

McAvoy voelt opeens iets trillen naast zijn borst en haalt de twee slanke mobieltjes uit zijn binnenzak. Enigszins teleurgesteld beseft hij dat het geluid afkomstig is van zijn privételefoon. Een sms'je van Roisin. *Ik heb iets voor je gekocht wat je echt geweldig gaat vinden... Xxxx.* Hij glimlacht. Stuurt haar een hoop kusjes terug. Hoort de stem van zijn vader, die hem een watje noemt. Haalt zijn schouders erover op.

'Je moeder is een mallerd,' zegt hij tegen Fin, en de jongen knikt ernstig. 'Zo is het,' gaat hij verder. 'Een mallerd.'

Alleen al de gedachte aan zijn vrouw doet hem glimlachen. Hij heeft horen zeggen dat je bij ware liefde meer om een ander geeft dan om jezelf. McAvoy verwerpt die gedachte. Hij geeft meer om wie dan ook dan om zichzelf. Hij zou zijn leven geven voor een vreemde. Zijn liefde voor Roisin is net zo volmaakt en bovenaards als zijzelf. Teder, hartstochtelijk, trouw, onbevreesd... Ze houdt zijn hart veilig in bewaring.

McAvoy staart een tijdje voor zich uit. Kijkt naar de kerk. Hij is er een paar keer binnen geweest. In de vijf jaar dat hij nu in Hull woont, heeft hij bijna alle belangrijke gebouwen van de stad wel een keer vanbinnen gezien. Hij en Roisin hebben hier ooit een concert bijgewoond, een optreden van een uur van de Kölner Philharmonie uit Keulen. Het deed hem weinig, maar zijn vrouw was tot tranen toe geroerd. Hij las wat in het programmaboekje en klapte op de juiste momenten, alle informatie in zich opzuigend als een uitgedroogde spons. Af en toe tilde hij zijn hoofd lang genoeg op om naar Roisin te kijken, gekleed in een spijkerjack met sjaal, de ogen wijd open terwijl ze zich verloor in de opzwepende strijkersklanken die spookachtig en majestueus weerkaatsten vanaf de hoge plafonds en gewelfde pilaren van de kerk.

Als er plotseling een merkwaardige stilte valt in het rumoer van winkelende voorbijgangers en het naburige verkeer, hoort McAvoy een koorknaapje zingen. De ijle tonen zweven over het plein en het lied weeft zich tussen de voetgangers door als een draad op een weefgetouw, doet mensen omkijken, benen trager lopen en gesprekken verstommen. Het is een hartverwarmend kerstmoment. McAvoy ziet mensen glimlachen. Ziet monden opengaan om klinkers van vreugde en aanmoediging te vormen. Even is McAvoy geneigd om zijn zoon mee naar binnen te nemen. Om achter in de kerk te glippen en naar de dienst te luisteren. Om 'Once in Royal David's City' hand in hand met zijn zoontje mee te zingen en het kaarslicht over de kerkmuren te zien flikkeren. Eerder, toen ze na hun bestelling bij de kassa van de koffiebar opkeken, stond Fin gebiologeerd te kijken naar de staart van de processie met koorknapen en geestelijken die door de grote, met ijzer beslagen dubbele deur in de mond van de kerk verdween. Beschaamd om zijn eigen onkunde was McAvoy niet in staat de betekenis van de verschillende gewaden uit te leggen, maar de kleuren brachten Fin in vervoering. 'Waarom zijn er jongens en meisjes?' vroeg hij, wijzend naar de koorzangers in hun wijde rode toga's met witte plooikraag. McAvoy moest het antwoord schuldig blijven. Hij is katholiek opgevoed. Heeft nooit de moeite genomen om zich te verdiepen in de verschillende betekenissen van de kostuums die de Anglicaanse Kerk voorschrijft.

McAvoy neemt zich voor om die onwetendheid te verhelpen en keert zijn hoofd in de richting vanwaar hij Roisin verwacht. Hij kan haar niet ontdekken tussen het winkelpubliek, dat voorzichtig rondloopt over de gladde kinderkopjes in het historisch hart van de stad. Als dit een van de naburige steden – York of Lincoln – was geweest, zou het hier op straat wemelen van de toeristen. Maar dit is Hull. De laatste halte voor de zee, op de route naar nergens, en het brokkelt af waar je bijstaat.

Weer de trilling bij zijn hart. Het zoeken naar de mobieltjes. Ditmaal is het zijn werktelefoon. De diensttelefoon. Zijn maag trekt samen als hij opneemt.

'Brigadier-rechercheur McAvoy. Eenheid Zware Georganiseerde Criminaliteit.' Het geeft nog steeds een kick om dat te zeggen.

'Al goed, Brig. Ik meld me alleen maar.' Het is Helen Tremberg, een lange, ernstige rechercheur, die een paar maanden eerder van Grimsby's uniformdienst naar de recherche in Hull is overgeplaatst. 'Uitstekend. Hoe staan we ervoor?'

'Een stille dienst, gezien de tijd van het jaar. City speelt dit weekend een uitwedstrijd, dus allemaal niet veel bijzonders. Een knokpartijtje bij Beverley Road, maar niemand wil er werk van maken. Een familiefeest dat een beetje uit de hand is gelopen. O ja, de commissaris vroeg of je hem wilde bellen als je even tijd hebt.'

'Echt waar?' McAvoy probeert de piep uit zijn stem te houden. 'Enig idee waarom?'

'O, het is vast niets om je druk over te maken. Hij wou je om een gunst vragen. Geen geraas of getier. Hij nam geen onvertogen woord in de mond.'

Ze moeten er allebei even om lachen. De commissaris is geen intimiderend heerschap. De magere, kwieke en zacht sprekende man lijkt meer op een boekhouder dan op een boevenvanger; zijn opvallendste bijdrage aan het plaatselijke korps is de introductie van een 'datasharing intranetmatrix' geweest en een memootje dat iedereen waarschuwde geen grove taal te gebruiken tijdens het bezoek van prinses Anne aan het bureau op Priory Road.

'Oké. Dus niets dringends?'

'Sorry, Brig. Ik had je normaal gesproken niet eens gebeld, maar je vroeg me om je op de hoogte te houden...'

'Nee, natuurlijk. Daar heb je goed aan gedaan.'

Zuchtend verbreekt McAvoy de verbinding. Zijn directe chef, hoofdinspecteur Trish Pharaoh, is dit weekend op cursus. De twee andere inspecteurs op het bureau hebben allebei geen dienst.

Mocht er iets belangrijks gebeuren, dan is hij de hoogste in rang, degene die de teugels in handen moet nemen. Hij voelt het vertrouwde schuldgevoel opkomen wanneer hij stiekem hoopt op een samenloop van omstandigheden die een arme ziel tegenslag en narigheid gaat bezorgen, maar hij weet ook dat het onvermijdelijk is. Er zal een volgend slachtoffer vallen. Zoals er ook sneeuw gaat vallen. Het is alleen de vraag waar en hoe.

Er verschijnt een serveerster, haar blote onderarmen onder het kippenvel. Ze fronst vriendelijk naar McAvoy en zijn zoon. 'Jullie lijken wel gek,' zegt ze, terwijl ze overdreven rilt.

'Ik ben niet gek,' zegt Fin verontwaardigd. 'Je bent zelf gek.'

McAvoy kijkt glimlachend omlaag naar zijn zoon, maar spreekt hem vermanend toe om hem te leren niet onbeleefd te zijn tegen grote mensen. 'Het is een prachtige dag,' zegt hij tegen de serveerster, die een zwarte rok en een T-shirt draagt en zo te zien begin dertig is.

'Ze hebben sneeuw voorspeld,' zegt ze terwijl ze de tafel afruimt – de resten van de chocoladecake, het glas limonade, de mok warme chocolademelk die McAvoy in drie gloeiend hete, verrukkelijke teugen heeft opgedronken.

'Vandaag hier en daar een bui. Veel meer zal het niet zijn. Misschien over een dag of twee. Dan kan het flink gaan sneeuwen. Minstens een paar centimeter.'

De serveerster neemt hem in zich op. Bekijkt deze kleerkast van een kerel in double-breasted designerjas. Knappe man, zelfs met het weerbarstige haar en brede boerengelaat. Ze schat dat hij met gemak de een meter vijfennegentig haalt, maar zijn bewegingen en gebaren hebben iets zachtmoedigs, alsof zijn eigen omvang hem schrik aanjaagt en hij constant bang is iets te breken wat fragieler is dan hijzelf. Ze kan zijn accent niet nauwkeuriger duiden dan 'bekakt' en 'Schots'.

'Ben je soms een weerman?' vraagt ze glimlachend.

'Ik ben opgegroeid op het platteland,' antwoordt hij. 'Dan krijg je er een neus voor.'

Ze grijnst naar Fin en knikt naar zijn vader. 'Is dat zo? Kan je pa het weer voorspellen met zijn neus?'

Fin kijkt de serveerster onbewogen aan. 'We wachten op mama,' zegt hij.

'O ja? En waar is mama?'

'Cadeautjes kopen voor papa.'

'Ben je zo'n brave jongen geweest?' vraagt ze aan McAvoy op een flirterige toon. Haar blik dwaalt nog even over zijn goed gespierde lichaam, zijn stierennek en zijn ronde gezicht met de hoekige kaken, waarop ze, in dit licht, vaag de strepen van littekens meent te zien.

McAvoy glimlacht. 'Ik doe mijn best,' zegt hij bedeesd.

De serveerster werpt hem een laatste grijnsje toe en haast zich dan terug naar binnen.

McAvoy haalt opgelucht adem. Hij ploft Fin terug op zijn eigen stoel en diept een tekenblok en een doos kleurkrijt op uit de leren tas bij zijn voeten. 'Een mannentas', zei Roisin toen ze hem die een paar maanden geleden cadeau gaf, samen met de designerjas en drie dure pakken. 'Geloof me nou,' zei ze, terwijl ze zijn oude, glanzend zwarte pantalon omlaag trok en zijn waterdichte windjack uit zijn hand sleurde. 'Probeer het. Laat me je gewoon een tijdje aankleden.'

Hij was gezwicht. Liet zich door haar aankleden. Droeg de mannentas. Raakte gewend aan de jas, die niet alleen warm was en de regen tegenhield, maar hem ook heel wat vileine opmerkingen over zijn woeste rode haar bespaarde.

Toen hij volhield dat kleren niet de man maken, zei ze: 'Wanneer mensen je tegenkomen, moeten ze iemand zien om wie je niet heen kunt. Iemand met zelfvertrouwen. Iemand met stijl. Je bent Columbo toch niet? Je kleedt je gewoon slordig.'

En zo werd rechercheur Aector McAvoy een *fashion victim*. Die maandagochtend op het bureau begroetten zijn collega's hem met luid gejoel, floten hem na en zongen de herkenningsmelodie van *Rawhide*. Het waren voor de verandering goedaardige plagerijen. 'Je bent altijd al een vervaarlijk uitziende sodemieter geweest,' zei rechercheur Ben Nielsen, leunend tegen de muur van het cellenblok terwijl ze stonden te wachten tot een inbraakverdachte uit een cel werd gehaald. 'En nu sta je dreigend met een handtas in de deuropening. De arme drommels zullen niet weten of je ze gaat neerschieten of ze billenkoek gaat geven. Het brengt ze in verwarring. Niets meer aan doen.'

McAvoy mag Nielsen. Hij is een van het zestal nieuwe gezichten die een halfjaar geleden door de korpsleiding zijn aangeworven, in een poging de stank van de slechte oude tijd te verdrijven. Het tijdperk dat McAvoys reputatie heeft gemaakt en gekraakt. Hij is de smeris die een hoofdinspecteur zijn baan heeft gekost. Die een intern onderzoek op gang bracht dat een corrupt rechercheteam naar de vier windstreken verstrooide, terwijl hij zelf de dans ontsprong zonder een smet op zijn staat van dienst. Hij is de smeris die Doug Roper onderuit heeft gehaald; de smeris die bijna omkwam in de bossen onder de Humber Bridge, door toedoen van een man wiens misdaden nooit in de openbaarheid zullen komen en alleen bekend zijn bij de paar politiemensen die zijn gezicht nog deskundiger hebben gehecht dan de artsen in het Hull Royal. Hij is de smeris die het aanbod van een overplaatsing naar een gemoedelijk dorpsbureau van de hand wees. Die nu in een team zit dat hem niet vertrouwt, werkt voor een baas die hem niet waardeert, en probeert op te gaan in de achtergrond terwijl hij een tas van Samsonite rondzeult met verstelbare schouderbanden en, godbetert, waterbestendige opbergvakken…

Pharaoh moest meteen vol aan de bak. In de nasleep van het

vertrek van Doug Roper besloot de hoofdcommissaris dat het oude team van de slechte jongens een elite-eenheid moest worden, gespecialiseerd in zware criminaliteit. Een aparte eenheid binnen het grotere lichaam van de recherche, geleid door een ervaren, betrouwbare rot in het vak en bemand door de beste agenten uit de regio Humberside. Niemand had verwacht dat de baan naar Trish Pharaoh zou gaan, de brutale, vastberaden excuustruus van de overkant van de Humber. Inspecteur Colin Ray was door de bookmakers getipt als de grote favoriet voor promotie, met zijn protegee Sharon Archer als zijn rechterhand. Maar Trish Pharaoh werd persoonlijk door de hoofdcommissaris gekozen, die iets opzienbarends nodig had voor in een persbericht. Hij liet haar overkomen uit Grimsby en droeg haar op de nodige deining te veroorzaken. Ray en Archer werden het team binnengehaald als plaatsvervangers van Pharaoh, een rol die ze geen van beiden van harte op zich namen. Het gerucht ging dat de korpsleiding hun op de eerste dag had verteld dat hun nieuwe chef niet meer was dan een strovrouw – een bliksemafleider voor wanneer de vlam in de pan sloeg. En dat zij tweeën eigenlijk de leiders van de eenheid waren. Pharaoh dacht daar heel anders over; zag een kans om iets bijzonders op te bouwen en begon haar team samen te stellen. Maar voor elke politieagent die zij rekruteerde, haalde Ray een van zijn eigen mensen erbij. De eenheid werd al snel beheerst door intriges en gekonkel tussen Rays veteranen aan de ene kant en Pharaohs meer vooruitstrevende, zorgvuldig uitgekozen specialisten aan de andere kant.

McAvoy behoort tot geen van beide kampen. Volgens zijn visitekaartje werkt hij voor de Eenheid Zware Georganiseerde Criminaliteit, maar hij is niemands lievelingetje. Hij heeft de overplaatsing zelf aangevraagd. Al zijn krediet bij de hoge omes ervoor opgebruikt. Hij is de eenheid binnengeloodst als een stil bedankje omdat hij onder diensttijd bijna zijn leven heeft gegeven voor iets waar niemand hem om had gevraagd.

In werkelijkheid houdt hij het midden tussen een ambassadeur en een mascotte; een intellectueel, welbespraakt, fysiek imponerend symbool van de heerlijke nieuwe wereld van het Humberside-politiekorps – geknipt voor het houden van praatjes op het Vrouweninstituut en lokale scholen. En een grote aanwinst wanneer de eindejaarsverslagen over de nieuwe softwarevereisten moeten worden samengesteld.

'Wat gebeurt er, papa?'

Terwijl McAvoy over het plein staart, wordt de geur van sneeuw opeens sterker. Hij heeft horen zeggen dat het te koud kan zijn om te sneeuwen, maar zijn jeugd in de harde, meedogenloze greep van de Westelijke Hooglanden heeft hem geleerd dat het nooit te koud is voor sneeuwvlokken. De plotselinge daling in temperatuur maakt de grond hard. Voorkomt dat de sneeuw blijft liggen. Zorgt ervoor dat de wind terugkaatst. Veroorzaakt een sneeuwstorm die zijn jonge ogen verblindt en zijn vingers verandert in blauwe ijspegels…

Achter in zijn keel proeft hij weer dat vleugje metaal, en even verbaast hij zich over de wonderlijke overeenkomst tussen het aroma van een weersverandering en de scherpe, bittere smaak van bloed.

Dan hoort hij het gegil. Luid. Snerpend. Meerstemmig. Dit is geen dronken pretgilletje van een meisje dat wordt gekieteld door een vriendje of achternagezeten door een gabber. Dit is pure doodsangst.

McAvoy keert zijn hoofd met een ruk om, in de richting van het geluid. Alle beweging op het plein valt plotseling stil, alsof de mannen, vrouwen en gezinnetjes op het oppervlak hebben ronddraaid als ballerina's op een speeldoos, die nu abrupt, onelegant, tot stilstand komt.

Hij staat op, bevrijdt zijn lichaam van onder de krappe tafel, en staart de mond van de kerk in. Hij doet twee stappen en merkt dat de tafelpoten zijn brede schenen nog steeds in de weg zitten. Hij haalt uit. Schopt de tafel tegen de grond. Zet het op een rennen.

McAvoy sprint het plein over en ziet aan alle kanten mensen weer in beweging komen. 'Achteruit iedereen,' roept hij, gebarend met zijn armen als nieuwsgierige shoppers naar de Holy Trinity beginnen te lopen. Zijn ademhaling wordt oppervlakkig als de adrenaline door zijn aderen begint te stromen. Hij voelt het bloed naar zijn wangen stijgen. Pas als hij door het open metalen hek is gerend, de schaduw van de dubbele deur in, denkt hij aan zijn zoon.

Hij houdt in als een kreupel paard, overhoopliggend met zijn armen en benen, een en al buitelende ledematen. Hij kijkt terug over het plein. Ziet een vierjarig jochie voor een omgevallen tafel zitten, de mond opengesperd, huilend om zijn vader.

Een moment lang staat hij in tweestrijd. Totaal verlamd door twijfel.

Uit de kerkdeur duikt plots een gedaante op. In het zwart gekleed, van top tot teen.

Er klinken nieuwe gillen terwijl deze schim uit de geopende muil van het Huis van God tevoorschijn springt, met in de linkerhand een flits van zilver, een heft bevlekt met bloed, een vochtige plek op de borst...

McAvoy krijgt geen tijd om zich te verdedigen. Hij ziet dat het lemmet wordt geheven. Neerkomt. En dan ligt hij op zijn rug, starend naar de donker wordende lucht, hoort rennende voetstappen. Sirenes in de verte. Een stem. Voelt handen die hem betasten.

'*Het komt wel goed. Blijf bij me. Blijf bij me, jongen.*'

En krassender, scherper, als een dikke zwarte potloodstreep door

schaduw- en grijstinten, nog een stem, vervuld van ontzetting...
'Hij heeft haar vermoord. Ze is dood. Ze is dood!'
Met wijd open ogen starend naar de hemel ziet hij als eerste dat het begint te sneeuwen.

2

Ze ligt waar ze is gevallen, geknakt en gebroken op de treden van het altaar. Haar ene been ligt opgetrokken, steekt bij de knie de verkeerde kant op – een losgeraakte sportschoen bungelt aan haar in kousen gestoken tenen. Het is een zwart meisje. Haar gezicht en handen zijn een diepe mahoniekleur; haar opwaarts gerichte palmen lichter, meer de kleur van gekarnde melk. Ze is jong. Nog volop in de puberteit. Niet oud genoeg om sigaretten te kopen. Niet oud genoeg om seks te hebben. Niet oud genoeg om te sterven. Niemand heeft geprobeerd haar te reanimeren. Er zitten te veel gaten in haar. Op haar borst drukken zou hetzelfde zijn als in een natte spons knijpen. Haar spierwitte toga is achter haar omhooggeschoven, verkreukeld onder haar dode lichaam. De dikke stof omspant de ronding van een kleine, ferme borst.

Het bloed van het meisje heeft haar gewaad aan de ene kant doorweekt en karmozijnrood gekleurd, terwijl het aan de andere kant smetteloos is gebleven. Het is bijna alsof deze mensonterende gruwel slechts één zijde van haar lijfje heeft getroffen, ware het niet dat haar hele gezicht is verwrongen.

Het is duidelijk dat ze een pijnlijke dood is gestorven. Het bloed op haar wangen, hals, kin en lippen lijkt met grote natte handen over haar lichaam te zijn gespetterd. Als een rode nevelregen terwijl ze daar lag, dood en starend, haar blik strak gericht op het hoge plafond met de welvende pilaren en handgeschilderde sterren.

'Arm, arm meisje.'

McAvoy staat bij het altaar en zoekt met een grote roze hand steun bij de houten rugleuning van de voorste kerkbank. Hij voelt zich misselijk en duizelig. Zijn gezichtsvermogen heeft iets wazigs, omdat de zwelling boven zijn ene oog de randen van zijn blikveld verstoort. De ambulancebroeder had hem meteen naar de Eerste Hulp willen brengen voor een röntgenfoto, maar McAvoy, die wel vaker gewond is geraakt, weet dat hij aan dit letsel niets ernstigers overhoudt dan pijn. Pijn is te verdragen.

'Geluk gehad, hè, brigadier?'

De stem galmt door de echoënde spelonk van de lege kerk. McAvoy draait zich te snel om en een nieuwe pijnscheut teistert zijn schedel. Hij zakt neer op de bank, terwijl Helen Tremberg door het middenpad komt aanlopen.

'Sorry, wat zei je, rechercheur Tremberg?'

'Ik hoorde dat hij je bijna had gefileerd. Je hebt mazzel gehad.'

Haar wangen gloeien. Ze is opgewonden. Ze heeft het afgelopen uur de geüniformeerde agenten in stelling gebracht vanuit hun tijdelijke hoofdkwartier in het kantoor van de koster. Een van de jongere agenten heeft haar 'mevrouw' genoemd, in de veronderstelling met een superieur van doen te hebben. Ze heeft van het gevoel genoten. Vindt het geweldig om mensen op te dragen wat te doen, en erop toe te zien dat het gebeurt. Het tiental agenten heeft inmiddels de eerste verklaringen van kerkgangers opgetekend, alsook de namen en adressen genoteerd van degenen die nog te diep in shock verkeren om te kunnen verklaren wat ze hebben gezien.

'Hij sloeg me neer met de handgreep, niet het lemmet.'

'Dan stond je gezicht hem zeker aan. Het moet lastiger zijn geweest om je knock-out te slaan dan je te vermoorden. Hitte van de strijd, machete in de hand. Kans van één op duizend dat hij besluit je een dreun te verkopen in plaats van op je in te hakken.'

McAvoy staart naar zijn voeten, wachtend tot de bonkende hoofdpijn afneemt.

Hij weet dat dit verhaal de ronde gaat doen. Hij heeft de reputatie van een kantoorbediende; een meester op het gebied van spreadsheets en databases, computers en technologie. Maar op een plaats delict laat hij zich buiten westen slaan door de hoofdverdachte. Hij hoort de grappen nu al.

'Is je zoon veilig thuisgekomen?'

McAvoy knikt. Slikt. Schraapt zijn keel tot zijn stem schor klinkt.

'Roisin is hem komen ophalen. De serveerster van de koffiebar heeft op hem gepast. Ik denk dat ik het bij allebei heb verbruid.'

'Bij de serveerster?'

McAvoy glimlacht. 'Ja, bij die waarschijnlijk ook.'

Ze zwijgen even. Tremberg kijkt voor het eerst naar het lijk van het meisje. Ze schudt haar hoofd en wendt haar blik af. Concentreert zich op haar notitieboekje. Probeert dit goed te doen. Ze heeft nooit moeite gehad met de organisatie op een plaats delict of het indienen van een rapport, maar McAvoy geeft haar een merkwaardig verontrustend gevoel. Het is meer dan alleen zijn omvang. Er hangt een zekere droefheid om hem heen. Een stille, broeierige intensiteit die het moeilijk maakt met hem om te gaan. Ze kan prima opschieten met de kerels op het bureau. Ze voelt zich perfect op haar gemak wanneer ze moppen tapt met de jongens en kan de meeste van haar mannelijke collega's onder tafel drinken, maar bij haar brigadier weet ze nooit goed hoe ze indruk kan maken. Hij lijkt alles zo persoonlijk op te vatten. En bij hem moet alles strikt volgens het boekje, geobsedeerd als hij is door het invullen van formulieren, het citeren van de juiste paragrafen en subparagrafen, en het gebruik van politiek correcte termen voor elk stuk uitschot met wie ze in contact komen.

Ze weet dat hij zo zijn geheimen heeft. Een jaar geleden is er iets gebeurd in Country Park, en dat iets heeft een bekende diender zijn baan gekost en McAvoy maandenlang op non-actief gezet. Ze weet ook dat hij gewond is geraakt. Op zijn gezicht zijn heel flauw littekens te zien. Volgens de geruchten zijn er meer zichtbaar onder de dure kleren, die hij zo onelegant lijkt te dragen. Tremberg werd slechts een paar weken voordat McAvoy terugkeerde van ziekenverlof aan het team van Trish Pharaoh toegevoegd. Ze had zich verheugd op de kans hem te leren kennen, maar de eerste ontmoeting liep op een teleurstelling uit. McAvoy bleek geen geweldenaar te zijn, maar een klein mannetje gevangen in een reuzenlichaam. Hij heeft de persoonlijkheid van een bescheiden, bebrilde boekhouder, zij het een die in een kolossaal lijf rondklettert. En dan zijn er nog die ogen. Die grote, droeve koeienogen die de wereld constant in twijfel lijken te trekken, in te schatten, af te keuren, te beoordelen. Soms doet hij haar denken aan een oude Schotse koning, met zijn zwaard over de knieën en een deken rond zijn schouders, hoestend, kort van adem, maar nog altijd in staat om een slagzwaard krachtig genoeg te hanteren om een stier te onthoofden.

Ze kijkt naar hem. Hoopt dat ze in godsnaam beginnen voordat inspecteur Colin Ray en zijn getrainde zeeleeuw komen binnenstormen om het feest te bederven.

McAvoy gaat staan. Bewaart zijn evenwicht door steun te zoeken bij de kerkbank en ziet dan dat hij zijn hand op een in leer gebonden bijbel heeft gelegd.

'Zo weinig genade,' zegt hij, half in zichzelf.

'Brigadier?'

'Je gaat je toch dingen afvragen,' mompelt hij, waarbij een ongewilde blos vanaf zijn overhemd naar zijn brede gezicht stijgt. 'Waarom zij? Waarom hier? Waarom nu?' Hij zwaait met een hand zo groot als een kolenschop. 'Waarom gebeurt zoiets eigenlijk?'

'De wereld is hard,' zegt Tremberg met een schouderophalen.

McAvoy kijkt naar zijn voeten en streelt het omslag van de bijbel. 'Tekst en uitleg,' zegt hij zacht en hij sluit zijn ogen.

'Ze heet Daphne Cotton,' begint Tremberg. Haar stem klinkt opeens zachter en milder, alsof het aanschouwen van het lijk, en de ongekende droefheid van het tafereel, haar een toontje lager heeft doen zingen. 'Vijftien jaar oud. Ze is al vier jaar lid van deze kerk. Geadopteerd.'

'Wacht even,' zegt McAvoy, bij wie het al duizelt van de ideeën en vragen. Hij heeft een logische geest, maar kan de dingen beter bevatten wanneer ze netjes geordend op papier staan. Hij houdt van het opsporingsproces. Het overzichtelijk registreren van alle correcte feiten. Maar nu zijn hoofd zeer doet en zijn verstand verdoofd is, vraagt hij zich af hoeveel hij kan onthouden. 'Daphne Cotton,' herhaalt hij. 'Vijftien. Geadopteerd. Hier uit de buurt?'

Tremberg lijkt hem niet te begrijpen. 'Brig?'

'Het is een zwart meisje, rechercheur Tremberg. Is ze uit het buitenland geadopteerd?'

'O, op die manier. Weet ik niet.'

'Oké.'

Ze laten een stilte vallen, allebei teleurgesteld in de ander en zichzelf. McAvoy maakt zich zorgen over zijn gebruik van het woord 'zwart'. Zou het toepasselijker zijn de procedurele term te gebruiken? Is het verkeerd haar huidkleur te vermelden? Is hij een goede rechercheur of gewoon een racist? Hij weet dat weinig andere agenten zich druk maken over dat soort subtiliteiten, maar als Roisin hem niet altijd wist te kalmeren zou McAvoy zichzelf een maagzweer bezorgen met zijn gepieker over zulke dingen.

'Goed,' zegt McAvoy, terwijl hij naar het lijk van het meisje achter zich kijkt en daarna naar het plafond. 'Wat hebben de getuigen je verteld?'

Tremberg kijkt even naar haar notitieboekje. 'Ze was een misdienaar, brigadier. Een acoliet. Ze dragen de kaarsen in de processie. Zitten tijdens de dienst voor het altaar. Pakken de dingen aan die de priester ze geeft en leggen die weg. Veel ceremoniële pracht en praal. Het is blijkbaar een grote eer. Ze deed het al vanaf haar twaalfde.' Er klinkt genoeg scepsis en ongeloof in Trembergs stem om te doen vermoeden dat haar religieuze opvattingen zich ergens ten zuiden van het agnosticisme ophouden.

'Je gaat niet elke zondag trouw naar de kerk?' vraagt McAvoy met een flauwe glimlach.

Tremberg stoot een schamper lachje uit. 'In mijn familie waren de zondagen gereserveerd voor de Grand Prix. Er was bij ons niets heiligers dan de formule 1.'

Aan het andere eind van het middenpad laat een plotse windvlaag een deur openklappen. Heel even ziet McAvoy de grafzerken en hekken, de kerstlampjes en uniformen; een blauwe zwaailamp die cirkels van licht verspreidt in het duister. Hij kan zich voorstellen wat er buiten gebeurt. Agenten in gele jassen die wit-blauw gestreepte politielinten aan de smeedijzeren hekken bevestigen. Drinkers in de pubs aan het plein, die over hun halflege bierglazen het strijdtoneel van auto's aanschouwen, die piepend tot stilstand komen, centimeters voordat ze elkaar raken. Bezorgde bestuurders die uit hun auto springen om geliefden op te pikken die de kerkdienst hadden bijgewoond en nu op het koude plein in de sneeuw worden weggeleid van de gruwel waarvan ze getuige zijn geweest.

'Hoe wist de dader dat ze hier zou zijn?'

'Als hij het op haar gemunt had, brigadier. We weten niet of het willekeur is geweest.'

'Dat is waar. Hebben we iets wat daarop wijst?'

'Nog niet. Ik heb hier een verklaring van ene Euan Leech. Hij meende te zien dat de kerel twee andere misdienaars aan de kant duwde om bij haar te komen, maar in al die verwarring...'

'En de andere getuigen?'

'Konden zich dat niet herinneren. Ze zagen alleen plotseling een gedaante opduiken bij het altaar, en voor ze het wisten hakte hij haar tegen de grond en begon iedereen te gillen. Als ze de tijd krijgen om alles op een rijtje te zetten, komt er misschien een duidelijker beeld naar voren.'

'Nog niets gehoord van de patrouilles? Geen spoor van hem gevonden?'

'Geen sikkepit. En er staat te veel wind om de heli te laten opstijgen. Bovendien is het daar nu te laat voor. Maar hij zat onder het bloed. Dat moet iemand zijn opgevallen...'

'Oké,' verzucht McAvoy. Hij wendt zich af van het lijk en kijkt naar Tremberg. Vergeleken met zijn Roisin is dit een heel alledaags uitziende vrouw, maar hij vermoedt dat haar gezicht een kunstenaar in vervoering zou brengen. Smalle, feërieke gelaatstrekken in het midden van een rond, breed hoofd, als een culinair hoogstandje op een groot plat bord. Ze is lang en atletisch, zo rond de dertig, en kleedt zich zo onschuldig en onopvallend dat ze geen lustobject vormt voor de mannelijke agenten, noch een bedreiging voor de meer machiavellistische vrouwen. Ze is grappig, energiek en gemakkelijk in de omgang, en hoewel een lichte trilling van haar lippen verraadt dat de adrenaline door haar lichaam stroomt bij de gedachte deel uit te maken van de klopjacht op deze moordenaar, weet ze dat verder goed te verbergen met een zelfverzekerdheid die McAvoy bewonderenswaardig vindt.

'De familie,' zegt hij. 'Was die hier?'

'Nee. Ze zijn er normaal gesproken bij. De koster zei dat ze vrienden van de kerk zijn, wat dat ook moge betekenen. Maar nee, ze was hier alleen. Haar ouders hebben haar bij de kerk afgezet en ze zou op eigen houtje terug naar huis gaan. Dat vertelde een van de andere misdienaren. Een oudere jongen die later priester wil worden. Of dominee. Ik weet het verschil niet.'

'Maar zijn haar ouders op de hoogte gesteld? Weten ze het?'

'Ja, brigadier. De contactpersoon voor de familie is ingelicht. Ik dacht dat je dat als eerste op je lijstje zou willen schrappen, zodra je weer bij zinnen was.'

McAvoy glimlacht lichtjes. Hij is blij dat hij overeind staat. Als hij had gezeten, zouden zijn benen heen en weer wiebelen vanwege een gevoel dat een minder nauwkeurig persoon 'opwinding' zou noemen. McAvoy beschouwt het als iets anders. Hij zou het niet eens nervositeit noemen. Hij associeert het gevoel met het begin van alles. Het potentieel van een blanco pagina. Hij wil meer weten over Daphne Cotton. Wil weten wie haar heeft vermoord, en waarom. Wil weten waarom hem, Aector McAvoy, het lemmet bespaard is gebleven. Waarom er tranen in de ogen van de man stonden. Hij wil laten zien dat hij dit kan. Dat hij meer is dan de smeris die Doug Roper ten val heeft gebracht.

Hij kijkt om zich heen, naar deze majestueuze, ontzagwekkende plek.

En vraagt zich af of het hier ooit weer gewoon zal worden. Kunnen de gelovigen op hun bankjes zitten en de Heer prijzen zonder terug te denken aan dat moment waarop een moordenaar uit hun midden opsprong en een van de misdienaars afslachtte, terwijl ze haar kaars ophield en de priester hielp bij de mis? Hij knijpt zijn ogen dicht. Wrijft over zijn gezicht. Wanneer hij zijn ogen weer opent, staart hij naar een grote gouden adelaar, de vleugels half ingetrokken. Hij vraagt zich af wat het beeld symboliseert. Waarom staat het hier? Boven de tegelvloer aan het eind van het schip, tegenover de gotische trap naar het spreekgestoelte? Wie heeft besloten om deze roofvogel hier neer te zetten? Zijn geest begint te malen. Te analyseren. Deze moord in een kerk, minder dan twee weken voor kerst. Hij vertrekt zijn gezicht als hij terugdenkt aan dat moment, nog geen twee uur geleden, waarop het gezang van het koor het plein overspoelde en de harten van luisteraars verwarmde. Denkt aan hoe Daphne Cotton zich moet hebben gevoeld in die vreselijke momenten, toen de beschermende mantel van haar geloof, van haar gemeenschap, aan flarden werd gereten door een kapmes.

'De auto wacht buiten, brigadier,' zegt Tremberg ongeduldig, met haar hoofd gebarend naar de deur. 'Ben Nielsen komt hierheen om de verhoren in goede banen te leiden. Er zijn kinderspecialisten op weg om de koorknaapjes te ondervragen. Ze stonden er waarschijnlijk met hun neus bovenop, de arme zieltjes...'

Terwijl McAvoy in de richting van de deur loopt, rinkelt de telefoon in zijn binnenzak. Er schiet een rilling van paniek door hem heen. Hij had dit moeten melden. Had dit meteen aan de korpsleiding moeten doorgeven. Zijn stempel op de zaak moeten drukken. Maar hij had achter in een ambulance op een brancard gelegen en het onderzoek door een onervaren agent laten leiden.

Hij neemt op met 'Brigadier-rechercheur McAvoy' en blijft stilstaan, laat het hoofd al hangen.

'McAvoy. Je spreekt met commissaris Everett. Wat is daar gaande?' De stem van de commissaris klinkt gespannen en streng.

'We hebben alles onder controle, meneer. We zijn nu op weg naar de familie...'

'We?'

'Rechercheur Helen Tremberg en ikzelf, meneer...'

'En Pharaoh?'

McAvoy hoort zichzelf slikken. Het is net alsof hij ijswater heeft gedronken op een lege maag. Hij voelt een buikkramp opkomen. 'Hoofdinspecteur Pharaoh is dit weekend op cursus, meneer. Ik ben de dienstdoende hoogste in rang...'

'Pharaoh heeft gebeld, McAvoy. Ze heeft de cursus afgezegd zodra ze het hoorde. Het gaat om een moord, brigadier. In de grootste, meest historische kerk van de stad. De kerk waar William Wilberforce is gedoopt. Een tienermeisje dat voor de ogen van de geloofsgemeenschap in mootjes wordt gehakt door een gek? Dat is alle hens aan dek, man.'

'Wilt u dat ik haar bijpraat nadat ik de familie van het meisje heb gesproken?'

'Nee.' De besliste toon van Everett maakt duidelijk hoe belachelijk hij zich heeft gemaakt door te hopen dat dit zijn onderzoek kon worden.

'Ja, meneer,' zegt hij verslagen, als een schooljongetje dat te horen krijgt dat hij niet voor het voetbalelftal is geselecteerd. Naast hem draait Tremberg zich om. Ze stopt twee stukken kauwgom in haar mond en begint kwaad te kauwen als ze beseft wat er gebeurt.

'Nee, ik bel je voor die andere zaak, McAvoy,' verklaart Everett, waarna hij er meteen aan toevoegt: 'Waar ik je eerder over heb gebeld.'

'Ja, meneer, ik heb het bericht ontvangen, maar –'

'Laat die uitleg maar zitten. Andere dingen zijn nu belangrijker. Maar nu je het onderzoek niet hoeft te leiden, kun je iets anders voor me doen. Een vriendendienst, eerlijk gezegd.'

McAvoy heeft zijn ogen gesloten. Hij luistert nauwelijks. 'Als het in mijn vermogen ligt, meneer.'

'Uitstekend. Ik kreeg een telefoontje van een vriend van mij in Southampton. Een oude kerel daar uit de buurt is blijkbaar verongelukt tijdens het maken van een documentaire op zee. Nare toestand. Vreselijk. Hij komt oorspronkelijk uit deze regio. Heeft hier nog familie wonen. Een zus in Beeford. Normaal gesproken zou er een agent in uniform langsgaan om haar het droeve nieuws te vertellen, maar dit is een dame die, nou ja...' Everett begint over zijn woorden te struikelen. Hij klinkt als een verlegen man die een toespraak houdt op een bruiloft. 'Luister, ze is de vrouw van de vicevoorzitter van het politiebestuur. Een heel belangrijke dame. Zij en haar echtgenoot steunen een heleboel initiatieven die het gemeentelijk politieprogramma de komende paar jaar hoopt te realiseren. En jij kunt altijd zo goed met mensen overweg...'

McAvoy hoort geruis in zijn oren. Zijn hart mokert. Hij kan bijna zijn eigen bloed ruiken. Hij opent zijn ogen en ziet Tremberg bij hem wegbenen. Uit haar loopje spreekt een zekere minachting. Ze vindt haar weg wel in Pharaohs team.

Doe waar je goed in bent, McAvoy. Wees een aardige, geschikte kerel. Doe wat Everett je opdraagt. Steek je kop niet boven het maaiveld uit. Doe gewoon je werk. Zorg voor brood op de plank. Wees lief voor je vrouw...

'Ja, meneer.'

3

McAvoy mindert zijn snelheid tot dertig kilometer per uur. Hij tuurt in het duister, terwijl de banden van de hoekige sedan modder tegen de met druppels fonkelende voorruit spatten. Ook al heeft hij uitzonderlijk goede ogen, het sombere decemberweer sluit zich als een klamme vuist om hem heen. Geconcentreerd vangt hij een glimp op van de blinkende oogjes van zanglijsters die onder in de hagen zijn neergestreken. Hij ziet dorre, rottende stengels van fluitenkruid en vlasleeuwenbekjes als gebroken speren uit de modderige, platgereden berm steken. Meent achter zich een konijn te zien dat over de natte kiezelweg schiet; een flits van vacht met een staart als uitroepteken, vluchtig zichtbaar in het mistige glas.

Het is al zes uur. Met dit weer zal de terugrit vanaf Beeford – tweeëndertig kilometer rijden langs de kust vanaf zijn huis in North Hull – een uur in beslag nemen. En op de terugweg naar het hoofdbureau zal hij eerst langs zijn eigen voordeur moeten rijden. Hij raakt geïrriteerd bij de gedachte, maar een recente verordening van het kantoor van de hoofdcommissaris verbiedt het nachtelijk gebruik van poolauto's zonder schriftelijke toestemming. McAvoy neemt aan dat de richtlijn een goede reden heeft, dus zal hij zich eraan houden.

Opeens ziet McAvoy rechts van hem een opening tussen de hagen, en hij zwenkt het logge voertuig voorzichtig het gat in waar hij naar heeft gezocht. Hij stelt zich voor dat het omringende landschap er bij daglicht, in de lente, uitziet als een aquarel met geploegde bruine aarde en wuivend goudblond koren, maar in deze onheilspellende duisternis voelt het als een godverlaten oord. Hij is dan ook opgelucht wanneer de reusachtige schim van de lange, leigrijze boerderij voor hem opdoemt en hij het geruststellend geknars van grind hoort terwijl de auto de privéoprit op rijdt.

Als McAvoy op de ovale parkeerruimte naast een modderige terreinwagen tot stilstand komt, springt er een beveiligingslamp aan. Bij een open achterdeur ziet hij een oudere vrouw staan. Ondanks de fronsende uitdrukking op haar gezicht heeft ze iets aantrekkelijks, waar de jaren niets aan hebben afgedaan. Een tengere vrouw met een rechte rug. Subtiele accessoires – een designerleesbril, kristallen Swarovski-oorbellen, een licht vleugje roze lippenstift – verfraaien haar zachte, elegant gevormde gelaatstrekken. Haar korte bobkapsel lijkt met potlood te zijn getekend. Ze draagt een bodywarmer op een oranjebruine sweater, met een keurig geperste marineblauwe broek, waarvan de lange pijpen in dikke wandelsokken zijn gestopt. In haar ene hand houdt ze een wijnglas, met daarin een bodempje rood.

McAvoy opent het autoportier in een windvlaag die zijn stropdas van zijn nek dreigt te rukken.

'Dit is privéterrein,' verklaart de vrouw, terwijl ze een paar regenlaarzen pakt die bij de deur staan. 'Bent u verdwaald? Zocht u Driffield Road soms?'

McAvoy voelt zijn kaken blozen. Hij slaat het portier dicht voordat zijn notities, die los op de passagiersstoel liggen, een spelletje kunnen gaan spelen met de wind. Hij roept snel haar naam op uit zijn geheugen.

'Mevrouw Stein-Collinson? Barbara Stein-Collinson?'

De vrouw is al half de oprit op gelopen, maar houdt plots in bij haar naam. Haar gezicht verstrakt van bezorgdheid. 'Ja. Wat is er?'

'Mevrouw Stein-Collinson, ik ben rechercheur Aector McAvoy. Zouden we naar binnen kunnen gaan? Ik ben bang dat –'

Ze schudt haar hoofd, maar haar ontkenning is niet gericht tegen de politieagent. Het is alsof ze nee gebaart tegen een verschijning. Een herinnering. Haar gezicht ontspant en ze sluit haar ogen.

'Fred,' zegt ze, en haar volgende woorden klinken niet als een vraag. 'De sukkelaar is dood.'

McAvoy probeert haar blik op te vangen, haar in de ogen te kijken op de oprechte, meelevende manier die hij zo goed beheerst, maar ze besteedt geen enkele aandacht aan hem. Hij wendt zich af, enigszins in verlegenheid gebracht, zij het meer omdat hij dit, de enige missie waarvoor zijn superieuren hem geschikt vinden, zo onhandig heeft aangepakt. Hij kijkt naar de sneeuw die op het grind valt maar niet blijft liggen. Snuift beleefd als zijn neus begint te lopen van de kou.

'Ze hebben hem gevonden dus?' vraagt ze ten slotte.

'Misschien kunnen we dit –'

Haar onverwacht felle blik legt hem het zwijgen op. Ze blijft snibbig staan, schuddend met haar hoofd, waarbij de bril van haar neus zakt terwijl haar gelaat hard en kil wordt. Ze spuwt haar woorden uit, alsof ze happen uit de lucht neemt.

'Veertig jaar te laat, verdomme.'

'Zou u uw schoenen willen uitdoen? We hebben crèmekleurig tapijt in de keuken.'

McAvoy buigt zich voorover en begint de doornatte, driemaal geknoopte veters los te maken. Kijkt vanaf kniehoogte rond in de kleine vestiaire. Geen rubberlaarzen. Geen hondenmanden. Geen vuilniszakken of stapels kranten die wachten op verbranding of een ritje naar de stortplaats. Nieuwkomers, denkt hij instinctief. 'Goed,' zegt ze. De vrouw verheft zich boven hem als een koningin die zich gereedmaakt hem de ridderslag te geven. 'Waar hebben ze hem gevonden?'

McAvoy kijkt op, maar hij kan geen oogcontact maken zonder zijn nek te strekken, en hij kan zijn veters niet lospeuteren zonder ernaar te kijken. 'Als u mij even een momentje wilt geven, mevrouw Stein-Collinson...'

Ze reageert met een geïrriteerde zucht. In gedachten ziet hij haar gezicht streng naar hem kijken. Hij probeert te besluiten wat erger is: haar de details vanuit deze hoogst ongepaste positie meedelen of de arme vrouw laten wachten tot hij zijn schoenen heeft uitgedaan.

'Hij dobberde op zo'n zeventig mijl voor de kust van IJsland,' zegt McAvoy, die tracht zo invoelend en meelevend mogelijk te klinken. 'Nog steeds in de reddingsboot. Een vrachtschip merkte de sloep op en er werd meteen een reddingsactie op touw gezet.'

Met een ruk weet hij de schoen uit te trekken, waarbij zijn duim en wijsvinger flink onder de modder komen te zitten. Hij veegt zijn hand stiekem af aan het zitvlak van zijn broek, terwijl hij aan de andere schoen begint.

'Onderkoeling, neem ik aan,' zegt ze nadenkend. 'Hij zal wel geen pillen hebben ingenomen. Zal het wel allemaal bewust hebben willen meemaken, onze Fred. Hetzelfde willen voelen als wat de anderen voelden. Al had ik nooit kunnen vermoeden dat hij dit van plan was. Ik bedoel, wie wel? Zoals hij altijd lachend verhalen vertelde en iedereen een drankje aanbood...'

McAvoy worstelt de andere schoen los en staat snel op. Ze is al half door de open deur voordat hij opgelucht het voorhalletje verlaat en de grote, open keuken binnenstapt. Hij is verbaasd door wat hij aantreft. De keuken oogt net zo wanordelijk als een studentenkamer. Vuile borden liggen hoog opgestapeld rond de diepe, porseleinen gootsteenbak onder een groot raam zonder gordijn. Aan het uiteinde ziet hij een fornuis met dubbele oven, met rond de kookplaten aangekoekte spetters van vet en een soort pastasaus. De rechthoekige eikenhouten tafel in het midden ligt bezaaid met kranten en allerlei huishoudelijke rekeningen, en overal op het dure tapijt – waar de crèmekleur al heel wat jaartjes vanaf is – verrijzen eilandjes van verfrommeld wasgoed. Zijn speurdersoog neemt notitie van de wijndruppels onder in de vuile glazen op de afdruipplaat. Zelfs de bierglazen, bedrukt met publogo's, lijken voor het slobberen van het rode spul te zijn gebruikt.

'Dat is hem.' Ze knikt naar de muur achter McAvoy. Hij draait zich om en wordt begroet door een stadion vol gezichten; een galerij van schots en scheef hangende foto's die met punaises of plakband op een stuk of tien kurkborden zijn bevestigd. De foto's beslaan de laatste vijftig jaar. Zwart-wit en kleur.

'Daar,' zegt ze. 'Naast onze Alice. Peters achternicht, of hoe zeg je dat? Daar staat hij. Zo tevreden met zichzelf.'

McAvoy kijkt naar de foto waar ze naar wijst. Een knap uitziende man met een weelderige zwarte haardos, achterovergekamd in een rock-'n-rollkuif, met een pint bier in zijn hand, grijnzend naar de camera. De kleding van de man op de voorgrond doet vermoeden dat de foto dateert uit het midden van de jaren tachtig. Hij moet daar ergens in de dertig zijn geweest. Net zo oud als McAvoy nu. In de bloei van zijn leven.

'Knappe kerel,' zegt hij.

'En dat wist hij maar al te goed.' Haar gezicht krijgt iets teders. Ze streelt met een bleke hand vol sieraden over de foto.

'Arme Fred.' Ze draait zich om en kijkt McAvoy aan alsof ze hem voor het eerst ziet. 'Ik ben blij dat u bent gekomen. Het zou niet fijn zijn geweest om dit telefonisch te horen. Niet nu Peter weg is.'

'Peter?'

'Mijn echtgenoot. Hij werkt vaak met de politie, bedenk ik nu. Misschien kent u hem. Hij zit in het bestuur. Was jarenlang raadslid tot het hem iets te veel werd. Hij is ook niet meer zo piep.'

De vermelding van het politiebestuur komt als een klap in het gezicht. McAvoy ademt in. Probeert te doen waarvoor hij gekomen is. 'Ja, ik ben me ervan bewust wie uw echtgenoot is en hoezeer hij zich heeft ingezet voor het politiekorps. Zodra we het trieste nieuws over meneer Stein hoorden, vroeg commissaris Everett mij om het u persoonlijk te komen vertellen. We kunnen u de diensten aanbieden van een zeer deskundige begeleider en –'

Ze onderbreekt hem met een glimlach die haar opeens iets bekoorlijks geeft. Iets vitaals en kleurrijks. 'Dat lijkt me voorlopig niet nodig.' Ze fronst. 'Sorry, hoe was uw naam ook alweer?'

'Rechercheur McAvoy.'

'Nee, uw echte naam.'

McAvoy vertrekt zijn gezicht. 'Aector,' zegt hij. 'Hector voor de Engelsen. Niet dat het veel verschil maakt hoe je het uitspreekt. Het gaat om de spelling.'

'Er zullen zeker wel koppen gaan rollen?' vraagt ze plotseling, alsof ze zich weer herinnert waarom deze man hier, op kousenvoeten, in haar keuken staat. 'Ik bedoel, we wilden niet dat hij ging, maar hij zei dat ze goed op hem zouden letten. Hij moet het al van plan zijn geweest vanaf het moment dat ze contact met hem opnamen. Ik bedoel, we wisten dat de tragedie hem diep vanbinnen had aangegrepen, maar het komt toch als een verrassing. Ik had niet verwacht dat ze hem zouden vinden, maar...'

McAvoy fronst en zonder erbij na te denken trekt hij een stoel van onder de tafel en gaat zitten. Hij raakt opeens geïntrigeerd door mevrouw Stein-Collinson. Door haar broer, de dode rocker. Door de televisiedame en de Noorse tanker die de opblaasboot uit de grijze zee heeft geplukt.

'Het spijt me, mevrouw Stein-Collinson, maar ik ben heel vaag op de hoogte van de details in deze zaak. Zou u misschien meer kunnen vertellen over wat voor tragedie uw broer heeft meegemaakt...'

Mevrouw Stein-Collinson slaakt een zucht, schenkt haar glas nog eens vol en loopt naar de tafel, waar ze een stapel wasgoed van een stoel haalt en tegenover McAvoy gaat zitten.

'Als u hier niet uit de buurt komt, zult u wel niet van de *Yarborough* hebben gehoord,' begint ze vriendelijk. 'Het was de vierde trawler. Het vissersschip dat als laatste ten onder ging. Er waren in 1968 al drie andere gezonken. Er gingen zo veel levens verloren. Zo veel goede jongens. De kranten stonden er vol van. Ze kregen eindelijk door wat wij allang wisten. Dat het verdomd gevaarlijk werk was.'

Ze pakt een pen van een stapel papierwerk en houdt die vast als een sigaret. Ze staart half voor zich uit en opeens ziet McAvoy in deze welgestelde dame van een zekere leeftijd weer het meisje uit East Hull. De jonge vrouw die is opgegroeid in een vissersfamilie, grootgebracht te midden van de walm van rokerijen en de stank van ongewassen werkkielen. Barbara Stein. Babs voor haar vrienden. Die een rijke man aan de haak sloeg en een mooi optrekje op het platteland kreeg. Waar ze nooit heeft kunnen aarden. Zich nooit comfortabel heeft gevoeld. Ze moest dicht genoeg bij Hull blijven om haar moeder te kunnen bellen.

'Alstublieft,' spoort hij haar aan, met een stem die plotseling niet meer gemaakt of onoprecht overkomt. Later zal hij het aanmatigend van zichzelf vinden, maar op dit moment voelt het alsof hij haar kent. 'Gaat u verder.'

'Tegen de tijd dat de *Yarborough* zonk, hadden de kranten er de buik vol van. Wij allemaal. Het haalde niet eens de voorpagina. Althans, niet meteen. Achttien mannen en jongens, naar beneden gesleurd door ijs en wind en getij, op zeventig mijl voor de IJslandse kust.' Ze schudt haar hoofd. Neemt een slok. 'Maar onze Fred was de enige die het overleefde. Zwaarste storm van de eeuw en Fred bleef ongedeerd. Hij wist in een reddingsboot te komen en werd wakker aan het andere eind van de wereld. Het duurde drie dagen voordat we iets van hem hoorden. Dat zal wel de reden zijn waarom ik nu niet huil. Ik kreeg hem terug, ziet u? Net als Sarah, zijn vrouw. Zij kreeg hem terug. De kranten stelden alles in het werk om hem aan het praten te krijgen. Hij wilde er niets van weten. Wilde geen vragen beantwoorden. Hij was maar een paar jaar ouder dan ik en we hadden altijd een hechte band, ook al sloegen we elkaar als kinderen de hersens in. Ik nam de telefoon op toen ze belden om te zeggen dat hij nog leefde. De Britse consul op IJsland had Sarah niet kunnen bereiken, dus belde hij naar ons huis. Ik dacht eerst dat het een grap was. Toen kwam Fred aan de lijn. Zei hallo, zo helder als glas, alsof hij in de kamer hiernaast stond.' Haar gezicht klaart op terwijl ze spreekt, alsof ze dat moment herbeleeft. McAvoy ziet dat haar ogen eventjes afdwalen naar de telefoon, hangend aan de muur naast het fornuis.

'Ik kan het me niet eens voorstellen,' zegt hij. Het zijn geen holle clichéwoorden, want hij kan zich werkelijk niet voorstellen hoe het moet zijn om een geliefde te verliezen en daarna weer in de armen te kunnen sluiten.

'We kregen hem dus terug. Kort daarna verdween alle rumoer. Sarah vroeg hem niet meer naar zee te gaan en hij stemde ermee in. Volgens mij kostte het weinig moeite om hem over te halen. Hij ging in de havens werken. Dat hield hij bijna dertig jaar vol. Tot hij door pijn in zijn borst met pensioen moest. Eens in de zo veel tijd kreeg hij een telefoontje van een schrijver of een journalist die hem naar zijn verhaal vroeg, maar hij zei altijd nee. Toen Sarah overleed, herinnerde hem dat vermoedelijk aan zijn eigen sterfelijkheid. Ze hadden maar één dochter, en zij nam als tiener onverwachts de benen. Opeens begon het bij hem te kriebelen. Ik geloof echt dat als iemand hem aan boord had willen nemen, hij weer zijn oude werk in de trawlvisserij had opgepakt, hoewel er van die industrie tegenwoordig niets meer over is.'

Ze probeert op te staan, maar een pijnscheut in haar knie doet haar anders besluiten. McAvoy loopt ongevraagd naar het aanrecht en pakt de wijnfles. Hij schenkt haar nog eens bij en ze bedankt hem zonder dat er een woord tussen hen wordt gewisseld.

'Hoe dan ook, hij belde me niet zo lang geleden, om te zeggen dat een televisiebedrijfje contact met hem had opgenomen. Dat ze een documentaire draaiden over de Zwarte Winter. Dat hij met ze meeging op een vrachtschip om een krans te leggen en afscheid te nemen van zijn oude scheepsmaten. Dat kwam natuurlijk compleet uit de lucht vallen. Ik had al jaren nauwelijks meer aan die hele ramp gedacht, en ik denk dat het voor hem alleen een verhaal was geworden. Hij zei ooit dat hij het gevoel kreeg alsof het iemand anders was overkomen. Maar hij heeft het vast allemaal zitten opkroppen. Waarom zou hij anders zijn meegegaan om dit te doen?' Haar onderlip trilt en ze haalt een tissue uit haar mouw.

'Misschien kreeg hij betaald om zijn verhaal te vertellen?'

'O, dat is een ding dat zeker is,' zegt ze. Er breekt een glimlach door en ze werpt een vluchtige blik op de fotowand. 'Onze Fred wist overal geld aan te verdienen. En ook hoe hij het breed moest laten hangen. Wat dat betreft was het een echte trawlervisser.

Een maand weg om te buffelen, daarna drie dagen thuis. Met een hoop geld op zak en een paar uur om het uit te geven. Ze werden driedagsmiljonairs genoemd.'

'En dat was het laatste wat u hebt gehoord?'

'Van hem wel, ja. Drie dagen geleden werden we gebeld door die vrouw van het televisiebedrijf. Hij moet ons nummer hebben opgegeven voor noodgevallen. Ze vertelde dat hij nergens te vinden was. Dat een van de reddingsboten was verdwenen en Fred nogal overstuur was geraakt door het interview. Dat ze naar hem zochten. Ze zou ons op de hoogte houden. Daarna hoorden we niets meer. Ik vind het allemaal zo idioot. Na al die jaren. Om dan alsnog dood in zee te eindigen, net als zijn scheepsmaten.'

Ze zwijgt en kijkt hem aan, haar blauwe ogen opeens fel en indringend. 'Het is erg om te zeggen, Hector, maar waarom nam hij niet gewoon een handvol pillen? Waarom zo'n toneelstukje opvoeren? Denk je dat hij zich schuldig voelde? Net zo aan zijn einde wilde komen als zijn kameraden in achtenzestig? Dat leek de televisiedame te suggereren, maar ik kan me moeilijk voorstellen dat hij zoiets zou doen. Hij zou het stilletjes hebben gedaan. Zonder poeha. Hij hield ervan om verhalen te vertellen, oeverloos te kletsen en de charmeur uit te hangen, maar toen die hele tragedie zich afspeelde wilde hij niet eens met de kranten praten. Waarom zou hij dan nu zo dramatisch willen eindigen?'

'Misschien gaf hij daarom toestemming om gefilmd te worden? Omdat ze langs de plek zouden varen waar de trawler is gezonken?'

Ze ademt uit, en de zucht lijkt diep vanuit haar binnenste te komen. Alsof ze leegloopt. 'Misschien,' zegt ze ten slotte, waarna ze haar glas leegdrinkt.

'Het spijt me dat ik u dit moest komen vertellen, mevrouw Stein-Collinson.'

Ze knikt. Glimlacht. 'Zeg maar Barbara.'

Hij steekt een hand uit, die ze met een koude, zachte palm aanpakt.

'En wat gebeurt er nu?' vraagt ze. 'Zoals ik zei, ik vind dat ze veel beter op hem hadden moeten letten. Het was een oude man, en dan laten ze hem zomaar weglopen om dit uit te halen! Daar zet ik heel wat vraagtekens bij...'

McAvoy merkt dat hij knikt. Ook hij blijft met vragen zitten. Hij voelt dat er onder zijn schedel iets begint te knagen. Hij wil meer weten. Een logische verklaring vinden. Deze vriendelijke dame kunnen vertellen waarom haar broer is gestorven, veertig jaar nadat hij had moeten sterven, op exact dezelfde wijze waarop hij als jonge man bijna was omgekomen.

Hij weet dat hij niet moet beloven dat hij contact zal onderhouden. Dat hij gaat uitzoeken wat er is gebeurd. Weet ook dat hij niet zijn privénummer moet geven en zeggen dat ze altijd kan bellen wanneer ze meer informatie voor hem heeft. Iets wil vragen. Of gewoon een praatje wil maken.

Maar hij doet het toch.

4

McAvoy haalt zijn telefoon uit zijn binnenzak en speelt de laatste voicemail af. Hoewel de blikkerige luidspreker het geluid vervormt, is de woede in de vrouwenstem overduidelijk. 'McAvoy. Weer met mij. De hoeveelste keer is dit nou al? Ik kan mijn tijd wel beter besteden dan jou achter je gat te zitten. We hebben je hier nodig. Kom als de sodemieter hierheen!' Het is de stem van Trish Pharaoh. Het meest recente bericht is slechts drie kwartier na het eerste achtergelaten, maar hij heeft er in de tussentijd nog zes ontvangen, waaronder een gemompeld, fluisterend seintje van Ben Nielsen, die McAvoy aanraadde om onmiddellijk op te houden met wat hij deed en naar Queen's Gardens te komen, omdat hij anders het gevaar liep belangrijke lichaamsdelen te verliezen.

Voor het bureau hangt een tiental journalisten rond, maar ze hebben weinig aandacht voor hem, zodat hij door de grote dubbele deur de hal van het plompe glas-en-bakstenen gebouw weet binnen te glippen zonder belaagd te worden.

'Crisiscentrum?' vraagt hij hijgend.

'Dat van Pharaoh?' wil de bleke, gezette balieagent weten. Hij zit op een draaistoel met een mok koffie en een hardback. De gespierde man van middelbare leeftijd komt over als iemand die al lange tijd nachtdiensten draait en voor niets of niemand afwijkt van zijn routine. Zijn overhemd met korte mouwen zit zo te zien veel te strak rond zijn nek, waardoor zijn grote, bolle hoofd merkwaardigerwijs boven de rest van zijn lichaam lijkt te zweven.

'Inderdaad.'

'Zijn ze nog mee bezig. Probeer het eens in het oude kantoor van Roper. Je weet de weg?'

McAvoy kijkt de baliebrigadier strak in de ogen. Probeert te zien of er iets beschuldigends uitgaat van de manier waarop de man het heeft gezegd. Voelt een blos opkomen.

'Ik denk dat dat wel gaat lukken,' zegt hij, met een poging tot een glimlach.

'Dat zal best, ja,' antwoordt de geüniformeerde agent, en hij likt zijn lippen, waarop een flauwe grijns verschijnt.

McAvoy wendt zich af. Hij is hieraan gewend geraakt. Aan de minachting en giftige opmerkingen, aan het wantrouwen en de regelrechte weerzin onder de harde kern van agenten die meeprofiteerden in het kielzog van Doug Roper.

Weet dat als hij niet zo reusachtig groot was geweest de helft van zijn collega's hem in het gezicht zou spugen.

Hij loopt zo snel als zijn waardigheid het toelaat weg van de balie, tot hij uit het zicht is verdwenen, en zet het dan op een drafje. Hij beklimt de trap met drie treden tegelijk. Weer een gang door. Foto's en posters, waarschuwingen en oproepen zoeven in een waas voorbij vanaf de prikborden en vuilbeige muren. Stemmen. Geschreeuw. Lawaai. Klappen. Door de dubbele mahoniehouten deur begeeft hij zich in het hol van de leeuw.

Hij staat op het punt om op de deur te kloppen als die opeens naar binnen openzwaait. Trish Pharaoh stormt kwaad naar buiten, verwikkeld in een verhit gesprek.

'... wordt het hoog tijd dat ze dat beseffen, Ben.'

Pharaoh is een statige vrouw van begin veertig en oogt meer als een schoonmaakster dan als een hoofdrechercheur. Haar mollige figuur voldoet amper aan de voorgeschreven lengte, terwijl haar lange zwarte haar zo eens in het halfjaar deskundig in model wordt gebracht, maar de rest van de tijd alle kanten op groeit. Ze heeft vier kinderen en behandelt haar agenten met dezelfde mix van tederheid, trots en onverhulde teleurstelling als haar eigen kroost. Ze is aanrakerig en dol op flirten, en ze weet de jongere mannelijke agenten de stuipen op het lijf te jagen met haar sexy, *cougar*-achtige uitstraling. En hoewel ze een trouwring draagt, komt er tussen de foto's op haar bureau geen echtgenoot voor.

Ze houdt plotseling in als ze McAvoy ziet, zodat rechercheur Nielsen tegen haar op botst. Als door een wesp gestoken draait ze zich met een dreigende blik om, alvorens snauwend uit te halen naar McAvoy.

'De verloren zoon keert terug,' bijt ze hem toe.

'Mevrouw, commissaris Everett vroeg mij een condoleancebezoek af te leggen en ik had daar geen bereik –'

'Stil.' Ze legt een vinger op haar lippen en houdt dan haar handpalmen voor zich uit, haar ogen gesloten, alsof ze tot tien telt.

Ze blijven alle drie een moment zwijgend in de gang staan. Rechercheur Nielsen en McAvoy in de rol van ondeugende, onbeholpen, spijbelende schooljongens die een favoriete lerares diep hebben teleurgesteld.

Uiteindelijk slaakt ze een zucht. 'Hoe dan ook, je bent er nu. Je zult wel je redenen hebben gehad. Ben zal je op de hoogte brengen en dan kun je met de database aan de slag. Het is een beetje laat om te gaan rondbellen, maar we moeten de kerkgemeenschap opnemen in die matrix van je. Het klopt toch dat die voor dit soort zaken was bedoeld? Een hoop getuigen. Verschillende achtergronden. Verbanden tussen –'

'Ja, ja,' zegt McAvoy opeens enthousiast. 'Het werkt als een venndiagram. We zoeken alles uit over een bepaalde verzameling mensen, laden dat in het systeem en kijken waar er parallellen voorkomen, of liever gezegd overlappingen, en –'

'Fascinerend,' zegt ze met een stralende glimlach. 'Zoals ik zei, Ben zal je op de hoogte brengen en je verklaring afnemen.'

'Mevrouw?'

'Je bent een getuige, McAvoy. Je hebt de dader gezien. Hij heeft je zelfs met het moordwapen in je gezicht geslagen. Wat jou en commissaris Everett heeft bezield om...'

'Ik volgde alleen zijn orders op, mevrouw.'

'Volg dan nu maar mijn orders op. Om acht uur is er een briefing,' zegt ze, op haar horloge kijkend, waarna ze klikklakkend op haar gehakte motorlaarsjes door de gang wegbeent.

Rechercheur Nielsen trekt een wenkbrauw op naar McAvoy. Ze staan erbij als twee tieners die zojuist door het oog van de naald zijn gekropen. Als de jonge agent weer het kantoor in stapt en McAvoy achter hem de felverlichte kamer betreedt, staat er een kwajongensachtige glimlach op hun gezicht.

Rechercheurs Helen Tremberg en Sophie Kirkland zitten zij aan zij achter hetzelfde bureau, kijkend naar een opengeklapte laptop. Sophie eet een stuk pizza en gebaart ermee naar iets op het scherm. Het is de enige computer in de kamer. De rest van het kantoor is leeg, met uitzondering van hier en daar wat gehavende oude dossiers en allerhande vuilniszakken, die al maandenlang als een vuurpeloton tegen de muur lijken te staan.

'Ze hebben ons de presidentiële suite gegeven,' zegt Ben, terwijl hij McAvoy naar de halve kring met plastic stoelen bij het raam leidt.

'Zo te zien wel. Waarom hier? Waarom niet op ons hoofdbureau op Priory?'

'Uit gemaksoverwegingen, zeiden ze. Het bevel kwam van hogerhand. Ik denk dat ze bang waren voor wat de kranten zouden schrijven.'

'Zoals wat?'

'Het gebruikelijke gezeik. Dat we op Priory dertien kilometer van de plaats delict zitten, terwijl er op driehonderd meter vanwaar het is gebeurd een politiebureau staat.'

'Maar op Priory hebben we alle faciliteiten,' reageert McAvoy verbijsterd. 'Dit kan niet het besluit van Pharaoh zijn geweest.'

'Nee, ze vond het ook ongelooflijk stom. Maar ze moest roeien met de riemen die ze kreeg. Tegen de tijd dat ze op de hoogte werd gesteld, had de commissaris in een persbericht laten weten dat dit onderzoek zou worden gecoördineerd door ons lokale rechercheteam in het centrum van de stad.'

'We roeien dus tegen de stroom in?' vraagt hij.

'Als door dikke stroop, brigadier.'

Hij zucht. Ploft neer op de harde plastic stoel en kijkt op zijn horloge.

'Wat weten we?'

'Ah, ja.' Nielsen tikt met een vinger op de pagina voor hem. 'Daphne Cotton. Vijftien jaar. Woonde bij Tamara en Paul Cotton in Fergus Grove, Hessle. Leuk optrekje, brigadier. Aan een hoofdweg. Rijtjeshuis. Drie slaapkamers. Grote voortuin en een achtertuin. Weet u welke ik bedoel? Die huizen tegen elkaar, achter het kerkhof?'

McAvoy knikt. Toen Roisin zwanger was van Fin hebben hij en zijn vrouw in die buurt een woning bezichtigd. En besloten die niet te nemen. Te weinig parkeerruimte en een te kleine keuken. Maar een mooie buurt.

'Broers? Zussen?'

'De familierechercheur is dat aan het uitzoeken, maar ik geloof van niet. Haar ouders zijn een ouder echtpaar. Blank uiteraard.'

McAvoy vertrekt zijn gezicht. 'Wat?'

'Ze is geadopteerd,' verduidelijkt Nielsen snel.

'Ze had net zo goed door een zwart echtpaar geadopteerd kunnen zijn,' zegt hij schuchter.

Nielsen staart naar het plafond, alsof die mogelijkheid nu voor het eerst in hem opkomt. 'Ja,' geeft hij toe. 'Dat had gekund.'

Ze blijven even zwijgend zitten, allebei broedend op de opmerking. Achter zich horen ze de twee vrouwelijke agenten. Helen Tremberg leest namen op van een lijst met leden van de kerkgemeenschap en Sophie Kirkland verdeelt ze onder de opsporingsagenten.

'Maar in haar geval niet,' besluit Nielsen.

'Nee,' zegt McAvoy, die zich voorneemt sommige dingen gewoon door de vingers te zien. Zijn mond dicht te houden tot hij werkelijk een punt heeft.

Nielsen laat een tweede respectvolle stilte vallen. Daarna stoomt hij met een opgewekte glimlach door. 'Hoe dan ook, zoals u zich kunt voorstellen zijn de ouders er kapot van. Ze waren er niet bij, ziet u. Normaal gesproken gaat de moeder met Daphne mee naar de dienst, maar ze wilde een grote kerstfuif geven en was druk doende met het feestmaal. Haar vader zat op zijn werk.'

'Op een zaterdag? Wat doet hij dan voor werk?'

'Ze hebben een of ander vervoersbedrijf.' Hij valt plotseling stil en roept naar Helen Tremberg. 'Wat deed de vader ook alweer, Hellebel?'

Helen komt van achter het bureau en loopt naar waar de twee mannen zitten. Ze glimlacht naar McAvoy. 'Toch besloten mee te doen?'

McAvoy probeert niet te grijnzen. Hij voelt opeens genegenheid voor haar. En voor Ben. Hij wil het niet graag toegeven, maar opwinding maakt zich van hem meester. Hij komt weer helemaal tot leven.

'Logistiek dus?' vraagt McAvoy zo kalm mogelijk.

'Volgens hun website brengen ze een hoop liefdadigheidsspul naar moeilijk toegankelijke locaties. Ze werken voor een heleboel verschillende hulporganisaties. Je weet wel, als je je oude truien en zo meegeeft in zo'n kledingzak? Dit is een van de bedrijven die ervoor zorgen dat alle spullen goed aankomen op de plaats waar mensen ze nodig hebben. Deels per goederentrein, soms containerschepen, soms per vliegtuig.'

'Juist,' zegt McAvoy, die een notitie maakt in zijn eigen blocnote. 'Ga verder.'

'Nou, om kort te gaan, dit echtpaar had samen een kind dat een paar jaar geleden is gestorven. Aan leukemie. Ze adopteerden Daphne als tienjarig meisje via een internationaal adoptiebureau. Het duurde een jaar voordat het papierwerk rond was, maar het is allemaal officieel. Ze kwam uit Sierra Leone, waar ze is geboren. Ze verloor haar familie tijdens de genocide. Een tragisch verhaal.'

McAvoy knikt. Hij herinnert zich weinig van de politieke achtergronden van het conflict. Kan zich alleen wat vage televisiebeelden van gruwelen en gewelddadigheden voor de geest halen. Onschuldige burgers, doorzeefd met kogels en doodgehakt met kapmessen.

'Is de machete belangrijk?' vraagt McAvoy. 'Is dat daar niet het wapen bij uitstek?'

'De baas vroeg hetzelfde,' antwoordt Nielsen. 'We zijn het aan het checken.'

'En is het een kerks gezin? Hoe is ze misdienaar geworden?'

'Ze was blijkbaar al kerkelijk gezind toen ze hier aankwam. Haar familie was zeer gelovig. Ze had daar de ergste verschrikkingen meegemaakt, maar dat heeft haar geloof niet aan het wankelen gebracht. Toen ze hier pas arriveerde, nam haar nieuwe moeder haar mee naar de Holy Trinity, gewoon als een dagje uit, en ze vond de kerk het mooiste wat ze ooit had gezien. De kerk werd een belangrijk deel van haar leven. Haar moeder zegt dat ze nog nooit zo trots was geweest als op de dag dat ze misdienaar werd.'

McAvoy probeert zich een beeld te vormen van Daphne Cotton. Van een jong meisje weggeplukt uit een oord van verschrikkingen, dat hier in een wit gewaad de kaars mocht vasthouden tijdens het eren van haar God.

'Hebben we een foto?' vraagt hij kalm.

Helen draaft weer naar haar bureau en keert bijna meteen terug met een kleurenkopie van een familiekiekje. De foto toont een glimlachende Daphne, ingeklemd tussen haar twee korte, mollige adoptieouders met grijzend haar. Op de achtergrond ziet hij de strandboulevard van Bridlington. De hemel is merkwaardig en ongebruikelijk blauw. De foto lijkt bijna te glossy, te perfect. McAvoy vraagt zich af wie hem heeft genomen. Welke arme voorbijganger het beeld vastlegde dat dit tragische meisje een gezicht zou geven. McAvoy maakt een eigen plaatje in zijn hoofd. Prent de foto in zijn geheugen. Stelt zich Daphne Cotton voor als dit gelukkige meisje met de glimlach. Ziet tegelijkertijd haar bebloede, geknakte lichaam. Maakt haar menselijk. Laat de tragedie van haar dood tot zich doordringen.

'Ze ging dus regelmatig naar de kerk?'

'Drie avonden in de week en twee keer op zondag.'

'Behoorlijke verplichting.'

'Zeker, maar het was een pienter meisje. Haar huiswerk leed er nooit onder. Volgens haar moeder haalde ze alleen maar negens en tienen. We hebben haar leraren nog niet gesproken.'

'Welke school?'

'Hessle High. Op loopafstand van haar huis. Komende dinsdag zou de kerstvakantie beginnen.'

'We moeten met haar vriendinnen gaan praten. Haar leraren. Iedereen die haar kende.'

'Sophie en ik zijn al bezig die taken te verdelen, Brig,' zegt Tremberg met een geruststellend gezicht. Alsof ze een oudere vader vertelt dat hij zich geen zorgen hoeft te maken, dat alles is geregeld.

'Goed, goed,' zegt McAvoy, die probeert om zichzelf af te remmen. Om zijn gedachten weer te ordenen.

'Zullen we je verklaring nu meteen afnemen, Brig? Dan hebben we het maar gehad. Morgen wordt het een gekkenhuis.'

McAvoy knikt. Hij weet dat zijn werkelijke bijdrage aan dit onderzoek niet meer is dan een getuigenverklaring en een veredeld archiefsysteem. Maar hij heeft een voet tussen de deur. Een kans om iets goeds te doen. Om een moordenaar op te pakken. Hij denkt terug aan de afgelopen middag. Aan de chaos en het bloedvergieten op het plein. Aan het moment waarop de gemaskerde man uit de deuropening van de kerk opdoemde en hem in zijn ogen keek.

'Is je iets bijzonders opgevallen, Brig?' vraagt Nielsen, hoewel zijn stem niet echt hoopvol klinkt. 'Iets wat je zou herkennen?'

McAvoy sluit zijn ogen. Haalt het gemaskerde gezicht weer voor zijn geest. Denkt niet aan de koude sneeuwlucht en het geschreeuw van voorbijgangers. Focust zich in gedachten alleen op dat ene moment. Op dat ene beeld. Op dat ene tafereel.

'Ja,' zegt hij, met het plotse besef dat de herinnering belangrijk is. 'Er stonden tranen in zijn ogen.'

Hij staart in de blauwe irissen van het gezicht dat hij weer voor zich ziet. Meent zelfs zijn eigen spiegelbeeld in de natte lenzen te zien. Als zijn stem uit zijn droge mond klinkt, is het niet meer dan een fluistering.

'Waarom huilde je? Voor wie waren je tranen bedoeld?'

5

De woning staat ten noorden van de stad, ten oosten van alle andere: drie keer links en dan rechts vanaf de rand van de nieuwe woonwijk. De wijk is speciaal voor starters uit de grond gestampt, waarbij de aannemers een plattegrond volgden die bedacht had kunnen zijn door een kind met een vel grafiekpapier en een doos monopoliehuisjes. Drie slaapkamers. Schaakbordtegels. Een achtertuin met een terras, bestaande uit negen platen op hergebruikte spoorbielzen. Alles aangepast aan de kleurloze, eentonige smaak van een verhuurder die het eigendom via een makelaar heeft gekocht, maar de boel nog steeds niet is komen bezichtigen.

Thuis, denkt McAvoy, moe tot op het bot, terwijl hij de MPV suffend aan de stoeprand parkeert en zijn vrouw achter het vierkante voorraam ziet staan, ingelijst als een filmster, heen en weer wiegend met zijn zoon in haar armen, die naar zijn vader zwaait.

Het is laat. Veel te laat voor Fin. Hij heeft vast een middagdutje gedaan. Wat betekent dat hij heel de avond wakker blijft, niet kan wachten om op het bed van zijn moeder en vader op en neer te springen, om zijn vaders schoenen te passen en daarmee over het linoleum in de keuken te klossen om denkbeeldige monsters plat te trappen.

Ze heeft dit voor hem gedaan. Heeft de jongen een dutje laten doen zodat hij wakker en fris klaarstaat om zijn papa op te vrolijken wanneer die eindelijk thuiskomt van het bureau, zijn gedachten zwaar en verdoofd door het brute geweld waarmee er tegen zijn schedel is gebeukt.

Roisin opent de deur voor hem en McAvoy weet niet wie hij als eerste een kus moet geven. Hij spreidt zijn armen en omhelst hen allebei. Voelt Fins hoofd stevig tegen zijn ene wang. Roisins lippen, zacht en warm en perfect, tegen zijn andere wang. Houdt ze allebei vast. Voelt haar hand over zijn rug wrijven. Warmt zich aan hen. Merkt dat zij op haar beurt zijn geur inademt.

'Het spijt me,' zegt hij, maar of de woorden gericht zijn tegen haar, de jongen of de wereld in het algemeen zou hij niet kunnen zeggen.

Ten slotte maakt hij zich los uit de omhelzing. Roisin doet een stap achteruit om hem binnen te laten in het halletje aan de voet van de trap. Als hij zich omdraait om de deur achter zich dicht te doen, stoot hij hetzelfde lijstje van de muur dat hij nu al bijna elke avond van de muur stoot sinds ze twee jaar geleden naar hier zijn verhuisd, hun eerste echte woning. Ze giechelen om de terugkerende grap, terwijl hij zich bukt om het op te rapen en het verlegen weer aan het haakje hangt. Het is een potloodschets van een heuvelhelling, uitgevoerd in trillerige lijntjes. Vroeger, toen afbeeldingen uit zijn jeugd symbool stonden voor die gelukkige tijd, betekende de schets veel voor McAvoy. Nu hecht hij er niet zo veel waarde meer aan. Niet sinds de geboorte van Fin. Niet sinds Roisin in zijn leven kwam.

Ze is natuurlijk mooi. Slank met donker haar. Haar huid heeft een bijna zanderig bruine kleur, die haar afkomst verraadt. Poepbruin, had zijn vader gezegd toen hij haar voor het eerst zag, maar hij had het niet naar bedoeld.

Ze draagt een trainingspak dat strak om haar lichaam zit en haar donkere haar valt tot op haar schouders. Ze draagt tegenwoordig alleen een paar kleine ringen in haar oren. Vroeger had ze in beide oren een hele rij boven elkaar, maar Fin begon het leuk te vinden om eraan te trekken, dus heeft ze haar sieraden de laatste maanden tot een minimum beperkt. Hetzelfde geldt voor het goud dat rond haar nek schittert. Ze draagt twee kettingen. Aan de ene hangt een koperen plaatje waarin haar naam staat gegraveerd: een geschenk van haar vader voor haar zestiende verjaardag. De andere heeft een simpele parel in de vorm van een regendruppel, die McAvoy haar tijdens hun huwelijksnacht schonk als een extra presentje, voor het geval zijn hart niet genoeg was.

Zonder het te vragen overhandigt ze Fin aan zijn vader. Het kind straalt, opent zijn mond tot een hoofdletter O en begint dan de gelaatsuitdrukkingen van McAvoy na te apen. Ze fronsen, grijnzen, doen alsof ze huilen, halen naar elkaar uit met monsterachtige beten, totdat ze allebei in de lach schieten en Fin opgewonden uit zijn armen probeert te wriemelen. McAvoy zet hem neer en het kind holt weg met zijn O-benige cowboyloopje, aandoenlijk in zijn blauwe spijkerbroek, witte overhemd en miniatuurvestje, tegen zichzelf babbelend in het zelfverzonnen taaltje dat McAvoy beter zou willen begrijpen.

'Je hebt op me gewacht,' zegt hij tegen zijn vrouw wanneer hij de woonkamer rondkijkt. Roisin was van plan om vandaag de kerstversieringen te doen. Ze hebben een kunstboom en een doos kerstballen. Zo'n zes, zeven wenskaarten moeten aan een draad boven de namaakopenhaard komen te hangen, maar ze zijn in het kartonnen doosje bij de keukendeur blijven liggen.

'Zonder jou erbij zou het niet zo leuk zijn geweest. We doen het wel op een andere dag. Met zijn drietjes.'

McAvoy trekt zijn jas uit en gooit hem over de rugleuning van een stoel. Roisin komt naar hem toe voor een tweede knuffel, ditmaal niet gehinderd door zijn dikke regenjas, zodat ze hem dichter tegen zich aan kan drukken. De kruin van haar hoofd reikt tot net onder zijn kin en hij leunt voorover om er een kus op te geven. Haar haar ruikt naar iets wat ze heeft gebakken. Iets zoets en feestelijks. Pasteitjes misschien.

'Sorry dat ik later ben dan ik had gezegd,' begint hij, maar ze legt hem het zwijgen op en trekt zijn mond naar de hare. Hij proeft kersen en kaneel in haar kussen, en zo blijven ze staan, omlijst door het raam, mond op mond, totdat Fin terug de woonkamer in rent en met een houten koe tegen het been van zijn vader begint te meppen.

'Gekregen van opa,' zegt Fin. Hij houdt het stuk speelgoed omhoog als zijn vader naar beneden kijkt. 'Koe. Koe.'

McAvoy pakt het uit de handen van zijn zoon. Bestudeert het. Hij herkent het vakmanschap. Ziet zijn vader voor zich, houtschaafsel op zijn bril, met een mes en rotshamer in witte handen gehuld in polsmoffen, zittend aan de tafel, zijn mond halfopen, terwijl hij zich concentreert op elk minuscuul detail, houten speeltjes tot leven wekt.

'Zat er een brief bij?'

'Wat hij altijd schrijft,' zegt Roisin zonder op te kijken. 'Hij hoopt dat Fin groot en sterk wordt. Zijn groente opeet. Een brave jongen is. Hoopt hem binnenkort te ontmoeten.'

McAvoys vader adresseert al zijn correspondentie aan de jongen. Hij heeft niet meer tegen zijn enige zoon gesproken sinds een ruzie rond de tijd dat Roisin zwanger raakte, en McAvoy weet dat hij koppig genoeg is om het graf in te gaan zonder het ooit goed te maken. Als hij slecht over zijn vader zou denken, zou hij zich afvragen of de oude idioot wel besefte wie al die brieven aan zijn vierjarige kleinzoon voorlas, maar hij heeft geleerd zulke verraderlijke gedachten meteen te negeren.

McAvoy betast de gladde randen van het speeltje. Tracht iets van de wijsheid en ervaring van de oude man te bespeuren in het ding dat hij in zijn hand houdt, maar antwoorden blijven uit. Hij geeft het terug aan zijn zoon, die er weer mee wegholt. McAvoy kijkt hem na en wendt zich dan tot Roisin, zijn ogen vol schuldgevoel.

'Je ging op het gegil af, Aector. Je deed wat je altijd zou doen.'

'Maar wat zegt dat over mij? Dat ik liever een vreemde help dan dat ik mijn eigen zoon bescherm?'

'Het zegt dat je een goed mens bent.'

Hij kijkt om zich heen in de woonkamer. Hij heeft alles wat zijn hart begeert. Zijn vrouw in zijn armen, zijn kind spelend aan zijn voeten. Hij ademt zwaar en traag, geniet met elke teug van dit soort momenten. En dan is daar opeens de geur. De scherpe lucht. Vaag. Bijna onmerkbaar te midden van het bloemige boeket van zijn gezin, zijn thuis. Als een motvlinder die helemaal aan de rand van zijn blikveld fladdert. Dat vleugje. Van bloed. Een moment lang ziet hij Daphne Cotton voor zich. Probeert zich voor te stellen wat haar vader doormaakt. Zijn hart gaat naar hem uit. Om te voelen wat hij voelt en troost te bieden.

Hij brengt zijn arm omhoog en drukt Roisin weer tegen zich aan.

Haat zichzelf omdat er een warm gevoel door hem heen stroomt; omdat hij zo verdomd gelukkig is, terwijl een onschuldig meisje dood op de snijtafel van het mortuarium ligt.

6

8.04 uur. Ropers oude kamer in Queen's Gardens.
Een kippenhok vol kakelende agenten.
Konten boven op bureaus; voeten op draaistoelen, ruggen
leunend tegen kale muren. Een verzameling loshangende overhemden en twee-halen-één-betalen-stropdassen uit de supermarkt. Niemand rookt, maar toch ruikt de kamer naar nicotine
en bier.
McAvoy zit in het midden, fatsoenlijk op een stoel, een notitieboekje op schoot, de stropdas strak onder een keel die door
krachtige handen pijnlijk roze is geschrobd.
Hij doet zijn best zijn voeten stil te houden op het versleten
tapijt. Luistert naar wel tien gesprekken tegelijk, maar hoort
niets waarop hij zou kunnen inhaken.
Hij heeft zes uur slaap gehad en een stevig ontbijt dat niet
wilde zakken.
Het ontbijt zit hem nog steeds dwars en geeft hem een benauwd gevoel op zijn borst; elke ademhaling verloopt piepend
en smaakt naar roerei en volkorenbrood. In de tas bij zijn voeten
zit een thermosfles met heet water en pepermuntblaadjes, maar

in deze krappe, drukke kamer durft hij de fles niet open te schroeven, bang dat het aroma ontsnapt. Hij zou alle opmerkingen niet kunnen verkroppen. Het niet kunnen verdragen het buitenbeentje te zijn. Niet hier. Niet nu.

Hij kijkt op zijn horloge. Ze is laat, denkt hij.

'Oké, jongens en meisjes,' roept Pharaoh, die klappend in haar handen de kamer binnenkomt. 'Ik ben al vanaf vijf uur op, heb nog geen hap te vreten gehad, en zo dadelijk houd ik een persconferentie voor een stelletje rukkers die willen weten hoe het heeft kunnen gebeuren dat er met kerst een tienermeisje is vermoord. Ik zou ze graag willen vertellen dat de dader een gek is en dat we hem hebben opgepakt, maar dan zou ik liegen. We hebben hem niet opgepakt, dus kunnen we dat vergeten. En we weten ook niet of het een gek is.'

'Nou, ik weet wel dat ik 'm niet zou vragen om te babysitten, mevrouw.' De opmerking komt van Ben Nielsen en levert gelach en geknik op.

'Ik ook niet, Ben, maar ik zou hem eerder vragen dan jou. Ik heb een tienerdochter, weet je nog wel?'

Er wordt gelachen en gejoeld. Een plastic bekertje vliegt naar de grijnzende Ben Nielsen.

'Wat ik bedoel,' vervolgt Pharaoh, die haar lokken van haar ogen wegveegt, 'is dat we niet weten of dit de willekeurige actie van een gek was. We weten niet of het iemand is die een hekel heeft aan de kerk, iemand die een rekening heeft te vereffenen met een geestelijke. We weten niet of Daphne Cotton het beoogde slachtoffer was. Waarom droeg hij een bivakmuts? Waarom zou hij zich vermommen als het niet van tevoren was beraamd? En het wapen. Wat is het belang van de machete?'

'Moeten we denken aan een racistische moord?' Een vraag van Helen Tremberg, begeleid door een koor van klaaglijk gekreun.

'We moeten aan alles denken, schat. We hebben het niet aangemerkt als rassenmoord, maar alleen al het feit dat het om een zwart meisje gaat, betekent dat we het niet kunnen uitsluiten.'

'Kolere.'

Colin Ray verwoordt het sentiment van iedereen. Ze weten wat dit betekent. Racistische misdrijven staan garant voor krantenkoppen en hoofdpijn. Je moet voortdurend op eieren lopen en protesten aanhoren; de roep om een dader op te pakken komt niet alleen van het publiek en de actiegroepen, maar ook van de politietop, waar racisme nog altijd gevoelig ligt na tien jaar slechte publiciteit vanwege het overlijden van een zwarte arrestant in het cellencomplex. Op de videobeelden die tijdens het daaropvolgend onderzoek werden vertoond – en die bijna constant op alle nieuwszenders werden herhaald – stonden vier agenten kletsend rond te hangen, terwijl de jongen op de koude tegelvloer van de nor in Queen's Gardens zijn laatste, raspende adem uitblies.

'Het is tijd om alles onder het vergrootglas te leggen,' besluit Pharaoh. 'We moeten deze zaak snel oplossen, maar vergeet niet dat we in de gaten worden gehouden. We hebben het over landelijk nieuws. Mensen willen niet dat hun kerstsfeer wordt verpest door moord, en wij moeten ze weer een veilig gevoel bezorgen. Aangezien we inmiddels negentien uur verder zijn, heeft die vuile messentrekker een flinke voorsprong. Tegen negenen verschijnt er op het journaal een oproep aan alle burgers voor informatie, dus kunnen velen van jullie je lol op met het beantwoorden van telefoontjes. De gesprekken worden doorgeschakeld naar deze kamer. En ja, de techneuten zullen alle toestellen binnen een halfuur aansluiten. Er zullen heel wat mafketels bellen, maar elke tip is belangrijk. Elke naam moet worden gecheckt.'

Ze onderbreekt haar woordenstroom en haar ogen zoeken McAvoy op. Ze geeft hem een knikje.

'Ik weet dat jullie allemaal whizzkids zijn, maar mocht dat onverhoopt niet het geval zijn, dan zal McAvoy hier uitleggen hoe zijn spiksplinternieuwe database werkt.'

Er wordt gemord. Alom gevloekt. 'Zo kan ie wel weer, kindertjes,' zegt ze met een glimlach. 'Ik heb onderzoeken meegemaakt waarbij de vloer is verzakt onder het gewicht van al het papierwerk, dus als McAvoys systeem ons helpt om beter op de hoogte te blijven van wat we doen, moeten we er gebruik van maken. Persoonlijk denk ik dat ik iets op jullie voor loop, want ik heb ooit het derde level van Sonic the Hedgehog gehaald, maar de rest van jullie moet misschien bijgespijkerd worden.'

McAvoy lacht mee met de anderen. Kijkt op en krijgt een brede grijns en een knipoogje van Pharaoh.

'Vergeet niet,' voegt ze eraan toe, 'McAvoy heeft die kerel gezien. Hij had zelf een slachtoffer kunnen worden, als hij zijn voorhoofd niet had gebruikt om de klap op te vangen.'

Er klinkt meer gelach, maar het voelt op een of andere manier vriendelijk en collegiaal. McAvoy is bijna geneigd om een buiging te maken en er zelf een geestige opmerking aan vast te plakken. Pharaoh grijpt echter in voordat hij daar de kans voor krijgt.

'Goed, jullie moeten allemaal van elkaar weten wat jullie de komende uren doen. We hebben getuigenverklaringen nodig. Bewakingsbeelden van elke centimeter van dat plein. Waar ging hij heen nadat hij de kerk verliet? En het belangrijkste: we moeten alles weten wat er van Daphne Cotton te weten valt. We moeten haar leven ontrafelen. We krijgen de resultaten van de lijkschouwing rond het middaguur, die van het toxicologisch onderzoek vanavond. Zet gewoon je beste beentje voor, mensen. Niemand van ons wil in een stad wonen waar je bij een kerkdienst ongestraft een meisje in mootjes kan hakken. Het is per slot van rekening Kerstmis.'

Ze werpt haar manschappen een glimlach toe. En dan stormt ze weer de kamer uit, als een wervelwind van parfum en rinkelende sieraden, haar zachte handen neerdalend op schouders en onderarmen om haar team geloof en vertrouwen mee te geven.

Ze blijven even zwijgend zitten; elke agent verzonken in zijn of haar eigen gedachten. Ten slotte is het inspecteur Colin Ray die zich omdraait en de jaloezieën opent. Achter het glas is het zwart als de nacht en het raam weerspiegelt een wanordelijke halve cirkel van hurkende, onderuitgezakte, ontregelde mannen en vrouwen, die zich op het hoofd krabben en ontmoedigd een zucht slaken.

De agenten vangen een glimp van zichzelf op; een scherpe, onverwachte blik op wie en wat ze zijn. Iedereen ziet de waarheid van zichzelf: hun onvolkomenheden, hun eendimensionale, ontluisterende werkelijkheid.

Van alle mannen en vrouwen die naar hun eigen gezicht staren, voelt alleen Aector McAvoy niet de aandrang om weg te kijken.

Ze beantwoorden nu al zes uur lang telefoontjes. Achter de stoffige, met vuil aangekoekte ramen is de hemel geleidelijk overgegaan van diepgrijs tot bijna schemerzwart. Zware wolken blijven laag aan de lucht hangen, maar de ergste sneeuwval wordt pas over een paar dagen verwacht. Misschien krijgen ze dit jaar een witte kerst, hoewel McAvoy – die in zijn jeugd niets anders heeft gekend – zich er alleen op verheugt omdat hij weet dat zijn vrouw en kind het fantastisch zullen vinden.

Hij en Helen Tremberg zijn de enige twee echte agenten in de kamer. Een politiesurveillant zit aan een van de extra bureaus en Gemma Tang, de mooie Chinese persvoorlichter, leunt over de grote tafel bij het raam, waar ze grote delen van een persbericht doorstreept. Ze heeft een fotomodelfiguur, met een achterwerk waar Ben Nielsen vaak over heeft gezegd dat je ze nergens strakker kunt krijgen. McAvoys ogen raken haast vermoeid door zijn pogingen om niet te kijken.

De andere agenten zijn alleen of met twee uit het crisiscentrum verdwenen. Trish Pharaoh en Ben Nielsen zijn naar het mortuarium om de autopsie bij te wonen. De twee laagst geplaatste rechercheurs verzamelen getuigenverklaringen van de kerkleden die gisteren te aangeslagen waren om uit hun woorden te komen. Sophie Kirkland kreeg net voor de lunch een cafébazin aan de lijn, wier bewakingscamera's een vluchtig beeld van een man in het zwart hadden vastgelegd, ongeveer vijf minuten na de aanslag. Ze heeft twee geüniformeerde agenten meegenomen om in de omgeving naar sporen te zoeken.

Colin Ray en Shaz Archer zijn met een informant gaan praten. Eén telefoontje naar diens zit-slaapkamer heeft al een aanwijzing opgeleverd. Een van de gasten in het Kingston Hotel heeft mogelijk zijn mond voorbijgepraat. Volgens de verklikker had de kerel altijd al een uitgesproken hekel aan buitenlanders en nieuwkomers, maar recentelijk is zijn vrouw ervandoor gegaan met een Iraanse pizzachef, en sindsdien had hij het er steeds vaker over dat hij het iemand betaald zou zetten. Normaal gesproken zou het als roddel en achterklap zijn afgedaan, ware het niet dat een snelle achtergrondcheck in de landelijke computer van de politie drie eerdere arrestaties aan het licht bracht: twee keer voor illegaal wapenbezit en één keer voor mishandeling. Colin Ray moet op kantoor leiding geven, maar hij vond zichzelf de aangewezen persoon om dit specifieke lijntje nader te onderzoeken en heeft zich uit de voeten gemaakt. Vergezeld door rechercheur Archer, die nooit ver van Rays zijde wijkt, zodat alleen McAvoy en Helen Tremberg zijn overgebleven om de telefoons te beantwoorden.

McAvoy bladert terug in zijn notities. Hij heeft op zijn gelinieerde blocnote pagina's volgeschreven met namen, nummers, details en theorieën. Het schrift is alleen voor hem leesbaar, want hij is de enige agent die Teeline-stenografie beheerst. Hij heeft het tijdens de opleiding in zijn vrije tijd geleerd, nadat hij onder de indruk was geraakt van de snelheid waarmee een journalist uitspraken had genoteerd van een hoofdagent met wie hij die dag meeliep. De zes maanden studie zijn een nuttige tijdsbesteding gebleken, ook al komt het hem soms op smalende opmerkingen van verbaasde collega's te staan, die zich afvragen of hij niet helemaal meer spoort en zijn notitieboekje daarom volkrabbelt met hiërogliefen.

Tot nu toe hebben ze vrij weinig telefoontjes gekregen. Ofschoon er vanochtend een oproep op televisie is uitgezonden, lijden ze aan het zondagssyndroom. Mensen genieten van een dagje uit met het gezin of ontspannen zich in de pub; het idee om een politiebureau te bellen met informatie over een moord voelt meer als iets wat je op werkdagen doet, dus is de stortvloed aan telefoontjes die het team had verwacht uitgebleven. Het is amper de moeite van het overwerken waard.

In ieder geval begint het crisiscentrum gestalte te krijgen; wat grotendeels te danken is aan McAvoy en de betrekkelijke rust waarmee de dag is verlopen. Hij heeft een wit schrijfbord uit een ander kantoor gehaald en een kort overzicht gemaakt van de reeks gebeurtenissen van gisteren. Zijn eigen signalement van de dader staat met rode markeerstift in het midden van het bord. *Gemiddeld postuur. Gemiddelde lengte. Donkere kleding. Bivakmuts. Vochtige, blauwe ogen.* Ze weten allemaal dat ze daar niet ver mee komen. En hoewel McAvoy niet meer had kunnen doen, voelt hij zich toch schuldig dat hij zijn aanvaller niet beter heeft gezien.

Tegen een andere muur is een plattegrond van de stad vastgeniet, waarop speldjes in verschillende kleuren aangeven waar de verdachte, na zijn vlucht vanaf Trinity Square, is waargenomen of mogelijk is gezien. De reconstructie is samengesteld op grond van getuigenverklaringen, bewakingsbeelden en giswerk. Aan de hand daarvan kunnen ze opmaken dat de verdachte oostwaarts door de stad is gevlucht en langs de rivier, voordat hij ergens bij Drypool Bridge van de kaart verdwijnt. Een team van geüniformeerde agenten heeft de route nagelopen maar niets gevonden, behalve een voetafdruk in de sneeuw die overeenkwam met de locatie die een van de meer geloofwaardige getuigen had doorgegeven. Het moordwapen was nergens te bekennen. De agenten in uniform konden niet anders dan veronderstellen dat hij het in de Hull had gedumpt. Toen Pharaoh die informatie ter ore kwam, sloeg ze haar handen zo hard op tafel dat een van haar armbanden is geknapt.

De telefoon op zijn bureau begint te rinkelen. Hij pakt de hoorn van beige bakeliet op.

'Recherche. Met het crisiscentrum.'

Een vrouwenstem aan de andere kant van de lijn. 'Ik zou graag iemand willen spreken over Daphne. Daphne Cotton,' zegt ze. En dan voegt ze er overbodig, en nog nerveuzer, aan toe: 'Het meisje dat is vermoord.'

'U kunt met mij praten. Mijn naam is rechercheur Aector McAvoy –'

'Dat lijkt me prima,' onderbreekt ze hem. De trilling in haar stem maakt het lastig haar leeftijd in te schatten, maar McAvoy vermoedt dat ze ongeveer even oud is als hij.

'Hebt u informatie…?'

Ze haalt diep adem en McAvoy hoort dat ze dit heeft geoefend. Ze wil het in één keer vertellen. Hij laat haar praten.

'Ik ben een invaldocent. Zo'n jaartje geleden heb ik tijdelijk lesgegeven op Hessle High. De school van Daphne. We konden meteen goed met elkaar overweg. Ze was een schat van een meid. Heel intelligent en oplettend. Ze schreef ook heel graag, moet u weten. Dat is het vak dat ik onderwijs. Engels. Ze liet me een paar van haar korte verhalen lezen. Ze had echt talent.'

Ze zwijgt even. Haar stem breekt.

'Neem uw tijd,' zegt McAvoy meelevend.

Een ademhaling. Een snuivend geluid. Het schrapen van een keel die dichtslaat door tranen.

'Ik heb wat vrijwilligerswerk gedaan in het deel van de wereld waar ze vandaan kwam. Dingen gezien die ze had meegemaakt. We raakten aan de praat. Ik weet niet, ik denk dat ik een soort uitlaatklep voor haar werd. Ze vertelde mij dingen die ze voor anderen verzweeg. Ook in haar verhalen stonden dingen. Dingen die je als jong meisje eigenlijk niet hoort te weten. Ze was erg terughoudend toen ik haar ernaar vroeg, dus begon ik haar schrijfopdrachten te geven. Om haar te helpen het allemaal van zich af te schrijven.'

McAvoy wacht tot ze verdergaat. Als er niets meer lijkt te komen, schraapt hij zijn keel om te spreken.

Dan gooit ze het eruit.

'Dit is haar eerder overkomen.'

7

Hij ziet haar zodra hij de glazen deuren van de trendy pub open-
duwt en in het warme, blauwzwarte licht stapt. Ze zit in haar
eentje aan een kleine ronde tafel naast de radiator bij de bar. Er
staan lege sofa's en divans in de buurt, maar ze heeft er schijnbaar
voor gekozen zo dicht mogelijk bij de wit beschilderde verwar-
ming te zitten, waar ze zich bijna tegenaan drukt. Ze staart naar
de muur en negeert de andere klanten. McAvoy kan haar gezicht
niet zien, maar haar zittende gestalte maakt een bezwaarde en ver-
drietige indruk.

'Mevrouw Mountford?' vraagt Aector als hij haar tafeltje nadert.

Ze kijkt op. Haar diepbruine ogen zijn roodomrand en lijken
in duisternis te zweven. De wallen onder haar ogen zijn donker,
haast bont en blauw van vermoeidheid. In haar linkerneusvleugel
zit een zilveren sierknopje; haar gelaatstrekken komen niet over-
een met het beeld dat McAvoy in zijn hoofd had geschetst toen
hij afsprak haar hier, op deze hoogst ongepaste locatie, te ontmoeten. Ze is kort en mollig, met kroezelig bruin haar dat ze
onhandig achter haar oren heeft gestopt, zodat er twee onelegante krullen langs haar wangen vallen. Ze draagt geen make-up

en haar korte, dikke vingers eindigen in nagels die bijna tot niets zijn afgekloven, terwijl haar kleren – een gebreid zwart jasje over een wit vest – getuigen van haar behoefte aan comfort in plaats van stijl. Ze draagt geen ringen, hoewel ze een grote, exotische houten armband om haar dikke, besproete pols heeft weten te krijgen.

Vicki Mountford knikt bedeesd en wil voor hem opstaan, maar McAvoy gebaart dat ze moet blijven zitten. Hij neemt plaats op de stoel tegenover haar en trekt, met enig formeel vertoon, zijn jas uit. Hij neemt notitie van haar glas. Een rechte tumbler met de slinkende resten van vijf, zes ijsblokjes, gesmolten tot de grootte en vorm van opgesabbelde zuurtjes.

'Waarom hier, mevrouw Mountford? Weet u zeker dat we dit gesprek niet op een comfortabeler plek kunnen voortzetten?'

Ze wrijft met een hand over haar ronde gezicht, kijkt naar haar glas en daarna naar de bar. Dan haalt ze haar schouders op. 'Zoals ik zei, ik woon niet alleen. Mijn huisgenoot heeft vanavond de woonkamer. Ik hou niet van politiebureaus. Op zondag ben ik rond deze tijd altijd hier. Het stoort me niet.' Ze kijkt weer naar haar glas. 'Ik heb iets te drinken nodig om over haar te kunnen praten,' voegt ze er zacht aan toe.

'Het zal niet makkelijk zijn geweest,' zegt McAvoy zo teder als het rumoer in de halfvolle bar toelaat. 'We vertellen familieleden het slechte nieuws, maar de vrienden worden soms vergeten. Als je dan zoiets vreselijks op de radio moet horen... of in de krant moet lezen... Ik kan me niet voorstellen hoe dat voelt.'

Vicki knikt en McAvoy ziet dat ze zijn woorden op prijs stelt. Dan slaat ze haar ogen weer neer, naar het glas. Hij begint zich net af te vragen of hij haar een drankje moet aanbieden wanneer een serveerster, gekleed in een zwart T-shirt en een legging, naar het tafeltje komt.

'Een dubbele wodka-tonic,' zegt Vicki dankbaar, waarna ze haar wenkbrauwen optrekt naar McAvoy. 'En u?'

McAvoy weet niet wat hij moet bestellen. Hij kan misschien koffie of fris nemen, maar daarmee zou hij iemand met mogelijk belangrijke informatie van zich kunnen vervreemden, en de vrouw heeft duidelijk een voorkeur voor iets sterkers.

'Voor mij hetzelfde,' besluit hij.

Ze zeggen niets tegen elkaar tot de serveerster terugkeert. Ze komt al binnen een minuut met hun drankjes, die ze op keurige witte servetten op de zwart geverniste tafel plaatst. Vicki drinkt haar glas in één teug halfleeg. McAvoy neemt maar een klein slokje voordat hij de wodka-tonic weer op het tafelblad zet. Hij had beter een biertje kunnen bestellen.

'Ik was vergeten dat het zondag is,' zegt McAvoy. 'Ik had kantoormedewerkers en mensen in designerpakken verwacht.'

Vicki weet een glimlach op te brengen. 'Ik kom alleen 's zondags. Op een doordeweekse avond kun je geen tafel krijgen en als je in je eentje zit, kijken mensen je vreemd aan. Het is hier 's zondags muziekavond. Over een uurtje of twee komt er een jazzband spelen.'

'Zijn ze goed? Ik hou wel van een beetje jazz.'

'Er treedt iedere week een andere band op. Ze hebben vanavond een Zuid-Amerikaanse groep. Best oké, naar het schijnt.'

McAvoy steekt zijn onderlip uit – zijn eigen fijnzinnige gebaar om interesse te tonen. Tijdens zijn laatste dagen als geüniformeerd agent moest hij op het Beverley Jazz Festival de orde bewaken. Hij werd daar van zijn sokken geblazen door sommige etnische jazzgroepen, die naar de stad in East Yorkshire waren gekomen om een stuk of twaalf in elkaar vloeiende deuntjes te spelen voor dronken studenten en hier en daar een ware liefhebber.

'Dure aangelegenheid zeker?'

'Als je hier voor zes uur komt, is het gratis. Na zessen is het vijf pond, geloof ik. Ik heb nooit betaald.'

'Niet? Dat moet u heel wat geld besparen.'

'Met het loontje van een invalkracht telt elke penny.'

Haar woorden lijken hen terug te voeren naar de reden voor hun afspraak. McAvoy gaat rechter op zijn stoel zitten. Kijkt nadrukkelijk naar zijn notitieboekje. Zet een vriendelijk gezicht op terwijl hij zich voorbereidt om haar het verhaal in eigen woorden te laten vertellen.

'Ze moet heel veel voor u hebben betekend,' zegt hij bemoedigend.

Vicki knikt. Dan haalt ze lichtjes haar schouders op. 'Het is gewoon zo zonde allemaal.' De treurnis in haar stem lijkt deels te verdwijnen om te worden vervangen door vermoeide berusting. 'Na alles wat ze had meegemaakt, net nu ze haar leven weer enigszins op orde had...'

'Ja?'

Ze zwijgt. Houdt het lege glas schuin aan haar mond om de laatste druppels waterige alcohol met haar tong te proeven. Als ze haar ogen sluit, lijkt ze tot een besluit te komen. Ze duikt weg onder tafel en McAvoy hoort dat er een tas wordt opengeritst. Een moment later overhandigt ze hem een paar opgevouwen vellen wit papier.

'Dit is wat ze heeft geschreven,' zegt ze. 'Waar ik het over heb gehad.'

'En wat is dit?'

'Het verhaal van haar leven. Althans, een flard ervan. Het geeft een idee van hoe het voelde om haar te zijn. Ze had talent, zoals ik zei. Ik had haar graag de hele tijd les willen geven, maar er was geen vaste betrekking op de school. We raakten gewoon aan de praat. Ik heb dus vrijwilligerswerk gedaan in Sierra Leone. Scholen bouwen, hier en daar voor de klas staan. Ik had een aantal van de plaatsen bezocht die ze goed kende. We werden vriendinnen.'

McAvoy kijkt haar onderzoekend aan. Een veertienjarig meisje en een vrouw die misschien wel twintig jaar ouder was?

'Ze had natuurlijk vriendinnen van haar eigen leeftijd,' vervolgt Vicki, alsof ze zijn gedachten leest. Ze draait langzaam en doorlopend cirkels met haar lege glas. 'Ze was een gewoon meisje, voor zover er zoiets bestaat. Ze hield van popmuziek. Keek naar *Skins* en *Big Brother*, zoals alle meisjes op die leeftijd. Ik heb haar kamer nooit gezien, maar er hingen ongetwijfeld posters van Justin Bieber aan de muur. Haar schrijfwerk maakte haar bijzonder. En haar geloof, hoewel we het daar nooit echt over hadden. Geloof zegt me niet veel. Als er op officiële formulieren naar mijn religie wordt gevraagd, vul ik "zonaanbidster" in. Of "Jedi".'

McAvoy glimlacht. Zonder na te denken neemt hij een grote slok van zijn drankje en hij voelt de alcohol aangenaam branden in zijn keel. 'Ik laat het gewoon blanco.'

'U bent niet gelovig?'

'Het gaat niemand wat aan,' zegt McAvoy en hij hoopt dat ze het daarbij laat.

'Waarschijnlijk hebt u gelijk. Daphne drong het in ieder geval nooit aan anderen op. Ze droeg een crucifix, maar ze was het soort meisje dat haar schooluniform letterlijk tot aan het laatste knoopje dichtdeed. Niemand kon haar ervan beschuldigen dat ze met haar geloof te koop liep. Het kwam alleen ter sprake omdat ik nieuwsgierig was geworden door sommige antwoorden die ze in de klas had gegeven. Dat zal zo'n jaar geleden zijn geweest. Ik moest drie weken invallen op de school. We behandelden *Macbeth*.'

McAvoy trekt een nadenkend gezicht en probeert zich de passage te herinneren die hij voor de toneelvoorstelling op school uit het hoofd had geleerd. *'Het is vreemd: vaak spreekt, tot ons verderf, de duivel waarheid; in kleine dingen wint hij ons vertrouwen, om ons bij zaken van het grootst gewicht iets op de mouw te spelden.'* Hij stopt gegeneerd.

'Ik ben onder de indruk,' zegt Vicki. Er verschijnt een grote grijns op haar gezicht en McAvoy is verbaasd te zien dat een simpele glimlach haar een heel ander aanzien geeft. Ze is zelfverzekerd genoeg om cool in haar eentje in een jazzclub te zitten en zeker niet te onopvallend om een partner te kunnen krijgen.

'Ik heb dat onthouden van toen ik dertien was,' bekent McAvoy. 'Ik moest het voordragen voor een zaal vol ouders en leraren. Ik krijg nog steeds de rillingen als ik eraan denk. Volgens mij ben ik verder nooit zo bang geweest.'

'Serieus? Ik zat er nooit mee,' zegt ze, terwijl de ondervraging geleidelijk overgaat in een praatje tussen vrienden. 'Als kind kreeg je me niet meer het podium af. Ik ben nooit een verlegen type geweest.'

'Dat is iets om jaloers op te zijn,' zegt McAvoy.

'Ik dacht dat je geen politieagent kon worden als je verlegen bent,' merkt ze op, terwijl ze haar plotseling mooie ogen samenknijpt.

'Je moet gewoon leren hoe je het moet verbergen.' Hij haalt zijn schouders op. 'Hoe vind je dat ik het doe?'

'Ik ben er volledig in getuind,' fluistert ze. 'Ik zal het aan niemand vertellen.'

McAvoy vraagt zich af of dit wel de juiste aanpak is.

'Goed,' zegt hij, in een poging hun gesprek weer in de juiste banen te leiden. *'Macbeth?'*

'Nou, om een lang verhaal kort te maken, ik stelde wat vragen aan de klas. Iets over het kwaad. Ik wilde weten welke personages in het toneelstuk je echt goed kon noemen en welke echt slecht. Alle andere kinderen zagen Banquo en Macduff als helden. Daphne was het daar niet mee eens. Ze vond bijna iedereen goed noch slecht. Ze zei dat je niet het een of het ander kon zijn. Dat goede mensen slechte dingen deden. Dat slechte mensen in staat waren iets goeds te doen. Dat mensen niet altijd hetzelfde waren. Ze kan niet ouder zijn geweest dan dertien of veertien toen ze dat zei, en de manier waarop intrigeerde me gewoon. Ik vroeg of ze na de les wilde blijven en we raakten aan de praat. Uiteindelijk werd mijn contract bij de school verlengd tot zes maanden, dus leerde ik Daphne vrij goed kennen. De andere leraren wisten uiteraard dat ze was geadopteerd en dat ze vreselijke dingen moest hebben meegemaakt, maar in hoeverre dat vermeld stond in haar officiële dossier weet ik niet.'

'Hoe en wanneer vertelde ze je over haar tijd in Sierra Leone? Over wat er met haar was gebeurd?'

'Ik heb het haar op een dag gewoon gevraagd, geloof ik,' zegt Vicki, die zich omdraait op haar stoel en de aandacht van de serveerster probeert te trekken. Zonder na te denken schuift McAvoy zijn eigen glas over tafel en Vicki pakt de wodka-tonic zonder een bedankje aan. 'Zoals gezegd deed ik heel wat vrijwilligerswerk in landen die conflicten en armoede hebben gekend. Toen ik met haar van het ene naar het andere lokaal liep, kwam ze er opeens zelf mee. Ze vertelde me dat haar hele familie was vermoord. Ze was de enige die het overleefde.'

Ze blijven een volle minuut in stilte zitten. Het vermoorde meisje vult McAvoys gedachten. Hij heeft eerder onderzoek gedaan naar verloren levens. Maar de slachting van Daphne Cotton heeft iets volkomen zinloos. Een wreed einde aan het leven van een meisje dat onverwacht gratie had gekregen; een leven dat misschien zo veel had kunnen bieden.

'Lees het maar,' zegt Vicki ten slotte, met een knikje naar de papieren die voor McAvoy op tafel liggen. 'Ze schreef het zo'n drie maanden geleden. We hadden het erover dat je een betere schrijver kon worden door uit je eigen ervaring te putten. Door delen van je ziel bloot te leggen in je werk. Ik weet niet zeker of ze het helemaal begreep, maar ik vond het hartverscheurend wat ze schreef. Lees maar.'

McAvoy vouwt de bladzijden open. Kijkt naar de woorden van Daphne Cotton.

Ze zeggen dat drie jaar te jong is om je iets te herinneren, dus misschien is het volgende het resultaat van wat anderen mij hebben verteld en wat ik heb gelezen. Ik weet het eerlijk waar niet.

Als ik aan mijn familie denk, kan ik geen bloed ruiken. Ik kan me de geur van de lichamen niet herinneren en ook niet hoe hun dode huid aanvoelde. Ik weet dat het is gebeurd. Ik weet dat ik uit een stapel lijken ben geplukt als een baby uit een ingestort gebouw. Maar ik kan het me niet herinneren. En toch weet ik dat het is gebeurd.

Ik was drie jaar oud. Ik was het op twee na jongste kind in een groot gezin. Mijn oudste broer was veertien. Mijn oudste zus een jaar jonger. Mijn jongste broer was misschien tien maanden oud. Ik had nog twee broers en één zus. Mijn jongste broer heette Ismaël. Volgens mij waren we een gelukkig gezin, want op de drie foto's die ik heb, staan we allemaal met een glimlach. De foto's waren een geschenk van de zusters toen ik vertrok om mijn nieuwe ouders te ontmoeten. Ik weet niet waar ze vandaan kwamen.

We woonden in Freetown, waar mijn vader als kleermaker werkte. Ik ben geboren in een tijd van geweld en oorlog, maar mijn ouders beschermden ons tegen de boze buitenwereld. Het waren godvrezende christenen, net als hun ouders, mijn grootouders. We woonden samen in een grote kamer in de stad, en ik meen me te herinneren dat ik gebedjes zei om God te bedanken voor ons geluk. Ik weet uit geschiedenisboeken en van het internet dat er duizenden mensen stierven toen wij nog gelukkig waren, maar mijn ouders lieten die verschrikkingen nooit tot ons doordringen.

In januari 1999 bereikten de gevechten Freetown. Als ik mijn geheugen vraag om beelden van die dag, toen we op de vlucht sloegen voor het bloedvergieten en de moordpartijen, komt er niets naar boven. Misschien zijn we vertrokken voordat de soldaten arriveerden. Ik weet dat we met een groep andere families uit onze kerk naar het noorden gingen. Hoe we in Songo zijn beland, het gebied van mijn moeders volk, kan ik niet zeggen.

Ik herinner me droog gras en een wit gebouw. En als ik heel goed luister, denk ik gezangen en gebeden te horen. Ik herinner me het hoesten van Ismaël. We zijn er dagen of misschien wel weken gebleven. Soms voelt het alsof ik mijn familie heb teleurgesteld omdat ik het ben vergeten. Ik bid tot God de Vader om die zonde weg te nemen. Ik vraag om de herinneringen, hoeveel pijn ze ook zullen doen.

Toen ik oud genoeg was, vertelden de zusters in het weeshuis dat op die dag de rebellen waren gekomen. Dat het een stralende, zonnige dag was geweest. Dat er elders in het land steeds minder werd gevochten, en dat de mannen die langs onze kerk kwamen op de vlucht waren na een nederlaag. Ze waren dronken en ze waren kwaad.

Ze dreven mijn familie en hun vrienden de kerk in. Niemand anders kwam levend naar buiten, dus kan niemand zeggen wat er is gebeurd. Sommige lichamen hadden kogelgaten achter in hun hoofd. Anderen waren gestorven door de kapwonden van machetes.

Ik weet niet waarom ik gespaard ben gebleven. Ik werd midden tussen de lijken gevonden. Mijn schouder bloedde. Volgens mij herinner ik me witte mensen in blauwe uniformen, maar dat kan mijn verbeelding zijn.

Ik vertel mezelf dat ik die mannen heb vergeven voor wat ze hebben gedaan. Ik weet dat ik lieg. Ik bid elke dag tot God dat mijn leugen waarheid wordt. Hij heeft mij een nieuwe familie gegeven. Ik heb nu een goed leven. Ik was eerst bang dat de zustersteden Hull en Freetown elkaars spiegelbeeld zouden zijn, maar deze stad heeft mij welkom geheten. Mijn nieuwe ouders vragen me nooit om het te vergeten. En ik heb me nooit zo dicht bij God gevoeld. Zijn tempel omarmt me. In de Holy Trinity voelde ik weer Zijn warme, liefdevolle armen om me heen. En dat maakt me blij. Ik bid dat ik de kracht zal vinden om Hem te behagen en Zijn liefde waardig te zijn...

McAvoy zit met een brok in zijn keel en zijn ogen prikken. Als hij zijn blik opslaat, wachten Vicki's ogen de zijne op.

'Zie je wat ik bedoel?' zegt ze, bijtend op haar lip. 'Het is zo zonde.'

McAvoy knikt langzaam.

'Heb je er met haar over gesproken?' vraagt hij, zijn stem hees en schor.

'Natuurlijk. Ze kon zich nooit veel herinneren van wat er was gebeurd. Alleen wat de nonnen haar in het weeshuis hadden verteld. Ze werd met haar familie opgepakt en de kerk in gedreven. Sommigen zijn met machetes neergehakt. Anderen doodgeschoten. Sommigen verkracht. Daphne werd door een troepenmacht van de Verenigde Naties gevonden, te midden van de lijken. Er was op haar ingehakt met een machete, maar ze overleefde het.'

McAvoy balt zijn vuisten. Hij vindt dit moeilijk te bevatten.

'Wie wist hier nog meer van?'

'De details? Niet veel mensen. Ik weet niet eens hoeveel ze aan haar adoptieouders heeft verteld. Ze wisten dat haar familie was vermoord, maar wat er precies met Daphne was gebeurd...'

'Heb je dit aan anderen laten zien?'

Vicki tuit haar lippen en ademt vervolgens uit. 'Misschien een of twee,' geeft ze toe, en haar ogen schieten weer snel weg. Ze wekt voor het eerst de indruk dat ze iets te verbergen heeft.

McAvoy knikt. Het stormt in zijn hoofd.

'Denk je dat het er iets mee te maken heeft?' vraagt Vicki. 'Ik bedoel, het is wel heel toevallig, vind je niet? Een kerk. Een mes. Het was toch een machete?'

McAvoy knikt afwezig. Beseft dan dat hij niet weet of die informatie publiek is gemaakt en krabbelt terug. 'Zou kunnen,' mompelt hij.

Vicki lijkt verscheurd te worden door het verlangen om te huilen en te spuwen. Ze is overmand door woede en verdriet. 'De klootzak,' zegt ze.

McAvoy knikt opnieuw. Hij weet niet goed wat hij nu moet doen. Hij wil Trish Pharaoh bellen en het haar vertellen, zoals de procedure voorschrijft. Maar de procedure schrijft ook voor dat hij op kantoor moest blijven om de telefoons te bemannen, en hij is daarvan afgeweken op het moment dat hij Vicki aan de lijn had gekregen.

'Het is bijna alsof iemand dat bloedbad van al die jaren geleden wilde afmaken,' zegt Vicki, die in haar nieuwste lege glas staart. Ze slaat haar ogen op en kijkt hem indringend aan. 'Wie zou zoiets doen?'

In haar ogen is hij een politieman. Een man die verklaringen kan geven. Die de zin van de waanzin kan scheiden.

Hij zou willen dat hij dat respect waard was.

Zijn gedachten worden in beslag genomen door de woorden van Daphne Cotton. Door de simpele, prachtige, onbedorven onschuld van een geest die niet verwrongen was geraakt door de vernederingen waar haar lichaam gedwongen getuige van was geweest.

Opeens wil hij degene die dit heeft gedaan laten lijden. Hij haat zichzelf onmiddellijk, maar hij weet dat het waar is. Dat deze misdaad onvergeeflijk is. Hij put troost uit de erkenning. De aanvaarding dat als hij jacht maakt op het kwaad, hij aan de kant van het goede moet staan.

8

Ongeveer drie autolengtes verderop, aan de overkant van het parkeerterrein, leunt Pharaoh op de motorkap van een zilverkleurige Mercedes. Ze houdt haar hoofd in haar handen als een tienermeisje dat televisiekijkt. Haar gezicht vertoont een speels lachje en ondanks het barre weer is ze perfect opgemaakt. 'Stap in,' roept ze. Ze doet het portier aan de passagierskant open en loopt achter de wagen langs naar de bestuurderskant. Als ze achter het stuur klimt, is heel even haar vlezige dij zichtbaar en een gebruinde kuit die in een strak motorlaarsje verdwijnt.

McAvoy blijft even vertwijfeld staan. Hij weet niet waarom ze hier is. Komt ze hem controleren? Wordt hij van de zaak gehaald? Hij wrijft met een hand over zijn gezicht en steekt het parkeerterrein over met het waardigste loopje dat hij kan opbrengen.

Hij glipt de Mercedes in en krijgt het meteen benauwd door de geur van dure parfum. Mandarijntjes en lavendel.

'Zit je lekker?' vraagt ze plagerig, maar hij bespeurt geen venijn.

Hij vangt een glimp van zichzelf op in het verduisterde glas van het bestuurdersportier en beseft hoe belachelijk hij eruitziet, opgevouwen in dit piepkleine autootje. 'Ik heb je bericht ontvangen.' Ze klapt het make-upspiegeltje boven het stuur naar beneden zodat ze onder het praten kan kijken of haar oogschaduw niet is uitgelopen. 'Toen heb ik Helen Tremberg gebeld. Ze zei dat je hier met de informant had afgesproken. Ik dacht: laten we haar samen verhoren.'

McAvoy moet zich enorm inspannen om niet alle lucht uit zijn longen te stoten. Er stroomt een gevoel van opluchting door hem heen. 'Ik... ik heb de ondervraging eigenlijk net afgerond, mevrouw,' begint hij verontschuldigend. 'Maar ze is er voor een jazzavond, dus zal ze er nog wel –'

Ze gebaart met haar hand om hem de mond te snoeren, haalt daarna haar schouders op. 'Ik ben dol op dat accent,' zegt ze, half tegen zichzelf. 'Ik heb namelijk een poosje in Edinburgh gezeten. Voor een best practice-initiatief, of hoe die onzin mag heten. Mijn oude baas had een ideetje voor een gedoogzone voor prostituees. Kwam nooit van de grond. Misschien is het alweer zo'n tien jaar geleden. Ik was toen brigadier. Was dat in jouw tijd?'

McAvoy krabt zich op het voorhoofd en trekt een gezicht alsof hij nadenkt. 'Ehm...'

'Mijn zoon doet dat ook,' zegt Pharaoh lachend terwijl ze naar hem kijkt. 'Of hij wrijft over zijn kin. Zo schattig.'

McAvoys kaken lopen weer vuurrood aan. 'Hoe oud is hij nu?'

'Tien,' antwoordt ze. Dan kijkt ze weg van de spiegel en half voor zich uit, starend in het niets.

'Ik heb de treiterende tienerjaren nog voor de boeg.' Pharaoh plukt een pluisje van haar dijen en blaast het met getuite, natte lippen van haar handpalm. 'Als ik denk aan alles wat we in dit vak tegenkomen, wordt het nog lastig voor ze om het huis uit te mogen, laat staan zich in de nesten te werken. Ik kan niet wachten.'

'Zo erg zal het wel niet zijn,' merkt hij op; hij weet niet wat hij anders moet zeggen. Hij weet niet of ze hulp heeft van een echtgenoot. Verwondert zich over de manier waarop ze leven en carrière heeft weten te combineren. 'Bij mijn zoon duurt dat nog heel wat jaar.'

Ze wendt haar hoofd en kijkt hem aan. 'Jullie verwachten toch weer een kleine?'

Of hij wil of niet, een glimlach splijt zijn gezicht open. 'Over twee maanden. Ze heeft een dikkere buik dan toen met Fin, maar de zwangerschap is niet zo zwaar als de vorige. Het was een hel voordat...' Hij legt zichzelf plots het zwijgen op, in het vermoeden dat ze hem een strikvraag heeft gesteld. 'Ik zal geen vaderschapsverlof opnemen, mevrouw. Als dit uitdraait op een langdurig onderzoek blijf ik net zo lang tot uw beschikking als nodig is.'

Ze slaat haar ogen ten hemel en schudt haar hoofd. 'Hector,' zegt ze, waarop ze een lachje uitstoot. 'Sorry. Het is Aector, hè? Met een keelklank in het midden? Ik weet niet of ik genoeg speeksel heb om het elke dag op z'n Gaelic te zeggen. Kun je leven met Hector?'

'Ja, prima.'

'Hector. Als je geen vaderschapsverlof neemt, draai ik je persoonlijk de nek om. Je hebt er recht op, je neemt gewoon verlof.'

'Maar –'

'Niets te maren, sufkous.' Ze lacht opnieuw. 'Hector, mag ik je iets vragen?'

'Natuurlijk, mevrouw.'

Ze geeft hem een vriendschappelijk, geruststellend kneepje in zijn dijbeen terwijl ze opkijkt in zijn ogen. 'Wat mankeert je eigenlijk?'

'Hoe bedoelt u?'

'McAvoy, we houden van grote vriendelijke reuzen, maar er is een dunne scheidslijn tussen je omvang niet willen misbruiken en je gedragen als een ongelooflijk mietje.'

McAvoy knippert een paar keer met zijn ogen. 'Een mietje?'

'Zeg het,' zegt ze.

Hij wendt zijn blik af en probeert zijn stem kalm te houden. 'Wat moet ik zeggen?'

'Vertel me wat je ons allemaal al zo graag wilt vertellen sinds we hier kwamen werken.'

Hij dwingt zichzelf haar in de ogen te kijken. 'Ik weet niet...'

'Ja, dat weet je wel, Hector. Je wilt me vertellen dat ik je dossier maar eens moet lezen. Moet rondvragen. Om erachter te komen wat je hebt gedaan.'

'Ik...'

'Hector, hoelang kennen we elkaar nu? Zes maanden? Misschien iets langer? Hoe vaak hebben we elkaar gesproken?'

Hij haalt zijn schouders op.

'Hector, telkens als ik je opdraag iets te doen kijk je me aan met een uitdrukking die het midden houdt tussen een overgehoorzame puppy en een bloeddorstige seriemoordenaar. Je kijkt me aan alsof je alles wilt doen wat ik vraag, en het beter gaat doen dan wie ook. En dat is een zeer innemende eigenschap. Maar achter die hele façade komt die andere kant van je tevoorschijn die vraagt: "Weet je niet wie ik ben? Weet je niet wat ik heb gedaan?"'

'Het spijt me als ik die indruk wek, mevrouw, maar –'

'Ik heb Doug Roper ontmoet, Hector.'

McAvoy krimpt zichtbaar ineen bij het horen van de naam.

'Hij was een seksistische, gemene rotzak, en voor elke meeloper die bij zijn bende wilde horen of profiteren van zijn succes, waren er tien anderen die hem een enorme lul vonden.'

'Ik mag daar…'

'… niets over zeggen? Ik weet het, Hector. We weten het allemaal. We weten dat Doug iets heel fouts heeft gedaan, en dat jij degene was die het ontdekte. We weten dat je ermee naar de hoogste bazen bent gestapt. Dat je gouden bergen zijn beloofd, en dat Roper zou hangen. En we weten dat ze het niet aandurfden, dat ze hem ermee hebben laten wegkomen zonder de beerput open te trekken, en dat jij als de gebeten hond achterbleef in een rechercheteam dat sneller uit elkaar viel dan een sneeuwbal in een magnetron. Heb ik het tot nu toe bij het rechte eind?'

McAvoy blijft zwijgen.

'Ik weet niet wat ze je hebben beloofd, Hector, maar of je het hebt gekregen betwijfel ik ten zeerste. Dat moet moeilijk te verkroppen zijn, of niet? Het moet aan je vreten, dat mensen het weten maar toch ook weer niet.' Ze kromt haar hand tot een klauw, die ze tegen haar hart drukt. 'Dat moet je hier raken.'

'U hebt geen idee,' zegt hij zacht. Als hij zijn ogen opslaat, is haar gezicht pal bij het zijne. Hij ziet zijn eigen spiegelbeeld in haar ogen zwemmen. Overweldigd door het moment merkt hij dat hij voorover leunt…

Ze trekt zich abrupt terug en kijkt op in het spiegeltje, terwijl ze haar hand van McAvoys dij haalt om een onzichtbaar ooghaartje van haar wang te vegen.

'Goed.' Ze glimlacht opgelucht. 'Dan is dat voorlopig uitgepraat. Ik was een paar maanden geleden al van plan om je hierover aan te spreken, maar je weet hoe het gaat, er is nooit tijd voor…'

'Nou, ik stel het op prijs, mevrouw.' Zijn hart gaat als een bezetene tekeer.

Ze laat het elektrische raam zakken en een aangenaam koude wind waait de auto binnen. Ze sluit haar ogen en lijkt te genieten van het gevoel op haar huid, terwijl ze haar gezicht naar de frisse, koele lucht keert.

McAvoy doet hetzelfde met zijn raam. Voelt zijn vochtige lokken wapperen in de bries.

Ze blijven even zwijgend zitten. McAvoy probeert iets te vinden om met zijn handen te doen. Hij reikt in zijn jaszak en haalt zijn telefoon eruit. Beseft dat hij die had uitgeschakeld voordat hij Vicki Mountford ondervroeg. Hij zet het mobieltje weer aan en het getinkel waarmee het welkomstscherm verschijnt, klinkt irritant luid in de krappe ruimte van de auto. De voicemail begint onmiddellijk te rinkelen. Hij houdt het toestel tegen zijn oor. Twee berichten. Een van Helen Tremberg, die hem waarschuwt dat Trish Pharaoh heeft gevraagd waar hij uithing en misschien zou langskomen voor het verhoor van Mountford. En een van Barbara Stein-Collinson, de zus van de dode trawlervisser: *Hallo, rechercheur. Sorry dat ik u op zondag bel. Ik vond alleen dat u moest weten dat de tv-ploeg die bij Fred was toen hij overleed contact heeft opgenomen. Het hele verhaal komt op mij, ik weet niet, een beetje vreemd over. Misschien is het niets. Zou u mij misschien willen terugbellen, als u even de tijd hebt? Alvast bedankt.*

McAvoy klapt zijn telefoon dicht. Hij weet dat hij haar gaat terugbellen. Haar zorgen gaat aanhoren. De juiste geluiden gaat maken. Haar gaat vertellen dat hij zal doen wat hij kan.

'Iets belangrijks?' vraagt Pharaoh.

'Misschien,' zegt hij, want hij weet het oprecht niet. 'Een soort van vriendendienst voor de commissaris. De vrouw van een van de boegbeelden van het politiebestuur. Haar broer is dood aangetroffen. Oude trawlervisser. Hij werkte mee aan een documentaire over de trawlerrampen in 1968. Het ziet ernaar uit dat hij overboord is gesprongen, zeventig mijl voor de kust van IJsland. Ze vonden hem in een reddingsboot. Ik moest het haar gaan vertellen.'

'Arme ziel,' zegt ze peinzend. De aloude mantra van elke politie-agent.

'Ik zal het wel in mijn eigen tijd uitzoeken...'

'O, McAvoy, begin niet weer.' Er klinkt een staalhard randje door in haar stem.

'Mevrouw?'

'Luister, McAvoy.' Ze lijkt opeens haar geduld te verliezen. 'Mensen weten niet wat ze van je moeten denken. Het kan bij jou alle kanten op: je wordt ofwel een toekomstige hoofdcommissaris of je eindigt onder een brug met een blik bier aan je mond. Ze kunnen geen hoogte van je krijgen. Ze weten alleen dat je een grote goedzak bent die hen doormidden zou kunnen breken en die de beruchtste smeris van Humberside zijn baan heeft gekost. Dat zijn feiten die enige kwaliteit vereisen, begrijp je?'

McAvoys gedachten exploderen als vuurwerk. De wereld danst voor zijn ogen. Hij ruikt haast het bloed dat door zijn hoofd suist. 'Waarom nu?' weet hij uit te brengen. 'Waarom vertelt u me dit?'

'Ik kreeg je bericht over deze getuige. Op dat moment was ik bezig telefoontjes af te handelen van de pers, van de politietop, van de rechercheurs en agenten in uniform. Ik probeerde meer te weten te komen van Daphnes moeder, zonder dat hun familie-album nat werd van de tranen. Toen luisterde ik mijn berichten af, en jouw melding was de enige die nuchter, nauwkeurig, ter zake doende en verdomd interessant was. Dus voelde ik warme gevoelens voor je opborrelen, mijn grote jongen. Ik besloot je een beetje liefde te geven.' Ze glimlacht weer. 'Geniet ervan zolang het duurt.'

McAvoy realiseert zich dat hij al die tijd zijn adem heeft ingehouden. Als hij hem laat ontsnappen, krijgt hij het gevoel alsof hij lichter wordt. Hij wordt overmand door genegenheid voor

Pharaoh. Vervuld van een verlangen om haar vertrouwen te belonen.

'Het was de moeite van de rit waard,' zegt hij enthousiast. 'Vicki Mountford, bedoel ik.'

'Vertel.'

Zonder na te denken zet McAvoy zijn pet af en begint hij de tas van zijn schouder te halen. Hij stopt halverwege en kijkt zijn superieur schuin aan, met een flauwe glimlach op zijn gezicht. En voor het eerst sinds hij zich kan herinneren besluit hij iets impulsiefs te doen.

'Houdt u van jazz?' vraagt hij.

Het waarschuwingsbord is een kliederboel van vervaagd zwart op wit, beklad met paarse graffiti en half afgemaakte tags.

VOETBALLEN OP STRAAT IS NIET TOEGESTAAN

Bezoekers aan de wijk Orchard Park in Hull vragen zich misschien af wie het verbod gaat handhaven. Hele rijen huizen staan leeg, dichtgespijkerd om gesloopt te worden. Veel woningen hebben door alle rook en het stof van puin de donkere kleur van gekneusd fruit gekregen. Andere zijn deurloos. Raamloos. Ze houden de wacht bij voortuinen die zijn veranderd in modderpoelen met gebroken baksteen en mijnenvelden van glasscherven.

Weinig huizen zijn bewoond.

Dit was ooit de droomwijk van Hull. Het oude gemeentebestuur had een wachtlijst met gezinnen die niets liever wilden dan hun intrek nemen in deze nieuwe gemeenschap met degelijke huizen, vriendelijke winkeliers en keurig verzorgde gazons. Zelfs toen de torenflats in de jaren zestig naar de hemel begonnen te klimmen, was dit nog steeds het juiste adres voor eerlijke, hardwerkende mannen en propere huisvrouwen. Arm, maar met een stoep waar je van de grond kon eten.

Nu is dat wel anders. Zo'n dertig jaar geleden ging de visindustrie verloren. De overheid zag er geen heil meer in. Droeg de industrie over aan de Europeanen met de woorden 'veel plezier ermee'. Zei tegen de Britten dat ze blij mochten zijn dat ze haar zo lang hadden gehad. Duizenden vissers kregen te horen dat ze moesten oprotten naar huis.

Gedurende de jaren zeventig werden de zonen van de trawlervissers aan de oostkust, de visboeren, de markthandelaren en zeelieden, de eerste generatie in drie eeuwen tijd die ontdekte dat je niet van de oceaan kon leven. Dat je nergens de kost mee kon verdienen, tenzij je een middelbareschooldiploma en een Surrey-accent had. Ze gingen de bijstand in. Dronken hun uitkeringsgeld op. Brachten kinderen voort die opgroeiden tot tieners die het voorbeeld van paps en mams volgden en hun avonden doorbrachten met het stelen van auto's en het vernielen van bushokjes, het plegen van inbraken bij apotheken en het bezwangeren van tienermeisjes in naar benzine stinkende garageboxen. Orchard Park begon in verval te raken.

Tien jaar geleden zag de gemeenteraad van Hull onder ogen wat de bevolking allang wist. De stad lag plat op zijn gat. Het aantal inwoners daalde. Iedereen die het kon betalen verhuisde naar de omringende steden en dorpen. De jongeren die hier afstudeerden zagen Hull simpelweg als een tussenstation op weg naar welvarender steden. Hypotheekmaatschappijen begonnen goedkope leningen te verstrekken aan huurders, die halfvrijstaande tweelaagswoningen kochten in een van de nieuwe blokkendooswijken die aan de rand van de stad opdoken. In het jaar 2000 stonden er in Hull al tienduizend woningen leeg, waarvan de meeste in Orchard Park. Het grote sloopwerk nam een aanvang.

Hier en daar zijn er nog trotse huizenbezitters. Te midden van de zwarte tanden en het rottend tandvlees van de uitgebrande en vernielde huizen pronkt soms een wit beschilderde kies. De gazons zijn diepgroen. De aarde koffiebruin. Hangmanden met bloemen bungelen naast deuren met dubbel glas en een kanten gordijntje erachter. Dit zijn de woningen van mensen die niet willen vertrekken. Die geloven dat Orchard Park gered kan worden. Dat het slechte ten goede zal keren. Dat de torenflats zullen vallen. Dat de percelen waar ze een leven lang voor hebben gespaard binnenkort een koopje zullen blijken te zijn.

Omgeven door ijzeren luiken en beroete bakstenen staan ze op een gegroefd stuk asfalt tegenover elkaar. Perfecte vakantiehuisjes aan zee.

Hoewel er op nummer 59 licht brandt, zijn de bewoners niet thuis. Warren Epworth kreeg gisteravond hevige pijn op de borst en is uit voorzorg naar het Hull Royal Infirmary gebracht. Zijn vrouw Joyce logeert bij haar dochter in Kirk Ella. De dochter hoopt dat die tijdelijke oplossing permanent wordt wanneer haar vader uit het ziekenhuis is ontslagen. Ze hoopt ook dat hun huis, terwijl het onbeheerd is, wordt geplunderd. Vernield. Tot op de grond affikt. Haar ouders hebben bewijs nodig dat hun wijk niet meer te redden valt. Ze moeten vertrekken.

In de woonkamer van het huis waar de Epworths tweeënveertig jaar hebben gewoond, zijn vanavond twee mannen aanwezig.

De ene draagt een zwarte bivakmuts. Een donkere trui. Zwarte legerlaarzen.

Hij heeft vochtige blauwe ogen.

De andere man ligt op een gebloemde bank. Hij is gekleed in een oud Manchester United-shirt, joggingbroek en gympen. Hij is vel over been en onverzorgd, met armen bedekt door korsten en kippenvel, en heeft een ongeschoren, ratachtig gezicht. Rond zijn lippen kleeft gestold rood en een van zijn tanden steekt naar binnen in zijn mond, waar bloedend, rottend tandvlees is te zien.

Zijn ogen zijn gesloten.

Hij ruikt naar alcohol.

De man met de bivakmuts kijkt de woonkamer rond. Naar de sierlijke fotolijsten op de schoorsteenmantel. Naar de glimlachende portretten. De pasgeboren baby's en opgedofte kleinkinderen. Schoolfoto's. Een kiekje van een robijnen bruiloft, waarop een bejaard echtpaar hand in hand staat, hun voorhoofden tegen elkaar, aan het uiteinde van een tafel bezaaid met cadeaus.

De man knikt, alsof hij een besluit neemt. Beweegt zijn hand langs de schoorsteenmantel en pakt de fotolijstjes. Stopt ze in een zwarte weekendtas aan zijn voeten.

Dan richt hij zich weer tot de gedaante op de bank.

Uit zijn binnenzak haalt hij een geel metalen blikje. Hij sluit zijn ogen. Ademt in door zijn neus.

Sproeit de aanstekervloeistof op de bewusteloze man.

Hij stapt naar achteren, zijn gehandschoende handen gebald tot vuisten.

Kijkt toe terwijl de andere man hoestend en proestend wakker wordt.

Ziet hem opkijken. Naar hem staren.

Het besef.

Het besef dat hij heeft geleefd in geleende tijd.

Dat hij aan de dood is ontsnapt toen hij had moeten sterven.

Dat de schuld moet worden ingelost.

Hij ziet de ogen van de man eerst groter en dan kleiner worden. Ziet de paniek en woede de spieren in zijn gelaat bespelen.

'Wat... Waar...?'

De man probeert op te staan, maar zijn geest is beneveld door alcohol. Zijn herinneringen zijn troebel en onscherp. Hij herinnert zich de pub. De ruzie met de andere klant. Het parkeerterrein. De eerste paar stappen op zijn lange weg terug naar zijn flatje boven het wedkantoor. Toen een vuist in zijn haar. De koude, harde flessenhals die met geweld in zijn mond werd gedrongen. Opeens de smaak van bloed en wodka. De vervagende schim van een in het zwart gehulde man.

'Is dit...?'

De indeling van de woning komt hem bekend voor. Het lijkt vreselijk veel op de plek die hij ooit zijn thuis noemde. De plek die hij in lichterlaaie stak omdat hij bezopen was en hield van het geluid van brandweersirenes.

De plek waar zijn vrouw en kinderen langzaam zijn geroosterd.

'Waarom...?'

De man met de bivakmuts steekt een hand op, alsof hij een automobilist maant snelheid te minderen. Hij schudt zijn hoofd. Maakt met één gebaar duidelijk dat het geen zin heeft zich te verzetten. Dat dit reeds is besloten.

In één snelle beweging haalt hij een gele wegwerpaansteker uit zijn zak. Hij neemt een gehurkte houding aan, als een sprinter in de blokken, en houdt het vlammetje tegen het met een patroon versierde vloerkleed.

Dan wendt hij zich af.

Het vuur schiet naar links en rechts, neemt in omvang toe en wint aan snelheid als de twee gloeiende riviertjes de bank omcirkelen.

De man met de bivakmuts doet een stap achteruit en beschermt zijn ogen.

Als de man op de bank inademt om te schreeuwen, lijkt het alsof hij de vlammen inhaleert. Tegelijk met de snakkende teug springt het spuwende vuur op hem af.

Wikkelt zich om hem heen.

De in het zwart geklede man kijkt niet naar het brandende schepsel. Blijft niet wachten om hem wild om zich heen te zien slaan, vechtend tegen de laaiende mantel van rood en goud die hem overspoelt. Die zijn polyester shirt vastschroeit aan zijn huid. De kamer vult met de geur van zurig vlees.

Hij pakt de weekendtas op en loopt naar de deur.

Laat de brandende man achter met de vraag of zijn gezin dit ook heeft gevoeld toen de vlammen aan hun huid vraten.

9

McAvoy doet scheerschuim op zijn gezicht en begint de stoppels met zijn scheermes weg te schrapen. Roisin heeft het mes voor hem gekocht in een chique boetiek bij Harrods, toen ze tijdens hun prille verkering regelmatig een tripje maakten naar Londen. Het is een dodelijk uitziend voorwerp, met een lemmet waarmee je een lieveheersbeestje midden in de vlucht van zijn vleugels kunt scheiden. Ze ziet het hem graag scherpen aan de scheerriem die bij de spiegel hangt.

'Kun je het wel goed zien? Wil je een raam opendoen?'

Hij kijkt weg van de spiegel. Roisin steekt haar hoofd van achter het douchegordijn. Hij ziet de schaduw van haar buik en borsten achter het met een motief bedrukte materiaal, en voelt het bekende gevoel van opwinding in zijn onderbuik. Zo mooi, denkt hij, en de gedachte is zo sterk dat hij zijn vingernagels in zijn palmen moet drukken om zich te bedwingen.

'Nee, het gaat wel,' zegt hij, vergezeld van een hoofdgebaar voor het geval ze zijn stem niet boven het gutsende water kan horen.

Haar gezicht verdwijnt weer achter het gordijn en hij ziet haar silhouet van gedaante veranderen als ze haar hoofd achterover houdt en haar haar afspoelt. Ziet haar langzaam draaien, spelen met de douchekop en de stroom water op haar schouders richten. Ziet haar naar het dure zeepje reiken en haar armen inzepen. Haar buik. Ziet haar handen over haar dijen gaan. Tussen haar benen. Haar kleine, zachte borsten.

McAvoy staat nog in twijfel of hij achter het gordijn moet reiken om de welving van haar heupen te strelen wanneer ze abrupt de kranen dichtdraait. Ze zwiept het gordijn open en blijft nadruipend in de badkuip staan. Zich totaal onbewust van haar eigen schoonheid.

'Sorry dat ik in slaap was gevallen,' zegt ze. Ze schudt met haar haar als een natte hond en steekt haar hand uit zodat hij haar uit de kuip kan helpen. 'Hoe laat was je thuis?'

McAvoy ontwijkt haar blik. Ze moet met haar hoofd knikken en een wenkbrauw optrekken voordat hij het linoleum oversteekt om haar kleine, natte hand in de zijne te sluiten. Haar gewicht op te vangen terwijl ze uit de badkuip stapt.

McAvoy leunt voorover en kust haar natte gezicht, net op de hoek van haar mond. Ze glimlacht tevreden en beantwoordt de kus, haar vochtige lichaam tegen zijn borst wrijvend. 'We hadden samen kunnen douchen,' fluistert ze, met een knikje naar de badkuip. 'Dan had ik het goed kunnen maken van gisteravond.'

'Het is beter in theorie,' antwoordt hij.

'O ja?' Haar stem klinkt flirterig. Speels.

'De douche, bedoel ik,' zegt hij tussen het kussen door. 'Vorige keer zijn we uitgegleden, weet je nog?'

Ze moeten samen lachen bij de herinnering aan hun laatste poging om een douchecel te delen. Hun verschil in lengte zorgde ervoor dat Roisin bijna verdronk, terwijl McAvoy vanaf borsthoogte kurkdroog bleef.

Haar handen glijden omlaag over zijn lichaam. Haar lippen naar zijn nek.

Ze snuift.

'Dolly Girl van Anna Sui?'

Ze trekt zich terug en kijkt hem vragend aan. Er zit scheer-schuim op haar gezicht.

'Ik...'

Ze ruikt opnieuw, grijnst en smeert het scheerschuim op haar bovenlip zodat het lijkt alsof ze een snor heeft. Ze gaat op haar tenen staan en kust zijn ingezeepte mond.

'Wie ze ook is, ze heeft goede smaak.'

Dan keert ze met haar lippen terug naar zijn huid.

'Roisin, het was voor mijn werk, ik kon niet...'

Ze sust hem. Trekt zijn hoofd naar beneden zodat ze hem in de ogen kan kijken. 'Aector, de dag waarop jij vreemdgaat, is de dag dat de wereld in een toverbal verandert. Geen reuzentover-bal maar eentje van normale afmetingen, waar we allemaal ons evenwicht op moeten zien te bewaren. Ik zie dat niet zo snel ge-beuren. Dus hou je kop. Kus me.'

'Maar...'

Haar tong glibbert tussen zijn droge, gebarsten lippen.

'Papa! Telefoon!'

De deur vliegt open en Fin stormt de badkamer binnen. Hij glijdt uit op het natte linoleum, landt op zijn achterwerk en laat de telefoon vallen, die als een hockeypuck wegschiet. Fin giechelt en doet geen poging om op te staan, terwijl zijn Buzz Lightyear-pyjama het water begint te absorberen.

McAvoy bukt zich en pakt het mobieltje van de vloer.

'Aector McAvoy,' zegt hij in het toestel.

'Bel ik ongelegen, rechercheur?'

Het duurt even voordat hij de stem herkent. De vrouwenstem klinkt beschroomd, maar behoort onmiskenbaar toe aan iemand uit de middenklasse. 'Mevrouw Stein-Collinson?' Hij knijpt zijn ogen stijf dicht en geeft zichzelf een standje omdat hij haar gisteravond niet heeft teruggebeld.

'Ja, daar spreekt u mee,' antwoordt ze, opgelucht dat hij haar heeft herkend. 'Zo te horen hebt u het druk. Wie was dat, die de telefoon opnam?'

'Mijn zoontje,' zegt hij.

'Hij klinkt als een grote deugniet,' zegt ze. In haar stem klinkt een vrolijke glimlach door.

'Het spijt me vreselijk dat ik gisteravond niet heb teruggebeld…'

'O, dat begrijp ik.' Hij ziet haar in gedachten zijn spijtbetuiging wegwuiven met een gerimpelde, gemanicuurde hand. 'Dat arme meisje. Hebt u al vorderingen gemaakt? Je hoort er zo weinig over op de radio.'

McAvoy vraagt zich af hoeveel hij kan loslaten. Zoekt zijn toevlucht tot: 'We hebben nuttige tips gekregen die we nader onderzoeken.'

'Mooi, mooi,' reageert ze afwezig. Dan zwijgt ze.

'Zijn er nieuwe ontwikkelingen?' spoort hij haar aan.

'Nou, dat is het vreemde,' hervat ze. Haar stem krijgt een opgewonden en samenzweerderige toon. 'Ik kreeg gisteren rond theetijd een telefoontje van de vrouw die met onze Fred aan de documentaire werkte. Ze is terug in Engeland en vond dat ze contact moest opnemen.'

'Weet u nog hoe de vrouw heet?'

Ze valt stil, alsof ze aarzelt of ze door moet gaan. McAvoy is het gewend om een gesprek op gang te houden en weet dat hij haar de adempauze moet gunnen die ze nodig heeft.

'De reddingsboot,' zegt ze plotseling, haar stem als een vinger die op een kaart wijst. 'De reddingsboot waarin ze hem hebben gevonden. Die had daar niet moeten zijn. De televisiedame raakte in gesprek met de kapitein toen ze de haven binnenliepen, en hij wist niet waar de boot vandaan kwam. Iemand had hem mee aan boord genomen. En Fred was het niet. De televisieploeg was de hele tijd bij hem. Er is vast een simpele verklaring voor, maar het leek mij gewoon...'

'Vreemd,' maakt hij de zin af, waarna hij haar opgelucht hoort uitademen.

'Denkt u dat er misschien meer achter zit?' vraagt ze, met een mengeling van opgewonden nieuwsgierigheid en verbijsterde droefheid. 'Ik bedoel, er is toch niemand die Fred kwaad zou willen doen? Het is alleen zo'n eigenaardig toeval, dat hij het al die jaren geleden overleeft en dat er dan zoiets gebeurt. Ik weet niet, maar...'

McAvoy luistert niet meer. Hij staart naar zichzelf in de spiegel. Door de stoom en damp heen ziet hij alleen het litteken op zijn schouder. In de vorm van een messteek.

Hij denkt aan een kerk. Aan bebloede lichamen en een huilende baby, liggend in de arm van een afgeslachte ouder.

De onrechtvaardigheid ervan brandt woedend in zijn borst.

Hij kan niet anders dan het zich herinneren. Ondanks alles wat hij heeft gedaan om het beeld te begraven, flitst het tafereel weer door zijn hoofd. Ongewild ziet hij zichzelf maanden eerder, achterwaarts struikelend, zijn voeten uitglijdend op de modder en dode bladeren, terwijl Tony Halthwaite, de moordenaar in wie niemand geloofde, met een mes naar zijn keel zwaaide.

Hij rilt onwillekeurig; ziet weer het staal met geoefende precisie een neerwaartse boog beschrijven naar zijn onbeschermde halsader.

Herinnert zich het zien van Roisins gezicht. Dat van Fin. Het laatste restje instinct en energie dat in hem naar boven kwam.

Hoe hij net op tijd wegrolde.

Voelt de huid van zijn schouder openrijten, het bloed rondsproeien, en daarna de uithaal met zijn schoen.

Het moment van overleven. Het ontwijken van het mes dat anderen had geveld...

DEEL TWEE

10

'Je had maar drie biertjes op, Hector,' berispte Pharaoh hem. Ze stond in de deuropening van het crisiscentrum als een schooldirectrice die spijbelaars opwachtte, en lachte toen McAvoy, rood aangelopen en puffend, de trap op rende en met zijn tas aan de leuning bleef haken, zodat hij als met een lasso naar achteren werd gerukt. 'Ik zou je wel eens willen zien na een feestje bij mij thuis. Dan zou je twee weken op je nest blijven liggen.'

Ze droeg een rode leren rok tot op haar knieën en een strak zwart vestje dat haar imposante voorgevel accentueerde. Ze was zwaar opgemaakt en haar kapsel zat perfect. Ze heeft gisteravond drie keer zo veel gedronken als McAvoy, maar afgezien van de donkere halvemaantjes onder haar ogen leek ze net terug te zijn van een vakantie op het jacht van een suikeroom.

'Het spijt me, mevrouw, het verkeer en Fin, en...'

'Maak je niet druk,' zei ze met een glimlach. 'We hebben ons er zonder jou doorheen gemodderd.'

'Dat op de radio,' bracht hij hijgend uit. 'Een huisbrand? Orchard Park.'

Ze knikte. 'Heb ik aan de jongens in Greenwood gegeven. We

kunnen de mankracht niet missen. Brigadier Knaggs neemt het voor zijn rekening. Volgens mij had hij een beetje de pest in toen hij mij aan de lijn kreeg en besefte dat er nog geen plaats voor hem was in de zaak-Daphne.'

Daphne, merkte McAvoy op. Niet *de zaak-Cotton*. Deze moord ging Pharaoh echt aan het hart.

'Simpel geval van brandstichting?'

'Weet ik niet zeker. Wie er ook is geroosterd, het is niet de huiseigenaar. Die lag al in het ziekenhuis. Een van de fatsoenlijke mensen uit de wijk. Aardige oude kerel. Zijn vrouw logeert bij hun dochter in Toryville. Kirk Ella, geloof ik. Naar het schijnt klonk ze opgetogen toen ze hoorde dat het huis in rook was opgegaan. Maar minder opgetogen toen de agenten vertelden dat ze een gebarbecuede man op de bank hadden gevonden. We hebben geen flauw idee wie het is. En of hij het ons zelf ooit kan vertellen, is maar zeer de vraag. Voor negentig procent verbrand. Geen gezicht meer. Inwendige organen bijna gekookt. Het staat vast dat er een brandversneller is gebruikt, maar veel meer kan de technische recherche niet zeggen. Hij ligt op de nieuwe afdeling van het Hull Royal Infirmary, maar ze gaan hem waarschijnlijk overplaatsen naar Wakefield. Al weet ik niet waarom. Tenzij ze daar een wetsuit van mensenhuid hebben om hem in te ritsen, anders kan hij het wel vergeten.'

McAvoy knikte. Hij was ergens wel geïnteresseerd in de brandstichting in Orchard Park, maar als hij eerlijk was had hij de dader reeds afgedaan als een drugsverslaafde of een inbreker zodra hij het nieuws op de radio hoorde. Een spijtig incident, maar geen tragedie. Iemands tijd waard. Maar niet per se zijn tijd.

'Ik heb het autopsierapport dus gemist?'

'Wees blij,' zei ze. 'Zelfs Colin Ray hield zijn waffel.'

'Conclusie?'

Pharaoh hoefde niet eens naar haar notities te kijken. Ze dreunde het gewoon op, emotieloos, starend in zijn ogen zonder echt naar hem te kijken. 'Acht afzonderlijke slagwonden, elk tot op het bot. De eerste ging door haar sleutelbeen. Een bovenhandse hakbeweging met rechts. Nog zes slagen op dezelfde plek, waardoor het sleutelbeen versplinterde. Eén stuk bot doorboorde haar borstkas. Toen ze op de grond lag, volgde er een laatste steek, recht in het hart. Ze moet al dood zijn geweest tegen de tijd dat hij het mes eruit trok.'

McAvoy sloot zijn ogen. Kalmeerde zijn ademhaling. 'Het was dus zijn bedoeling om haar te doden? De laatste steek, dat is gewoon zo...'

'Dodelijk,' bevestigde Pharaoh. 'Hij wilde haar dood hebben. We weten niet wie hij is, waarom hij haar wilde vermoorden of waarom hij ervoor koos het uitgerekend in een bomvolle kerk te doen, maar we weten dat hij er alles aan deed om haar levenloos achter te laten.'

McAvoy zag dat ze haar voorhoofd tegen haar knokkels drukte. Haar kaak heen en weer bewoog. Haar ogen dichtkneep. Ze werd kwaad.

'Wat nog meer?'

'Bewijs van wat je jongedame gisteravond vertelde. Oud littekenweefsel bij haar sleutelbeen. Aan dezelfde kant. De lijkschouwer kon het amper ontdekken onder de wirwar van nieuwe wonden, maar het was te zien. Dit is haar eerder overkomen.'

'Wat gaan we met die informatie doen, mevrouw? Hebt u het team erover ingelicht?'

Ze knikte. 'We weten niet wat het betekent, maar we moeten het onderzoeken. Slechts een handvol mensen wist ervan. Het zou een gruwelijk toeval kunnen zijn, maar dat vind ik moeilijk te geloven. Al leek het voor Colin Ray gesneden koek te zijn. Ik had het nauwelijks gezegd of hij had zijn oordeel al klaar. Een

Afrikaanse asielzoeker die het karwei afmaakte dat ze daar waren begonnen. Hij ging hier morrend de deur uit, scheldend op buitenlanders die hun smerige zaakjes in Yorkshire afhandelden. Ik denk niet dat hij het bij het juiste eind heeft.'

McAvoy hield zijn mond. Hetzelfde idee was bij hem opgekomen.

'Volgens het toxicologisch rapport zat er niet meer alcohol in haar bloed dan een slokje communiewijn. Ze had een lichte verkoudheid. En ze was nog maagd.'

Ze wendde zich af, niet langer in staat zich goed te houden. 'Vandaag is het telefoontjes in het crisiscentrum voor je,' zei ze over haar schouder, terwijl ze naar de trap liep. 'Noem jezelf voor mijn part bureauchef. Zorg er alleen voor dat de agenten en het hulpteam niets stoms zeggen. Ik moet de familie nog een keer spreken en daarna wil de *Hull Daily Mail* een praatje maken. De hoofdcommissaris wil een briefing om drie uur. Alsof ik hem ook maar iets te vertellen heb. Er moeten nog een hoop bewakingsbeelden worden bekeken, dus als je even tijd overhebt...' Toen draaide ze zich, meer als een echtgenote dan een superieur, om met een glimlach en zei: 'Je kreeg complimenten voor de informatie. Ik dacht dat je dat wel leuk zou vinden om te horen.'

Dat was twee uur geleden en de ochtend is miserabel verlopen. De eerste drie telefoontjes die hij heeft aangenomen hebben hem niet erg hoopvol gestemd.

Zijn gedachten dwalen af naar Fred Stein. Iets aan dat hele verhaal lijkt niet alleen vreemd maar bijna bizar. Hij weet hoe schuldgevoel werkt. Weet hoe het voelt om een aanval te overleven terwijl anderen minder geluk hebben gehad. Maar om het evenwicht op zo'n dramatische, haast gekunstelde manier te herstellen? Om mee te gaan met een filmploeg? Je eigen reddingsboot mee te nemen? Hij weet niet genoeg over Fred Stein om zijn persoonlijkheid te beoordelen, zijn vermogen tot zelfhaat, maar in zijn ervaring houden ex-trawlervissers doorgaans niet van dat soort poppenkast.

Hij glipt de gang op en laat een bericht achter voor Caroline Wills, de documentairemaker die erin is geslaagd de ster van haar programma te verliezen op zeventig mijl voor de kust van IJsland.

Hij loopt terug naar zijn bureau. Het crisiscentrum begint nu echt vorm te krijgen. De dossierkasten zijn aan het eind van de kamer tegen de muur opgesteld; de bureaus netjes twee aan twee gerangschikt, als zitplaatsen in een bus; en in de plattegrond aan het prikbord bij het smoezelige raam steken meer speldjes dan gisteren. Bevestigde waarnemingen, mogelijke waarnemingen en het betere giswerk. Een agent in uniform praat zacht in een telefoon, maar aan zijn lichaamstaal te zien is het geen opwindende tip. McAvoy heeft een tiental berichtjes ontvangen van Tremberg, Kirkland en Nielsen, die hem op de hoogte houden van wat ze doen. Nielsen werkt de lijst met getuigen af en verliest onderhand zijn geduld. Ze hebben het gezien, maar niets opgemerkt. Het gehoord, maar niet echt geluisterd. Ze zijn getuige geweest van de nasleep ervan, maar kunnen niet zeggen waar de moordenaar vandaan kwam, of waar hij naartoe ging.

Sophie Kirkland zit op het technisch laboratorium, waar ze de harde schijf van Daphne Cotton doorwerkt. Tot nu toe heeft ze ontdekt dat ze graag websites bezocht over de christelijke leer en Justin Timberlake.

Hij zou het niet graag willen toegeven, maar McAvoy verveelt zich. Hij kan niet verder met zijn gewone werk omdat die dossiers op het hoofdbureau op Priory Road liggen, en ondanks zijn bedenkingen gebruiken de agenten zijn database zoals hij had gehoopt, dus hoeft hij het systeem niet eens op te schonen.

De mobiele telefoon rinkelt. Een geheim nummer. McAvoy

zakt neer op zijn stoel en neemt duidelijk opgelucht het gesprek aan.

'Brigadier-rechercheur Aector McAvoy,' zegt hij.

'Weet ik, knul. Ik bel je toch?' Het is inspecteur Ray.

'Ja, meneer.' Hij gaat rechtop zitten. Doet zijn stropdas goed.

'Pharaoh heeft het nog druk zeker?'

'Ik denk dat ze zich momenteel voorbereidt op haar interview met de *Hull Daily Mail*...'

'Mediageil, hè?'

McAvoy zegt niets. Uit beleefdheid hoort hij een lachje ten gehore te brengen om zijn meerdere niet voor het hoofd te stoten. Maar hij maakt een rotopmerking over Trish Pharaoh en dat trekt McAvoy zich persoonlijk aan.

'Was er iets wat ik kan doen, meneer?'

De stem van Colin Ray verandert. Wordt agressief. 'Ja, dat kun je zeker, knul. Vertel haar dat Shaz en ik iemand meenemen naar het bureau. Neville de Racist. Heeft een stamkroeg in Kingston. Hij komt vrijwillig mee voor een onderonsje, dus maak je niet druk over een persbericht. Ik laat hem alleen even de binnenkant van een verhoorkamer zien en dan zullen we eens kijken of dat zijn geheugen opfrist.'

McAvoys hart gaat tekeer. Hij staat op – te gehaast – en drukt de telefoon dichter tegen zijn oor. 'Wat heeft hij met de moord te maken?' stamelt hij.

'Onze Neville heeft het niet op buitenlanders,' zegt Ray. 'Hij haat ze, beter gezegd. En hij heeft een opvliegend karakter. Jouw docente heeft me aan het denken gezet. Ik vermoed dat onze Neville een van die buitenlanders een lesje wilde leren, dus kwam hij op het idee om er een koud te maken en een ander de schuld in de schoenen te schuiven. Vanaf Kingston is het honderd meter naar de Holy Trinity en Terry, de barman, schat dat Nev zaterdagmiddag ruim een uur is verdwenen. Dat zijn ze totaal niet van hem gewend. Normaal blijft hij tot sluitingstijd. Neville beweert dat hij een cadeau ging kopen voor zijn kleindochter, maar...'

'Kleindochter?' vraagt McAvoy op ongelovige toon. 'Hoe oud is hij?'

'Eind in de vijftig. Maar zo sterk als een os.'

'Inspecteur, ik heb die man gezien. Hij was in goede conditie. Snel. Ik denk niet –'

'Vertel het Pharaoh nou maar. Als ze klaar is met zichzelf optutten.'

De verbinding wordt verbroken.

McAvoy laat zijn voorhoofd op zijn hand rusten. Hij hoort het bloed gonzen in zijn hoofd. Kan het zo simpel zijn? Was het gewoon een rassenmoord? Een oude racist die zijn frustraties afreageert? McAvoy vraagt zich af wat zo'n uitkomst zou betekenen. Of zijn eigen bijdrage, hoe essentieel ook, opgemerkt zou worden. Of Colin Ray hoger op de hiërarchische ladder zou eindigen dan Trish Pharaoh.

Hij kijkt op. Achter het stoffige glas ziet hij de kale takken van bomen, geschetst als met houtskool, heen en weer zwiepen in de wind. Er is een storm op komst. Als het begint te sneeuwen, wordt het een winterstorm.

McAvoys telefoon gaat opnieuw.

'McAvoy,' zegt hij mismoedig.

'Rechercheur? Hallo, u spreekt met Caroline Wills. Van Wagtail Productions? Ik kom net uit een bespreking. Wat kan ik voor u doen?'

McAvoy trekt zijn notitieblok naar zich toe en haalt met zijn tanden de dop van zijn balpen.

Concentreert zich op Fred Stein.

'Bedankt dat u me terugbelt, mevrouw Wills. Het betreft Fred Stein.'

'Werkelijk?' Ze klinkt teleurgesteld. 'Ik had eigenlijk gehoopt dat het over de zaak-Daphne Cotton zou gaan.'

McAvoy steekt zijn pen tussen zijn tanden, als een soort fysiek geheugensteuntje dat hij op zijn woorden moet letten.

'U bent op de hoogte van het lopend onderzoek naar de moord?'

'Alleen wat ik in de media heb gehoord,' zegt ze opgewekt. 'Vreselijke toestand, hè? Arm meisje.'

'Zeker. Hoe dan ook, Fred Stein.'

'Fred, ja. Treurige zaak. Aardige oude kerel. We konden het goed met elkaar vinden. Maar u bent toch van de politie in Hull? Wat heeft dit met Hull te maken?'

'De zus van meneer Stein woont hier in de buurt. Ze zit gewoon met wat vragen over de ware toedracht van zijn dood, en ik heb beloofd er alles aan te doen om duidelijkheid te krijgen.'

'Is ze soms getrouwd met de hoofdcommissaris?' Ze lacht opnieuw; een hoog, plezierig geluid. Ze klinkt als iemand uit de middenklasse. Met een zuidelijk accent. Hij schat haar in als een vroege dertiger en gewiekste tante.

'Nou nee, met een lid van het politiebestuur. Die kans maakt om voor zijn zestigste voorzitter te worden.'

'Ah. Nu begrijp ik het.'

'Wat kunt u mij vertellen?'

'Nou, ik heb een verklaring gegeven aan de IJslandse politie en moet dat nog een keer doen voor de rechter-commissaris wanneer hij het vooronderzoek start, maar ik weet zo weinig van wat er is gebeurd dat het niet erg is het nog eens te herhalen. Het komt erop neer dat ik leiding geef aan een televisiebedrijfje gespecialiseerd in documentaires. We hebben wat dingen gedaan voor landelijke zenders, maar ons werk is merendeels te zien op documentairekanalen. Zo'n vijf jaar geleden deed ik een programma over het zinken van de *Dunbar*. Toen heb ik wat tijd in Hull doorgebracht. Mijn hemel, wat een plek.'

McAvoy hoort zichzelf lachen. 'Zo kun je het ook omschrijven.'

'Ja, de nuchterheid zelve. Echt zo noordelijk, als dat niet te mal klinkt.'

'Nee, helemaal gelijk, zo zijn de mensen hier. Aan beide voeten een slof om uit te schieten en een bokkenpruik op het hoofd.'

Ze giechelt. 'U begrijpt wat ik bedoel.'

'Vanwaar de interesse voor de *Dunbar*?'

Het betreffende vaartuig was een gloednieuwe supertrawler, die eind jaren zeventig tijdens een zware storm voor de kust van Noorwegen was gezonken. De vissersgemeenschap in Hull had jarenlang haar twijfels uitgesproken over het vergaan van het schip. Het gerucht ging dat het een spionageschip was, dat gedurende de Koude Oorlog de Russische wateren was binnengedrongen om vijandelijke vaartuigen te fotograferen. De roddelaars vermoedden dat alle bemanningsleden nog in leven waren, verborgen in een of andere Russische goelag. Zelfs toen de lokale visindustrie op de fles ging, hielden de geruchten over de *Dunbar* aan, tot uiteindelijk een parlementslid voor Hull een verkiezingsbelofte moest nakomen en lobbyde voor een openbaar onderzoek. Toen dat er eenmaal kwam, gaven de onderzoeksresultaten geen definitief uitsluitsel. De *Dunbar* was inderdaad naar de bodem van de Barentszzee gezonken. Er waren inderdaad lichamen aan boord gevonden. Maar of er zich ook spionnen onder hen bevonden? Niemand kon dat zeggen. Een geschenk uit de hemel voor de roddelkranten en complotdenkers.

'Amerikanen zijn dol op alles wat ze aan de Koude Oorlog herinnert. We pitchten het idee bij een kanaal in de VS. U weet wel, zo'n verkooppraatje: hebben deze dappere mannen uit Yorkshire werkelijk de Sovjets bespioneerd? Werd hun door de communisten het zwijgen opgelegd? Ik denk dat Amerikanen die goeie ouwe tijd missen. Hoe dan ook, ze hapten toe en ik woonde de laatste paar dagen van het onderzoek bij. Er kwam veel volk op af. Eén kerel, Tony huppeldepup, stonk als een asbak. Het geval wilde dat het programma nooit werd uitgezonden. We kregen er wel voor betaald, maar er was geen ruimte voor in de uitzendschema's.

Vorig jaar bekeek ik wat van die oude beelden. Materiaal dat nooit is uitgezonden. Ik zat te kijken naar dat programma over de *Dunbar* en dacht bij mezelf: wat een interessante geschiedenis is dat toch. Niet al die onzin over de Koude Oorlog. Gewoon de mensen die erbij betrokken waren. Hun leven. Hun verhalen. Om een lang verhaal kort te maken, ik deed wat research en ontdekte dat de veertigjarige herdenking van de Zwarte Winter eraan zat te komen. Vier trawlers in een paar dagen tijd. Een groot drama. Ik bladerde mijn oude adressenboekje door en probeerde in contact te komen met een aantal oude journalisten die ik tijdens het onderzoek had ontmoet. Nou ja, u weet hoe die dingen gaan. Mensen verhuizen naar elders. Maar na wat spitwerk vond ik Russ Chandler. Meer een schrijver dan een journalist, maar hij weet waar hij het over heeft. Hij weet in elk geval alles over de visserij. Hij vertelde me dat hele verhaal over Fred Stein. De enige overlevende. Het leek perfect voor wat we wilden: een documentaire over de Zwarte Winter met een moderne twist. Toen we hoorden dat Fred nooit had gesproken over wat er met hem was gebeurd, haalden we het chequeboekje tevoorschijn. We lieten hem opsporen door Russ. Deden hem een aanbod, sloten samen een deal, en hatsiekiedee – voor we het wisten probeerden we een containerschip te vinden waarop we konden meeliften naar IJsland.'

McAvoy knikt. Hij is gestopt met notities maken. Hij merkt dat hij deze dame graag hoort praten.

'Dat was dus dat. We zorgden voor vervoer. Regelden de overtocht. Wachtten hem op bij de loopplank, of hoe je die dingen ook noemt. Een vriendelijke oude man. Vol verhalen. Een echte charmeur. We zouden tijdens de tocht een reeks interviews doen en het plan was dat hij een krans zou leggen op de plek waar het gebeurde. Dat zou een prachtige slotscène hebben opgeleverd. Maar na wat het laatste interview had moeten zijn, werd hij heel emotioneel. Hij ging naar buiten om een luchtje te scheppen en kwam niet meer terug. Twee dagen later, terwijl we gek werden van bezorgdheid, hoorden we op de radio dat zijn lichaam in een reddingsboot was gevonden. Overleden door onderkoeling en letsel aan zijn ribben...'

Ze laat een stilte vallen.

'Emotioneel, zei u. Emotioneel genoeg om er een eind aan te maken?'

'Toen had ik gezegd van niet. Maar als hij zijn eigen reddingsboot heeft meegenomen, moet hij het vanaf het begin hebben gepland. Al herinner ik me niet dat hij zo'n ding heeft uitgeladen. Ik heb het nagevraagd bij het taxibedrijf dat hem naar de haven bracht, en zij herinneren zich niet dat hij er een bij zich had, maar mensen maken fouten en vergeten de raarste dingen. Bovendien heb ik me laten vertellen dat dit type reddingsboot, voordat je hem opblaast, niet veel groter is dan een gemiddelde koffer. Je doet gewoon de sluitingen open, trekt aan het koord, en hij blaast zichzelf op. De boot heeft een hard middenstuk, dus als hij daar een lelijke smak heeft gemaakt, kan dat zijn ribben hebben gebroken. Moeilijk te zeggen. De kapitein had ons eigenlijk liever niet aan boord gehad en de meeste gesprekken waren in het IJslands. Het was een helse toer om erachter te komen wat er was gebeurd.'

McAvoy knikt. Het klinkt onlogisch allemaal. 'Wat denkt u dat er is gebeurd?'

'Ik? Ik denk dat hij er waarschijnlijk een eind aan heeft gemaakt. Ik weet niet of het uit schuldgevoel was, of gewoon vanwege het feit dat hij oud werd en het mooi vond geweest. Hij had veertig jaar extra gekregen die hij, naar zijn gevoel, niet verdiende. Misschien vond hij dat hij ze niet goed had benut. Het is hoe dan ook triest. In ieder geval zal hij niet vergeten worden.'

'Hoe bedoelt u?'

'De documentaire. De interviews zijn heel bijzonder. Zo ontroerend. Als u geïnteresseerd bent, kan ik ze naar u toe sturen.'

McAvoy knikt. Beseft dan dat ze hem niet kan zien. 'Heel graag, dank u.'

Ze zwijgen allebei een moment. 'Als u meer te weten wilt komen, zou u eigenlijk met Russ moeten gaan praten,' zegt ze luchtig. 'Hij is de speurneus die Fred heeft gevonden. Russ kende het verhaal van haver tot gort. Een geweldige schrijver. Ik mis hem.'

'Hoe dat zo?'

'Hij wilde met ons mee op de tanker, maar we konden hem met geen mogelijkheid verzekerd krijgen.'

'Niet?'

'Nee, hij is een beetje…'

'Wat?'

Ze stoot een lachje uit, weet niet niet zeker hoe ze dit het beste kan zeggen. 'Losgeslagen,' besluit ze. 'Hij drinkt. Of nee, drinken is iets wat Oliver Reed vroeger deed. Of Amy Winehouse. Russ drinkt pas écht. Je hebt nog nooit zoiets gezien. En hij rookt met gemak meer dan zestig sigaretten per dag. Het heeft hem al een been gekost en als hij zo doorgaat, kost het hem waarschijnlijk ook zijn andere been.'

'Zo te horen weet hij van wanten.'

'Dat wel, ja. Maar het zijn de stemmen die Russ het meest kwaad doen. Hij zit momenteel in een privékliniek in Lincolnshire. Ergens tussen afkicken en dwangverpleging in. Een echte zonderling, maar het heeft hem nooit meegezeten in het leven. Dat heeft hem bitter gemaakt, en bitter smaakt beter met een

whisky erbij. Toch zou ik u aanraden met hem te praten. Hij kan
u meer over Fred vertellen dan wie ook. Zonder Russ zouden we
hem niet eens hebben gevonden. Het is jammer dat zijn cheque
opgaat aan de behandeling.'

McAvoy kijkt om zich heen in de kamer. De agenten zijn weer
bezig met het opschrijven en registreren van telefoongesprekken.
Hij kan hier niets doen. Iets schreeuwt in hem. Dat dit belangrijk is. Dat dit gesprek, deze informatie, ertoe doet. Al weet hij
niet hoe.

Hij praat zachter. Sluit zijn ogen. Krijgt nu al spijt van zijn besluit.

'Mag hij bezoek ontvangen?'

11

15.22 uur. Linwood Manor.

In het donkere hart van Lincolnshire.

Twee uur van huis.

Chique boel, denkt McAvoy als zijn banden elegant tot stilstand komen op het bekiezelde voorterrein en hij opkijkt naar het imposante gebouw van rode baksteen. Hij neemt de enorme dubbele eiken deur in zich op, die openstaat en uitzicht biedt op een keurig betegelde vloer.

'Een verbouwd victoriaans herenhuis op anderhalve hectare landschappelijk bosgebied' – McAvoy dacht dat hij op de verkeerde link had geklikt en bij een luxe plattelandshotel was beland toen hij zich voor het eerst een weg zocht door een doolhof van websites over geestelijke gezondheidszorg en het adres vond waar hij naar zocht.

De privékliniek wordt beheerd door een internationaal bedrijf gespecialiseerd in afkickbehandelingen, borderlinepersoonlijkheidsstoornissen en alcoholverslaving. Hun homepage vermeldde trots een slagingspercentage van negentig procent, en wat gezien kon worden als een martelende maand van ontwenningsverschijnselen kreeg het voorkomen van een vakantie in het paradijs.

Hoewel de middag pas halverwege is, begint de hemel al donker te worden. De dreigend grijze sneeuwlucht, die weldra zal opensplijten om Hull onder te sneeuwen, is hier reeds opengescheurd. Dikke witte vlokken vallen als confetti uit de hemel. Als McAvoy over het stenen trapje en door de deuren loopt, is hij blij dat hij een jas draagt die tot zijn knieën reikt. Hij voelt de wind aan zijn broekspijpen rukken en glijdt haast uit op de natte tegels.

Achter een mahoniehouten balie zit een glimlachende vrouw van middelbare leeftijd, in een witte blouse en met geloofwaardig zwart geverfd haar. Op het gepolijste, glanzende oppervlak prijkt een vaas met gerbera's en gipskruid. Links van haar staat een rek met glossy brochures en prijslijsten. Het is onmogelijk om even binnen te wippen voor een foldertje zonder haar te passeren. En onmogelijk om geen gedag te knikken bij het zien van haar stralende glimlach. Het is moeilijk weer naar buiten te wandelen zonder een gesprek met haar aan te gaan en binnen twintig minuten overtuigd te worden dat je jezelf, je geliefden en je geld nergens beter kunt onderbrengen dan in Linwood Manor.

'Hallo. Wat een weer, hè? Zo te zien heb je je erop gekleed. Denk je dat het blijft liggen? Dan krijgen we misschien toch een witte kerst. Dat is al in jaren niet gebeurd. Ik denk dat onze gasten het wel leuk zouden vinden. Vorig jaar was het hier dolle pret. Kan ik je ergens mee helpen, schat?'

McAvoy moet grote moeite doen om niet terug te schrikken voor haar orkaan van vrolijkheid. Hoewel ze slank is, roept ze bij hem het beeld op van een dikke, jolige, victoriaanse kokkin met mollige armen onder het meel en een rode blos op de wangen. Hij heeft medelijden met de arme dronkenlappen die wankelend op weg naar hun afkickprogramma met haar te maken krijgen. Nog twintig seconden in haar gezelschap, denkt McAvoy, en ik heb zelf een fles cognac nodig.

'Ik ben rechercheur Aector McAvoy. Politie Humberside, Recherche, Eenheid Zware Georganiseerde Criminaliteit. Ik vroeg mij af of...'

'Zware criminaliteit? Bestaat er dan zoiets als lichte criminaliteit? Ik bedoel, het is altijd zwaar voor iemand, ook al wordt alleen je fiets gejat. Dat is mijn neef overkomen en hij was compleet van slag...'

Ze ratelt door, tot hij bijna in staat is om over de balie te leunen en haar lippen op elkaar te drukken. De glimlach blijft op haar gezicht stralen, maar dringt nooit echt door in haar ogen. Het doet hem denken aan een leegstaand huis waar iemand is vergeten het licht uit te doen.

'Ik kom voor een van uw patiënten,' valt hij haar in de rede, wanneer ze stopt om adem te halen. 'Russell Chandler. Ik heb van tevoren proberen te bellen, maar het lukte niet verbinding te krijgen.'

'O, praat me er niet van, we hebben probleem na probleem gehad. Het ligt waarschijnlijk aan het weer. De e-mail en het internet vertoonden ook van die rare kuren.'

McAvoy vertrekt zijn gezicht, ongeduldig en geïrriteerd. Hij heeft het wel gehad voor vandaag. Hij heeft zichzelf ingedekt door commissaris Everett te bellen en te zeggen dat Barbara Stein-Collinson zijn hulp had gevraagd om wat losse eindjes betreffende de dood van haar broer aan elkaar te knopen, maar toch kreeg hij een kwaad telefoontje van Trish Pharaoh toen ze hoorde dat haar bureauchef door de politietop om een boodschap was gestuurd. 'Zeg nee, domkop,' riep ze door de telefoon. 'We zitten godsamme midden in een moordonderzoek. Dit is wat je gaat opbreken, McAvoy. Dat je voor te veel mensen te veel dingen probeert te doen en uiteindelijk iedereen pis-nijdig maakt.'

Ze hing pas op toen hij haar een groter probleem voorhield door te vertellen dat Colin Ray een verdachte naar het bureau zou brengen.

'Russell Chandler,' zegt hij stellig. 'Naar ik begrijp is hij hier een patiënt.'

De receptioniste schakelt haar glimlach uit. 'Ik ben bang dat dat vertrouwelijk is.'

McAvoy zwijgt. Kijkt haar alleen een ogenblik aan met een uitdrukking die een computerscherm zou kunnen laten smelten. 'Het is belangrijk,' zegt hij ten slotte, en hoewel hij niet zeker weet of het waar is wat hij beweert, merkt hij dat hij het zelf begint te geloven.

'Regels van het huis,' zegt ze, nu enigszins uit de hoogte. Ondanks de koude wind die door de open deur naar binnen waait, voelt McAvoy het zweet langs zijn nek sijpelen. Hij is er vrij zeker van dat als hij genoeg stennis schopt, hij Chandler te spreken kan krijgen, maar wat als ze een klacht indienen? Wat zou hij dan ter verdediging aandragen? Chandler is geen verdachte in het moordonderzoek. Zelfs geen getuige. Hij wil alleen wat achtergrondinformatie voor een heel andere zaak. En bovendien: is het wel ethisch verantwoord om iemand te ondervragen in zo'n soort instelling? Op het moment dat ze hulp zoeken in hun strijd tegen een of andere verslaving? Jezus nog aan toe, Aector, wat doe je hier eigenlijk?

Hij stapt weg bij de balie, plotseling onzeker van zichzelf.

'Pardon, hoorde ik daar mijn naam?'

McAvoy draait zich om. In de deuropening staan twee mannen. De ene is gekleed in een hardlooptenue; een sweatshirt met capuchon, dicht geritst tot onder zijn kin, een wollen muts tot over zijn oren, en een joggingbroek in voetbalsokken. Hij is aan het joggen op de plaats en zijn gezicht in het kleine venster tussen de muts en hoody is rood aangelopen. De andere man is korter en haast zo mager als een skelet. Hij draagt een wijde, ribfluwelen broek, gympen en een gewatteerd houthakkershemd over een T-shirt met V-hals. Zijn hoofd is geschoren, maar het licht uit de hal maakt duidelijk dat hij bovenop ook zonder de hulp van een scheermes kaal zou zijn geweest. Zijn donkere sik is bespikkeld met grijs. Hij draagt een bril die, zelfs vanaf een paar meter afstand, smerig oogt door stof en vuil.

'Maakte de portier u het leven zuur?' vraagt hij met een glimlach en een knikje naar de receptioniste. McAvoy hoort een Liverpools accent in zijn stem. 'Ze kent geen genade, onze Margaret. Nietwaar, lieffie?'

McAvoy kijkt achterom naar de receptioniste, maar die slaat haar ogen ten hemel, wendt zich tot haar scherm en probeert de woordenwisseling te negeren. McAvoy draait zich weer om en ziet dat Chandler de vloer is overgestoken en zijn hand uitsteekt.

'Russ Chandler,' stelt hij zichzelf voor. Als McAvoy hem de hand drukt, voelt het alsof hij een bos droge takjes in zijn palm houdt.

'Rechercheur Aector McAvoy.'

'Weet ik,' zegt Chandler met een vriendelijke glimlach. 'Ik heb nog een tijdje gewerkt in Hull en omstreken. Ik kende Tony Halthwaite vrij goed. Doug Roper ook. Alles ging in de doofpot, hè?'

McAvoy denkt: Is er dan niemand die het níét weet?

'Ik wil het daar liever niet over...'

'Maak je niet druk, vriend. Ik houd mijn lippen stijf op elkaar. Tenzij je toevallig een fles whisky bij je hebt, in dat geval kun je er donder op zeggen dat ze opengaan.' Hij kijkt langs McAvoy heen en grijnst naar de receptioniste. 'Ik maak maar een grapje, suikerbeest.'

In de deuropening heeft de man in het hardlooptenue het tempo van zijn stationaire sprint verhoogd. Zijn knieën komen steeds hoger. Het ziet eruit alsof hij weet wat hij doet.

Chandler ziet McAvoy staren en draait zich weer om naar zijn metgezel. 'Ga maar, knul. Gebruikelijke route. Armen hooghouden. We zien je wel bij de bank.'

Met nauwelijks meer dan een knikje verdwijnt de man uit de deuropening. McAvoy hoort snelle voetstappen op de kiezelstenen. Hij kijkt Chandler nieuwsgierig aan.

'Kamergenoot,' zegt hij, bij wijze van verklaring. 'We zitten hier met twee op één kamer, zodat er 's nachts iemand is om te voorkomen dat we onszelf van kant maken.'

'Bent u bokstrainer tegenwoordig? Hebt u vroeger zelf gebokst?'

'Een paar jaar terug heb ik een boek geschreven over een kerel uit Scunthorpe. Die had iets van tweehonderd profwedstrijden gebokst. Een soort *Diary of a Journeyman*. Was een goed boek, al zeg ik het zelf. Zo ben ik erin gerold. Houd je ook van boksen?'

'Ik heb een beetje gebokst op school. Wat meer op de universiteit. Het was lastig om tegenstanders te vinden die met mij in de ring wilden. Ik was altijd de grootste op de sportschool.'

'Dat zie ik, ja,' zegt Chandler met een gemoedelijke glimlach. 'Maar goed, wat kan ik voor je doen?'

'Kunnen we ergens praten, meneer Chandler? Het gaat over Fred Stein.'

Chandler steekt zijn onderlip pruilend vooruit en trekt verbaasd zijn wenkbrauwen op. 'Fred? Ik weet niet of...'

'Het duurt niet lang.'

Chandler knikt, schijnbaar onbewogen bij het vooruitzicht. 'Vind je het goed als we praten onder het lopen? Ik heb mijn jonge pupil beloofd dat ik zijn rondetijd opneem.'

McAvoy knikt dankbaar, blij dat dit gunstig uitpakt.

Als ze de hal verlaten en over het trapje de verduisterde lucht en opstuivende sneeuw in stappen, merkt McAvoy dat zijn wandelgenoot met zijn rechterbeen hinkt. Hij herinnert zich wat Caroline heeft verteld. Kijkt even omlaag. Chandler richt zich tijdens het lopen tot de grote man naast hem. 'Geamputeerd,' verklaart hij simpelweg. 'Dat krijg je ervan als je veel te veel paft en leeft op spek. Ik draag een kunstbeen onder deze broek. Ik kan het iedereen bij Weight Watchers aanraden. Je haalt gewoon je onderbeen eraf en je bent meteen drie kilo lichter.'

McAvoy weet niet of hij hem een troostend schouderklopje moet geven of een bemoedigende glimlach moet toewerpen, dus laat hij het voor wat het is. 'Fred Stein,' zegt hij, terwijl ze over een keurig aangeharkt grindpad naar een rij altijdgroene bomen beginnen te wandelen. 'Hebt u gehoord wat er is gebeurd?'

'Dat heb ik zeker,' antwoordt hij, met een zucht die overgaat in een hoest. Een rochelend geluid. Ongezond. 'Arme drommel.'

'Caroline Wills vertelde me dat u hem zover heeft gekregen dat hij wilde praten. Dat u hem hebt opgespoord. De afspraak hebt geregeld.'

'Zoiets.'

'Is u tijdens die ontmoeting niets opgevallen? Iets wat erop wees dat hij erover dacht zichzelf van het leven te beroven?'

Chandler stopt. Ze bevinden zich misschien op zo'n vijfhonderd meter van het gebouw. Hij strekt zijn nek om te zien of er niemand op de uitkijk staat in de voordeur, reikt dan omlaag en trekt zijn broekspijp omhoog. Hij pakt zijn ledemaat bij de knie en knakt, met een snelle ruk, zijn prothese van onder het gewricht. Afwezig stopt hij zijn hand in het kunstbeen en haalt er een sigaret en aansteker uit. Hij steekt de sigaret op en zuigt de rook diep in zijn longen. Het lijkt een bijna religieuze ervaring. Zonder een woord te zeggen buigt hij zich voorover om het been weer te bevestigen. Hij kijkt op met een brede grijns die kwajongensachtig bedoeld is, maar door het splijten van een zo ziekelijk gezicht een vreemd griezelige aanblik krijgt.

'Moet dat zo stiekem?' vraagt McAvoy, die in weerwil van zichzelf glimlacht.

'Als je incheckt moet je een overeenkomst tekenen,' zegt hij minachtend. 'Geen sigaretten. Geen chocolade. Nog geen rottig suikerklontje. Hoort schijnbaar allemaal bij het programma. Ze kunnen je niet ontgiften als je jezelf blijft vergiftigen.'

'En het lijkt u niet beter om naar ze te luisteren?'

'O, ze hebben zonder twijfel gelijk, rechercheur. Maar dat is het juist met verslavingen. Je kunt er moeilijk mee ophouden.'

'Maar gezien het geld dat u betaalt om hier behandeld te worden, is het toch zeker de moeite van het proberen waard?'

'Ik doe mijn best.' Hij wendt zijn hoofd af en blaast een long vol rook uit. 'Ik heb drie keer eerder in dit soort klinieken gezeten. Ik kom er vol goede moed uit en binnen een dag zit ik weer in een of andere kroeg aan de whisky. Nog voor ik het hek uit ben, weet ik al dat ik het niet ga volhouden. Het kost me grote moeite om definitief te stoppen. Het idee dat ik nooit meer een rokertje mag opsteken. Nooit meer iets mag drinken. Waar is het goed voor?'

'Uw gezondheid, neem ik aan…'

'Voor wie moet ik gezond blijven? Ik ben maar alleen, vriend. Geen kinderen. Geen moeder de vrouw. Geen bewonderende fans die er alles aan doen om met mij in bed te belanden. Ik moet verdomme betalen om mijn eigen werk te publiceren.' De laatste woorden druipen plots van het venijn en McAvoy ziet hoe Chandler zijn kaak rond de sigaret klemt.

In gedachten neemt McAvoy vluchtig de details door die hij over deze man van het internet heeft gehaald. Hij heeft zijn naam aangetroffen boven enkele artikelen op special-interestsites en die van landelijke nieuwsbladen, maar een uitgeverij in Surrey leverde de meeste hits op. Russ Chandler heeft een aantal boeken in eigen beheer uitgebracht. Sommige over de glorietijd van de visserij, andere over lokale geschiedenis, en een paar pillen over onopgeloste misdrijven in diverse Noord-Engelse steden. Er stond een korte auteursbiografie bij, die onthulde dat Russell Chandler in 1966 te Chester is geboren en enige tijd in het leger heeft gezeten voordat hij fulltimeschrijver werd. Hij heeft gewerkt als verzekeringsagent en kantoormanager voor een transportbedrijf. Hij heeft in Oxford, East Yorkshire en Londen gewoond, en heeft zich nu in East Anglia gevestigd. Zijn laatste boek is vier jaar eerder gepubliceerd: een biografie over drie piloten van het RAF Bomber Command die in de Tweede Wereldoorlog hebben deelgenomen aan het bombardement op Dresden. McAvoy heeft het leesfragment gelezen. Hij was onder de indruk.

'Ik zal het niet doorvertellen.' McAvoy ziet de schrijver een tevreden trekje van zijn sigaret nemen.

'Dank u,' antwoordt hij met een theatraal buiginkje en hij biedt hem het pakje sigaretten aan. 'Rook je?'

'Nee,' zegt McAvoy en hij schudt zijn hoofd. Dan op terloopse toon: 'Mijn vrouw wel.'

Chandler kijkt hem aan met een flauwe grijns om de lippen. 'Wil je er eentje mee naar huis nemen?'

McAvoy vraagt zich af of hij in de maling wordt genomen. Voelt een steek van irritatie in zijn borst.

'Nee, bedankt. Ze is zeven maanden zwanger. Ik heb haar nu zover dat ze er maar drie per dag rookt, bij wijze van compromis. Eén glas wijn…' Hij zwijgt. Kijkt naar de grond.

'Drinkt ze graag?'

Als McAvoy weer opkijkt, ziet hij dat Chandler hem strak aanstaart. Hij probeert het moment weg te wuiven, maar de schrijver is al geboeid geraakt.

'De manier waarop je dat zei…'

McAvoy haalt zijn schouders op. Veronderstelt dat het geen kwaad kan. 'We hebben eerder kindjes verloren,' zegt hij. 'Dit wordt onze vierde poging om een tweede kind te krijgen.'

Chandler legt een hand op de brede schouder van McAvoy. 'Ik zou voor jullie bidden als ik die larie kon geloven. Maar dat doe ik niet. Dus wens ik jullie gewoon het allerbeste.'

McAvoy merkt dat hij half glimlacht. Hij knikt als blijk van waardering, voelt dan zijn lippen trillen en zijn ogen beslaan als glas wanneer hij beseft dat hij het heeft doen voorkomen alsof Roisin schuld draagt aan het nooit geboren worden van de kinderen. 'Het kwam niet door het roken,' begint hij verdedigend. 'En het zijn maar kleine glaasjes wijn. Ze weet wanneer ze moet stoppen…'

'Dan weet ze meer dan ik,' zegt Chandler stil, en McAvoy vraagt zich af of hij dit gesprek zojuist moeilijker voor zichzelf heeft gemaakt dan nodig is.

'Mijn vader zei altijd dat alles draait om wilskracht,' gaat McAvoy haastig verder. 'Je besluit of je een roker of een niet-roker bent, en daar houd je je gewoon aan. Ik ben een niet-roker. Mijn vrouw is een roker. Zo gaan die dingen.'

'Slimme kerel, zo te horen.'

'Ja, dat was… is hij ook.'

'Een politieagent?'

'Nee.' McAvoy kijkt weg. 'Hij heeft een boerderijtje. Bij Loch Ewe. In de Westelijke Hooglanden, dat zegt u waarschijnlijk meer. Zijn familie bebouwt dezelfde lap grond al meer dan honderd jaar.'

'Is dat zo?' Chandler klinkt geïnteresseerd. 'Ik heb over dat soort kleine boeren gelezen. Een hard bestaan, naar ik heb vernomen.'

'Ja, dat is het zeker,' zegt McAvoy, nu verscheurd tussen het verlangen om meer over zijn jeugd te vertellen – voorzichtig aan de korst van die tere wond te pulken – en weer terug te keren op het onderwerp van Fred Stein. 'Ook een uitstervend bestaan.'

'Dat hoor ik vaker. Als ik *The Times* mag geloven worden al die boerderijtjes tegenwoordig verbouwd tot pensions voor toeristen. Was dat niets voor je vader?'

'Hij bijt nog liever zijn eigen armen af,' zegt McAvoy, meer tegen zichzelf dan zijn gespreksgenoot. 'Hij en mijn broer bewerken het land.'

'Maar jij niet dus?' Chandlers stem klinkt subtiel. Zacht. Uitnodigend.

'Ik heb het tien jaar geprobeerd. Toen ging ik bij mijn moeder wonen. Het stadsleven. Voor zover je in Inverness van een stadsleven kunt spreken. Dat duurde een jaar. Toen naar de kostschool, betaald door mijn stiefvader. Nogal een cultuurschok. Universiteit in Edinburgh. Drie jaar afgemaakt van een vijfjarige studie. Toen dit. Politieman. Yorkshire. Hull. Echtgenoot en vader. Ik zou mijn vader daar nu alleen maar tot last zijn. Ik denk dat ik hem eigenlijk altijd tot last ben geweest.'

'Spijtig.' Chandler lijkt het te menen.

McAvoy knikt. Hij zou willen dat hij op zijn oude leven, zijn oude familie, kon terugblikken met iets anders dan droefheid.

Ze blijven een moment zwijgend staan, tot ze zich herinneren wat hen bij elkaar heeft gebracht.

'Hoe zat het nou met Fred Stein?'

'Fred, ja. Dat was toen groot nieuws. Nog voor mijn tijd, natuurlijk. Ik was nog maar een kind toen het gebeurde. Maar ik heb een poosje in Hull gewerkt en dan ontkom je niet aan alle verhalen over de Zwarte Winter. Hoe dan ook, ik hoorde het verhaal over Fred Stein jaren geleden. De *Yorkshire Post* had vroeger een kantoor aan Ferensway en daar hingen voorpagina's ingelijst aan de muur. Op een dag zat ik een blikje bier te drinken met een ouwe rot van *The Sun*, die een kantoor met ze deelde, en ik begon zo'n voorpagina uit de jaren zestig te lezen. Een heel artikel over die ene kerel die het had overleefd. Hij wist met twee scheepsmaten bij de reddingsboten te komen en dreef vervolgens naar een of ander godverlaten oord op IJsland. Zwierf te voet over het land totdat een lokale boer hem vond. De media raakten buiten zinnen toen bleek dat hij nog leefde. Iedereen dacht dat hij allang dood was, begrijp je? Ik sloeg de informatie gewoon op in mijn achterhoofd. Het begint daar aardig vol te raken, wat dat betreft.'

'Kende u hem persoonlijk in die tijd?'

'Nee. Hij was voor mij niet meer dan een verhaal. Ik had het idee om ooit te proberen hem erover te laten vertellen. Er zat misschien een boek in. Dat is wat ik doe, begrijp je? Ik publiceer minstens één boek per jaar. Je kunt ze in de boekwinkels kopen, op de afdeling met regionale titels, of bestellen via de website van de uitgeverij. Al met al verkopen ze best goed. Fred leek een ideaal onderwerp, maar ik kwam er nooit aan toe.'

'Tot?'

'Nou ja, tot die Caroline belde, van Wagtail. Ik had haar ontmoet tijdens dat onderzoek naar de *Dunbar*. Leuke meid, zij het een tikje te ingenomen met zichzelf. Ze wist geen mallemoer van de visindustrie en wilde betalen voor achtergrondinformatie. Dan moet je bij mij zijn. Ik gaf haar tekst en uitleg over de geschiedenis van de lokale vissersvloot; de mensen, de namen. Theorieën, contacten. De hele reutemeteut. En toen schoot Fred Stein me te binnen. Ik vertelde het haar, dacht er niet meer over na, en vorig jaar nam ze weer contact op. Ze zei dat er misschien een documentaire in zat.'

Ze hebben inmiddels de rij met bomen bereikt en het wordt opeens lastiger om iets te zien in de duisternis. Chandler wijst naar een smeedijzeren bankje en ze nemen allebei plaats. McAvoy zit ineengedoken in zijn jas, maar op de paar centimeters blote huid voelt de wind nog bitterkoud aan. Hij vraagt zich af hoe Chandler, vel over been in een hemd en vest, het kan uithouden. Hij oogt zo fragiel en heeft iets verderfelijks over zich, alsof hij ook zonder sigaretten een grijze rookpluim zou uitademen.

'Hoe pak je dan zoiets aan? Iemand als Stein opsporen?'

'Zo moeilijk is dat niet,' zegt hij geringschattend. 'Je begint met het laatst bekende adres en gaat gewoon rondbellen en brieven schrijven. De vissersgemeenschap is klein en vergeet niet snel. Binnen een week vond ik hem in Southampton. De eerste drie keer dat ik belde hing hij op, dus schreef ik een vriendelijke brief met al mijn gegevens en hij nam contact op. Ik liet mijn vlotte babbel op hem los. Dat dit een kans was om dat hoofdstuk in zijn leven af te sluiten. Om zijn scheepsmaten de laatste eer te bewijzen. Afscheid te nemen. Zijn kant van het verhaal te vertellen. Eerlijk gezegd denk ik niet dat hij erg geïnteresseerd was, maar toen ik vertelde wat ze hem wilden betalen tapte hij uit een ander vaatje. Ik zeg niet dat hij een geldwolf was. Er is niets mis met hebzucht. Hij wilde alleen een appeltje voor de dorst, meer niet.'

'Hebt u hem persoonlijk ontmoet?'

'Eén keer. Caroline zat in de VS en de afspraak moest zwart op wit. Ze betaalden me om hem op te zoeken en we dronken een paar biertjes in zijn stamkroeg. Bleek een aardige ouwe vent te zijn. Een boek zou beter zijn geweest dan een tv-programma, maar mijn zakken waren niet diep genoeg. Zo gaat het nu in de wereld. Probeer maar eens een boekendeal te sluiten en je zult merken dat niemand op je zit te wachten. Tegenwoordig zijn ze alleen geïnteresseerd in biografieën van beroemdheden en tragische tranentrekkers.'

Het venijn keert terug in Chandlers stem. Het is McAvoy opgevallen dat hij met zijn linkerhand onder het bankje is beginnen te wroeten. De schrijver haalt opeens een fles single malt whisky tevoorschijn.

'Hebbes,' zegt hij, terwijl hij de fles opent en een grote slok neemt.

McAvoy kijkt in de toenemende duisternis verbaasd en enigszins onder de indruk naar Chandler. Ziet het silhouet van de tengere man vervormen als de fles de lucht in gaat en daar blijft hangen aan het uiteinde van een lange, knokige arm.

'Op de website stond dat een verblijf hier vijfduizend pond per week kost,' zegt McAvoy hoofdschuddend. 'Dat geld is zo te zien goed besteed.'

'Ik weet niet of ik meer plezier beleef aan het drinken of aan het stout zijn,' zegt Chandler glimlachend.

'Ik neem aan dat u die fles niet per toeval hebt ontdekt?'

'Mijn jonge kamergenoot,' zegt hij lachend. 'Hij doet alles voor me.'

'Dat geloof ik graag.'

Ze blijven nog twintig minuten zitten. De middagschemer gaat over in nachtelijk zwart. De sneeuw ligt weifelend op het natte grind en besluit daarna op te lossen in het niets. Ze praten over Hull. McAvoy rilt en steekt zijn handen diep in zijn zakken.

Uiteindelijk komt het gesprek terug op Stein.

'U hebt niet eens gevraagd waarom dit een zaak is voor de politie van Hull,' zegt McAvoy. Hij ziet Chandler het laatste restje whisky opdrinken en beseft dat hem geen druppel is aangeboden.

'Zijn zus is getrouwd met iemand van het politiebestuur,' reageert Chandler met een wuifgebaar. 'Ik veronderstel dat je iemand een vriendendienst bewijst.'

McAvoy kijkt naar zijn eigen voeten. Hij zou wel net zo scherpzinnig en goedgeïnformeerd willen zijn als deze alcoholistische broodschrijver.

'En wat kan ik haar vertellen?' vraagt hij.

'Zeg maar dat Fred een toffe peer was. Een aardige vent vol verhalen. Dat hij het met een biertje in zijn hand niet vervelend vond om te vertellen wat hem was overkomen, en dat hij zeven kleuren stront scheet om op dat monster van een vrachtschip mee te varen met een televisieploeg die hem als een circusaap wilde laten dansen.'

De irritatie is weer terug. De verbittering. Je zou het bijna woede kunnen noemen.

'U bent zo te horen niet erg gesteld op tv-journalisten.'

'Dat heb je dan goed begrepen,' spuwt Chandler. Hij steekt zijn laatste sigaret op. 'Aasgieren met een dikke portemonnee, dat zijn het.'

'Maar u hebt wel voor ze gewerkt,' voert McAvoy aan, zo diplomatiek als hij durft.

'Wat moet ik anders? Ik ben geboren met maar één talent, knul. Ik kan schrijven. Twee, als je mensen aan het praten krijgen meerekent. Ik zou op elke boekenplank in het land moeten staan. Maar dat is niet zo. Ik heb een zit-slaapkamerhok in East Anglia, en zelfs als ik mijn rijbewijs nog had, zou ik me geen auto kunnen veroorloven. Met het beetje royaltygeld dat ik voor het ene boek krijg, betaal ik de publicatie van het volgende.'

'Meneer Chandler, ik –'

'Nee, knul, je hebt de spijker op de kop geslagen. Als schrijver ben ik mislukt. Ik heb meer afwijzingen van uitgevers gekregen dan me lief is. Maar zet Caroline Wills voor de camera, stop een ouwe kerel een vette cheque toe, en opeens heb je toptelevisie. Daar heb ik dan voor geploeterd. Het was mijn idee!'

McAvoy gebaart met zijn handen om Chandler tot bedaren te brengen. 'Uw idee? Ik dacht dat mevrouw Wills contact met u had opgenomen...'

Chandler doet de opmerking af met een kwaad gebrom. 'Ik

heb wel een miljoen ideeën. Een heel notitieboekje vol. Als ik maar genoeg synopsissen bedenk, zal er misschien ooit een in de smaak vallen bij een uitgeverij. Fred stond in mijn notities. Ik had namelijk een idee. Een boek over mensen die een ramp hadden overleefd. Degenen die aan de dood waren ontsnapt. De enkeling die was ontkomen terwijl niemand anders in leven bleef. Ik was nog niet eens begonnen Fred, of een van de anderen, op te sporen, of de afwijzingsbrieven ploften al op de deurmat. En zo gaat het nou altijd, knul. Daarom ben ik hier. Daarom ben ik godver hier!'

Chandler staat op. In het duister ziet McAvoy de gloeiende punt van zijn sigaret op en neer bewegen, als een grasspriet die tussen de lippen van een kauwende koe rolt.

'Meneer Chandler, als u nu even kalmeert…'

Chandler dooft zijn sigaret op de palm van zijn hand. Hij steekt de peuk in zijn zak. 'Zijn we klaar?'

McAvoy – het gezicht rood, verbijsterd, kwaad en vertwijfeld – weet niet wat hij moet zeggen. Hij knikt alleen. Maakt duidelijk dat Chandler mag gaan door zijn hoofd af te wenden en neemt dan weer plaats op het bankje. Luistert naar de weghinkende voetstappen. Zijn hersenen bonken. Zijn geest is een nevel van goede bedoelingen, schuldgevoel en een intuïtie die hij niet volledig vertrouwt.

Waarom ben ik hierheen gereden, vraagt hij zich af. Ben ik ook maar iets wijzer geworden?

Als hij terug naar zijn auto wandelt, voelt hij zich honderd jaar oud. Kon hij zijn geest maar uploaden in de database om de irrelevante stukjes te wissen. Om verbanden te zoeken. Om te zien wat zijn onderbewustzijn hem ingeeft.

Met het dichtslaan van het portier sluit hij de dreigend wervelende sneeuw buiten. Hij sluit zijn ogen.

Zet zijn mobiele telefoon aan.

Luistert naar zijn berichten.

De uitbrander van Pharaoh.

De instructie om zo snel mogelijk Helen Tremberg te bellen.

12

McAvoy morrelt aan de autoradio.

18.58 uur. Nog twee minuten voordat het volgende nieuwsbulletin begint.

Hij rijdt op de buitenbaan van de A15, heuvelafwaarts naar de harpsnaren en metalen wirwar van de Humber Bridge, die Yorkshire en Lincolnshire aan elkaar hecht. De eerste paar keer dat hij over de twee kilometer aan hard asfalt en puur staal reed, vond hij het een indrukwekkend gezicht, maar het nieuwe is ervan af en het staat hem tegen dat hij drie pond moet betalen voor het privilege om niet via Goole te hoeven rijden.

McAvoy voelt de auto schudden als de weg overgaat in de brug. Voelt het beuken van de felle wind die over de riviermond stormt, alsof hij haast heeft om aan land te komen.

Mindert snelheid, zodat hij het journaal helemaal kan horen voordat hij het hokje bereikt en zijn tol moet betalen.

Goedenavond. De brandweer- en noodhulpdienst van Humberside is uitgerukt voor een brand in de pas geopende brandwondenafdeling van het Hull Royal Infirmary. De brand werd even na zes uur gemeld en zou beperkt zijn gebleven tot één kamer waar een manne-

lijke patiënt verbleef. Volgens de laatste berichten verkeert hij in kritieke toestand. Ander nieuws: de rechercheur die het moordonderzoek leidt naar de dood van een tienermeisje in de Holy Trinity Church in Hull heeft ontkend dat een inwoner van de stad is gearresteerd als verdachte. Waarnemend hoofdinspecteur Patricia Pharaoh liet reporters weten dat er geen arrestaties zijn verricht, en dat de man in kwestie de politie alleen hielp bij hun onderzoek. Ze herhaalde de eerdere oproep of getuigen van de afschuwelijke steekpartij zich willen melden...

'Fuck,' zegt McAvoy en zonder dat het hem kan schelen wie het ziet, pakt hij zijn mobieltje. Zet de auto op de binnenbaan van de brug aan de kant en schakelt zijn waarschuwingsknipperlichten in. Hoort het getoeter achter zich van bestuurders die hem laten weten dat hij een oetlul is.

Na drie keer overgaan neemt Helen Tremberg op.

'Als je het over de duivel hebt,' zegt ze. Er is weinig humor te bespeuren in haar stem.

'Is het zo erg?' vraagt hij met een huivering.

'Reken maar. Ben en ik hebben een weddenschapje afgesloten over wie je als eerste gaat vermoorden. Pharaoh, Colin Ray of commissaris Everett.'

'Everett? Waarom?'

'Wilde hij niet zeggen. Hij kwam eind van de middag op hoge poten het crisiscentrum binnen en wilde weten waar je was. Echt blij zag hij er niet uit. Nog minder toen een van de hulpkrachten hem vroeg wie hij was.'

'Jezus!'

'Zeg dat wel. Waar heb je gezeten?'

'Lang verhaal. Maakt niet uit. Ik hoorde net het nieuws op Radio Humberside.'

'Ja, Colin Ray heeft het totaal verneukt. Sorry, brigadier, ik bedoel...'

'Geeft niet.' En hij meent het.

'Die kerel die hij en Shaz opbrachten. Was gewoon een gokje. Rays onderbuikgevoel. Ik weet niet wat er met hem in de verhoorkamer is gebeurd, maar toen hij naar buiten kwam had hij een bloedende neus en braaksel op zijn hemd. Al heb ik dat via via gehoord van de balieagent. Pharaoh kwam blijkbaar opdagen en toen waren de rapen gaar. Die kerel zit nog in het cellenblok, maar ze lijken niet te weten wat ze met hem aan moeten.'

McAvoys hart gaat tekeer. Hij ziet de krantenkoppen al voor zich. Vraagt zich af in hoeverre deze enorme blunder hem kan worden aangerekend omdat hij er midden op de dag vandoor is gegaan om een ingeving na te jagen.

'En de brand? In het Hull Royal?'

'Daar zijn we nu,' zegt Tremberg. 'Het was bijna even snel gedoofd als het begon, maar zodra de brandweer de kamer had gelucht en de rook optrok, kregen wij de melding.'

'Waarom wij? Ik bedoel, waarom jij?'

'Brandstichting, geen twijfel mogelijk. De politietop vindt het onzin om het hele team van de Eenheid Zware Georganiseerde Criminaliteit op één zaak te zetten. Ben en ik wilden net aftaaien toen de commissaris belde. Hij vroeg ons er persoonlijk heen te gaan.'

McAvoy trekt een peinzend gezicht. Voelt de auto schudden als een vrachtwagen, ondanks het weeralarm, langs hem heen dendert.

'Voor een brandje? Het is dan wel op de nieuwe afdeling, maar een agent in uniform kan dat afhandelen met een aantal getuigenverklaringen en de bewakingsbeelden...'

'Brigadier?' Helen Tremberg klinkt confuus.

'Zijn wij nodig dan? Voor een brandje?'

Het begint haar te dagen. 'Zeiden ze dat niet op de radio? Er is een dode gevallen. Het is moord. De man van de huisbrand in

Orchard Park van gisteravond. Iemand is zijn kamer binnengedrongen en heeft het karwei afgemaakt.'

'Ik weet niet waar ik moet beginnen,' zegt Pharaoh, met een stem die klinkt als stoom die ontsnapt uit een hogedrukleiding. 'Ik moet je nog beter in de gaten houden dan mijn kinderen.'

'Het spijt me, mevrouw.'

'Wil je alsjeblieft ophouden met dat gemevrouw, McAvoy? Ik voel me verdomme net Jane Tennison.'

McAvoy knikt. Ze staart hem aan tot hij wegkijkt.

Ze staan in de gang voor het crisiscentrum in Queen's Gardens. Het centrale verwarmingssysteem heeft besloten om foutjes uit het verleden goed te maken door anders te werk te gaan. De afzonderlijke kamers zijn nu zo koud als het graf, terwijl de gangen warmer zijn dan de hel.

'Weet je wat voor dag ik heb gehad?'

McAvoy knikt opnieuw.

Het is 21.41 uur. Twaalf uur geleden stonden ze op precies dezelfde plek en vertelde ze hem dat hij haar bureauchef was. Droeg hem op een oogje in het zeil te houden, terwijl zij op pad ging om een moordenaar te pakken.

En nu staan ze hier weer. Met allebei een dag achter de rug die ze liever zouden vergeten; hun hoofd overlopend van informatie die hen niet veel verder brengt.

Als een spijbelende schooljongen richt McAvoy zijn blik op iets anders dan haar kwade ogen. Hij toont een overdreven interesse in de deur van het crisiscentrum. Eerder die dag had iemand heel groot 'PALEIS VAN PHARAOH' op de deur geplakt, maar het papier is gescheurd door de rand van een staalgrijze dossierkast en ligt nu keurig in twee helften naast de plint. Hij vraagt zich ongewild af of het een voorteken is.

'Als ik je vraag het in een paar woorden uit te leggen, doe je dat ook, hè? Beloof je dat je me geen koppijn gaat bezorgen door een heel verhaal van een uur op te hangen?' Ze klinkt opeens meer vermoeid dan verbolgen.

'Ja, mevrouw. Sorry. Ja.'

Dus vertelt hij het haar. Waarom hij het crisiscentrum heeft verlaten. Waar hij is geweest. Wat hij heeft ontdekt. Vertelt haar over Fred Stein en zijn belangrijke zus. Houdt het kort en kijkt haar pas weer fatsoenlijk aan als hij klaar is. Het duurt ongeveer drie minuten en klinkt zo stom en zinloos dat hij voor het einde bijna de moed opgeeft.

'Is dat alles?' wil ze weten. De vraag klinkt echter oprecht en niet als een aanval.

'Ja.'

Ze tuit haar lippen en ademt uit. 'Interessant,' mompelt ze. Ze trekt haar wenkbrauwen op. Haar gezicht heeft weer een meer natuurlijke kleur gekregen.

'Vindt u?'

'Kom met mij mee.'

Ze draait zich om en leidt hem naar het eind van de gang. Duwt een kantoordeur open, schijnbaar op goed geluk, en houdt die voor hem open terwijl hij naar binnen stapt.

Achter een bureau, verlicht door een groene leeslamp, zit een man van rond de zestig met zijn voeten omhoog. In zijn ene hand houdt hij een kristallen tumbler vol whisky en in zijn andere een verfomfaaid notitieboekje.

'Hallo,' weet McAvoy uit te brengen, net zo verbijsterd en ongelukkig als hij zich voelt.

'Tom is zo vriendelijk om zijn armzalige kantoortje met mij te delen tot we teruggaan naar Priory,' zegt Pharoah, die de deur achter hem sluit. Als ze voor hem langs naar de enige hoek stapt die niet door apparatuur in beslag wordt genomen, voelt hij haar lichaam langs het zijne strijken.

McAvoy blijft onzeker in het midden van het piepkleine kamertje staan. Het is niet veel groter dan een bezemkast. Aan de andere kant staat een bureau in de lengte, met daarop een beeldscherm, toetsenbord, computer en een assortiment aan uitgetikt en handgeschreven papierwerk. Alles baadt in het mysterieus groene licht, waardoor Tom Spink, met zijn witte kraagloze overhemd en spierwitte haar, bijna iets engelachtigs krijgt.

'Zo, knul,' zegt Tom, die opkijkt en duidelijk blij is hen te zien. 'Welkom in mijn nederige stulp.'

'Vertel Tom wat je mij net hebt verteld,' zegt Pharaoh met een knikje. 'Over wat je voor Everett moest doen.'

McAvoy vertelt de man in het opahemd, het gebreide vestje en de ribfluwelen broek alles wat hij de afgelopen paar dagen heeft gedaan. Ziet stille wenken in zijn ogen fonkelen en probeert de blikken te interpreteren die de oudere man naar Pharaoh werpt.

'Wat denk je?' vraagt Pharaoh als McAvoy is uitgepraat.

'Het is interessant,' zegt Spink, terwijl hij knikt en zijn onderlip terugtrekt. Hij richt zich tot Pharaoh en kijkt niet naar McAvoy. 'Intrigerend, in ieder geval. Het is immers ons werk om zoiets na te pluizen. Ik begrijp waarom het deze knul interesseert.'

'Meneer, ik –'

'Tom is goed, jongen,' zegt Spink tegen hem. 'Ik ben met pensioen.'

'Tom was vroeger mijn baas,' zegt Pharaoh, die plotseling beseft dat dit allemaal heel vreemd moet overkomen op haar brigadier. 'In de goede oude tijd. Tegenwoordig is hij van alles en nog wat. Hij heeft een bed and breakfast aan de kust. Doet wat klusjes voor een privédetective, wanneer hij denkt het gevaar te lopen in de hemel te belanden. En omdat hij zo goed overweg kan met woorden en de geheime handdrukken kent, mag hij voor de hotemetoten een geschiedenis van de politie in Humberside schrijven. Wat betekent dat ik hem nauwlettend in het oog kan houden en hij mij alles kan vertellen over de tijd dat een wapenstok er nog op gebouwd was om hem gemakkelijk in te kunnen brengen.'

'Mooie tijden,' zegt hij glimlachend. 'Nefertiti hier was altijd spijkerhard. Ze liet zich niets aanleunen van een geile ouwe bok als ik.'

'Nefertiti?' herhaalt McAvoy onwillekeurig.

'Egyptische koningin,' verzucht Spink. 'Een farao? Begrijp je? Niet te geloven, en ze vertelt mij dat jij een van de snuggersten bent.'

'Ik weet –'

'Dat dacht ik tenminste tot je ertussenuit kneep,' valt Pharaoh hem bits in de rede. 'Ik heb vandaag flink op je gescholden. Ik dacht dat ik je verkeerd had ingeschat. Dat je de politieke opportunist was voor wie sommige jongens en meisjes je houden. Dat je een wit voetje wilde halen bij de commissaris en ons het echte werk liet opknappen. Maar mijn eerste ingeving lijkt toch juist te zijn geweest. De commissaris is nog pissiger op je dan ik.'

'Waarom?'

'Een hoge pief van het politiebestuur heeft hem gebeld. Zijn vrouw is blijkbaar in alle staten. Een of andere grote Schotse lummel heeft haar wijsgemaakt dat haar broer misschien is vermoord.'

McAvoy staat het huilen nader dan het lachen. 'Ik heb nooit –'

'Zo gaat het in het leven, zonnestraaltje. Wen er maar aan. Het is goed te weten dat mijn intuïtie me niet in de steek heeft gelaten. Ik herken nog altijd een geboren politieman.'

'Een geboren politieman?'

'Iemand die op zijn intuïtie afgaat. Luistert naar dat stemmetje in zichzelf en volstrekt maling heeft aan de consequenties.'

Ondanks de kilte in het kantoortje wordt McAvoys gezicht vuurrood. Hij beseft dat hij wordt opgehemeld en vraagt zich af waar de boetedoening blijft.

'Dank u.'

Spink en Pharaoh lachen allebei. 'Het is geen zegen, vriend. Het is eerder een vloek. Het betekent dat je mensen de komende dertig jaar pisnijdig gaat maken en een grotere kans loopt om heel wat onschuldige mensen op te sluiten. Maar je zult ook de nodige rotte appels te pakken krijgen.'

McAvoy voelt zijn benen slap worden. Hij heeft sinds het ontbijt niet gegeten en voelt zich opeens leeg en kwetsbaar. Misschien is het af te lezen op zijn gezicht, want Pharaoh kijkt hem nu met meer genegenheid aan.

'Die zaak-Stein,' zegt ze. 'Jij denkt dat het belangrijk is?'

'Het voelt niet goed,' antwoordt hij. 'Ik kan het niet echt uitleggen. Ik weet dat ik vandaag op een dood spoor zat met Chandler, maar ik kan me gewoon niet voorstellen dat die oude man het allemaal heeft gepland. Ik bedoel, jezelf van het leven beroven is één ding, maar om het zo nauwkeurig tot in elk detail voor te bereiden?'

Spink en Pharaoh wisselen weer een blik. Spink geeft een licht knikje, alsof hem een vraag is gesteld.

'Ga er dan maar mee door,' besluit Pharaoh, die tussen haar benen reikt om een halfvolle fles whisky uit een lade te halen. Ze vult een glas en neemt een slok. 'Ik zal je vertrouwen. Zoals je zegt, misschien is het niets, en de zaak-Daphne gaat voor. Als je iets wilt nalopen waarvan je denkt dat het niet klopt, zal ik je niet tegenhouden, maar ga me niet voor lul zetten. Dat doet Colin Ray al meer dan genoeg.'

McAvoy haalt opgelucht adem. Hij kan zich niet herinneren toestemming te hebben gevraagd de zaak-Stein nader te onderzoeken, maar hij is blij dat ze hem die mogelijkheid geeft.

'Hoe is die hele situatie verlopen, mevrouw?'

Pharaoh lacht, maar vrolijk klinkt ze niet. 'Neville de Racist,' schampert ze. Ze heeft een slok nodig voordat ze haar gelaat in iets anders weet te plooien dan een kwade grimas. 'Colin denkt dat hij een geboren politieman is. Dat hij afgaat op zijn onderbuik. Maar dat doet ie niet. Hij laat zich leiden door een hoop vooroordelen en arrogantie, hij is zo overtuigd van zichzelf. Volgens Colin en zijn aanhangsel besloot die ouwe dwaas de eerste de beste zwarte die hem niet aanstond af te maken met een machete om het op een stammenvete te laten lijken. Ook al klinkt het als flauwekul, het stomme is dat Ray een paar goede argumenten heeft. Neville kan niet aantonen waar hij was ten tijde van de moord. Hij heeft een geweldsverleden en heeft een tijdje in het leger gezeten, dus fysiek kan hij zijn mannetje staan. En we hebben zijn opvliegend karakter aan den lijve ondervonden. Hij en Colin kregen mot met elkaar in de verhoorkamer. Het liep bijna weer uit op een moordpartij. We houden hem achter slot en grendel tot ik beslis wat er met hem moet gebeuren. Hij is aangeklaagd voor het mishandelen van een ambtenaar in functie. Officieel is hij geen moordverdachte, maar toen ik de leiding moest gaan uitleggen hoe we ervoor staan, kreeg ik sterk de indruk dat ze het niet erg zouden vinden als we Neville ervoor laten opdraaien.'

McAvoys gezicht spreekt boekdelen.

'Ik weet het, jongen,' zegt Tom Spink. 'Ik weet het.'

Terwijl McAvoy door zijn droge keel moeizaam slikt, wordt er zacht op de deur geklopt. Hij vraagt zich af of er genoeg ruimte is om de deur open te doen.

'Kijk eens wie dat is, Hector,' zegt Pharaoh vermoeid.

McAvoy doet de klink omlaag en trekt de deur open. Hij zet een stap terug in de kamer, waarbij zijn achterste licht in aanraking komt met de in een panty gestoken knie van Pharaoh; iets wat hij probeert te negeren.

Helen Tremberg staat in de deuropening. Ze is verbaasd hem te zien. 'Brigadier?'

'Hij is de uitsmijter maar,' roept Pharaohs stem achter hem. McAvoy hoort haar van het bureau komen. Ze verschijnt naast hem, haar warme lichaam geheel tegen het zijne gedrukt. Door haar parfum en de whisky op haar adem gaan zijn nekharen rechtovereind staan.

'Baas,' zegt Tremberg opgelucht. 'Het lichaam uit het ziekenhuis is geïdentificeerd.'

'Dat was snel,' zegt Pharaoh.

'Ik had nog wat van hem te goed, baas. Die gozer van het lab is niet moeilijk te paaien om snel wat vingerafdrukken en DNA te analyseren. We wachten nog op de gebitsgegevens, maar de identiteit lijkt te kloppen.'

'Wie is het?'

'Trevor Jefferson,' zegt Tremberg. 'Vijfendertig. Laatst bekende adres was een flatje aan Holderness Road. Eigenlijk meer een zitslaapkamer. Boven het wedkantoor.'

'Hoe kwam hij dan in het huis in Orchard Park terecht?' vraagt Pharaoh. McAvoy meent in haar stem enige hoop te bespeuren dat er een simpel antwoord bestaat.

'Dat is het vreemde,' vervolgt Tremberg. 'Hij woonde vroeger in Orchard Park. Vrouw, twee kinderen en een stiefzoon. Op een steenworp afstand vanwaar hij is gevonden.'

McAvoy krijgt een benauwd gevoel op zijn borst. Het is bijna alsof hij weet wat Tremberg gaat vertellen.

'Wat wil dat zeggen? Dat hij bezopen raakte en vergat waar hij woonde? Dat hij dacht dat het nog 2003 was? Zichzelf binnenliet in het eerste huis dat er bewoonbaar uitzag, in slaap viel op de bank met een peuk in zijn mond en zichzelf in de fik stak? Iemand hoorde ervan, vond het een goede manier om een oude rekening te vereffenen en maakte het karwei af in het ziekenhuis?' Het optimisme in Pharaohs stem klinkt geforceerd.

'Het vreemde moet nog komen,' zegt Tremberg, die een gezicht trekt.

'Oké, laat maar horen,' verzucht Pharaoh.

'Hij verliet Orchard Park omdat zijn huis afbrandde. Met zijn vrouw en kinderen erin. Hij was de enige die er levend uit kwam. De brandweer dacht aan brandstichting, maar er is nooit iemand voor opgepakt.'

McAvoy kijkt naar de vloer als Trish Pharaoh hem strak van opzij aanstaart. Ergens krijgt hij de indruk dat ze denkt dat het zijn schuld is.

'McAvoy?' De toon in haar stem eist een verklaring.

'Ik weet van niets, mevrouw.'

Ze wendt zich tot Spink. Hij trekt verontschuldigend zijn schouders op, allang blij dat hij er niet echt bij betrokken is. Dat hij alleen in Hull is om een boek te schrijven en binnenkort weer kan ophoepelen.

'Stein zal moeten wachten,' zegt ze ten slotte. 'McAvoy, jij en Tremberg zoeken dit uit. Ik wil alles maar dan ook alles weten over die branden. Over de verdachten. Over dit slachtoffer. De huiseigenaren. Helen, breng McAvoy op de hoogte van wat je weet en ga naar Orchard Park.'

Tremberg kijkt teleurgesteld. McAvoy beseft dat Helen denkt dat ze van de zaak-Daphne Cotton wordt gehaald. Misschien is dat ook zo.

'Baas, de zaak-Cotton groeit me al boven het hoofd...'

'Weet ik, Helen,' zegt Pharaoh, die rond McAvoy reikt om haar een kneepje in de arm te geven. 'Maar ik heb iemand nodig die ik kan vertrouwen. Hou deze pummel voor me in de gaten, hè?'

Tremberg geeft zich gewonnen en knikt. Weet een flauwe glimlach op te brengen. Bedoeld voor Pharaoh en niemand anders. Ze kijkt McAvoy niet eens aan. Hij vraagt zich af of ze boos op hem is, of gewoon te teleurgesteld om beleefd te zijn.

'Goed.' Pharaoh kijkt op haar horloge. 'Het is tien uur geweest, wat betekent dat mijn kinderen nu zo'n beetje naar bed gaan, of de hele buurt hebben overgenomen – en dan heeft kleine Ruby zichzelf tot koningin uitgeroepen. Ik weet wel waar ik mijn geld op zou inzetten.'

McAvoy begrijpt de hint. Stapt het kantoor uit, met een haast onmerkbaar knikje, en voelt de hitte in de gang zijn gloeiende kaken nog roder kleuren. De deur gaat achter hem dicht en door het hout heen hoort hij Pharaoh alleen 'godsklere' zeggen.

'De koffiebar op de hoek van Goddard,' zegt Tremberg over haar schouder, terwijl ze door de gang terugloopt. 'Morgenochtend, halfacht. Dan gaan we van deur tot deur terwijl ze nog liggen te snurken.'

McAvoy ziet haar vertrekken.

Blijft stilstaan, niet goed wetend op welke van de talloze emoties die in hem rondwervelen hij zich moet concentreren.

Vraagt zich af of het verkeerd is opwinding te voelen.

En zinkt weg in het genot dat hij vanavond op tijd thuis is om de liefde met zijn vrouw te bedrijven en haar te vertellen dat hij vandaag, op de een of andere manier, iets belangrijks heeft gedaan. Dat hij een geboren politieman is. En dat diep vanbinnen een stemmetje hem toefluistert dat alles met elkaar in verband staat, en haar echtgenoot de enige is die de puzzelstukjes in elkaar kan leggen.

13

'Ze hebben hem nog niet vrijgelaten,' zegt Tremberg bij wijze van begroeting.

Haar haar is vochtig, haar gezicht bleek, en er zitten donkere wallen onder haar ogen.

'Neville de racist,' voegt ze eraan toe, met een halfslaperige stem. 'De pro-Deoadvocaat is helemaal over de rooie.'

Ze begint haar regenjas uit te trekken, maar bedenkt zich. Doet hem weer over haar schouders en gaat zitten op het kussen van een stoel met plastic rugleuning, die tegenover de formicatafel staat. 'Mag ik? Ik heb pas twintig minuten geleden gedoucht en nog niets gedronken.'

Ze reikt over de tafel en pakt de grote mok bouwvakkersthee die halfleeg voor McAvoy staat. Brengt de mok, waar een stukje van af is gebroken, naar haar lippen en neemt slurpend een slok. Trekt een gezicht. 'Zoet genoeg voor je?' vraagt ze, in een veel vriendelijker humeur dan gisteravond.

Ze zijn de enige twee klanten in het Pigeon Pie Café, een wit geschilderd gebouw met een glazen voorgevel op de hoek van Goddard Avenue. Echt zo'n goedkope eettent, compleet met gelamineerde menukaarten en ketchupflessen in de vorm van tomaten. Het gerecht van de dag is meestal worst, bacon of allebei; en het is een mekka voor iedereen die meent dat de culinaire evolutie haar hoogtepunt bereikte met de combinatie van witte bonen en tomatensaus.

Toen McAvoy tien minuten geleden naar binnen liep, had hij het liefst een sandwich met worst en gebakken ei besteld, maar voordat hij van huis vertrok had Roisin een ontbijtje voor hem in elkaar geflanst met roerei en gerookte zalm op zelfgebakken roggebrood, en hij weet hoe sip ze zou kijken als ze wist dat het zijn honger nauwelijks had gestild. Hij heeft besloten alleen thee te nemen.

'Wil je wat eten?' vraagt hij.

'Verleidelijk,' antwoordt ze, terwijl ze het overweegt. 'Ze serveren hier een plofbuik speciaal, wist je dat? Als je het allemaal kan opeten hoef je niet te betalen. Het is nog niemand gelukt.'

'Heb je het zelf ooit geprobeerd?'

'Wat wil je daarmee zeggen, Brig?' Ze kijkt verontwaardigd, maar dan breekt er een glimlach door om hem te laten weten dat ze een geintje maakt. 'Sorry dat ik me gisteravond als een trut gedroeg,' zegt ze, nog een keer slurpend van de thee. 'Ik had net mijn tanden in de moord op Daphne Cotton gezet en dan krijg ik opeens een dooie zatlap uit Orchard Park op mijn bord.'

'Ik begrijp het,' zegt McAvoy knikkend. Het is ellendig dat Tremberg hiermee is opgezadeld, maar nog ellendiger dat hij zich over van alles en nog wat het hoofd moet breken; niet in de laatste plaats over de vraag hoe hij vandaag het gesprek met een vrouwelijke collega gaande houdt.

'Twee sneetjes geroosterd brood, alsjeblieft,' roept Tremberg naar de potige vrouw in het blauwe werkschort achter de toonbank. 'Boter, geen halvarine.'

'Een vrouw naar mijn hart,' zegt McAvoy. 'Mijn vader zei altijd dat margarine bijna dezelfde chemische eigenschappen had als plastic. Ik weet niet of dat waar is, maar sindsdien hoef ik het niet meer. Net als met dat verhaal over die pinda's op de bar, die schijnen vol bacteriën te zitten omdat kerels hun handen niet wassen na een kleine boodschap.'

Tremberg trekt een gezicht. 'Kleine boodschap?' vraagt ze lachend.

McAvoy voelt een blos opkomen en is blij dat Trembergs toast arriveert. 'Sorry. Dat krijg je als je een jong zoontje hebt.'

'Het is een knapperd, die Fin van je,' zegt Tremberg met haar mond vol. 'Hij is ook trots op je. Was helemaal niet bang. Hij wist dat er iets ergs was gebeurd in de kerk en zag je tegen de grond gaan, maar hij wist dat je weer zou opstaan. Hij zei dat je de man gaat pakken die het heeft gedaan.'

McAvoy moet wegkijken om de enorme grijns die zijn gezicht splijt te verbergen. 'Dat komt door zijn moeder.' Hij smoort zijn woorden met de grote hand waarop hij zijn hoofd laat rusten. 'Die heeft hem wijsgemaakt dat ik onverwoestbaar ben. Een of andere superheld.'

'Beter een superheld dan een eikel,' merkt ze nuchter op. 'Zo denken de meeste kinderen over hun vader.'

'Ik niet.'

'Jij bent raar, Brig. Dat weet iedereen.'

Ze blijven even stil zitten. McAvoy drinkt de thee op en ziet Tremberg boter van haar vingers likken. Ze zijn niet gemanicuurd en dragen geen sieraden. Ze doen nogal naakt aan in vergelijking met die van zijn vrouw, wier vingers bevallig zijn en fonkelen.

'Maar je bent het wel,' zegt Helen ten slotte, terwijl ze met een vinger tussen haar tanden peutert.

'Wat?'

'Onverwoestbaar. Dat weet iedereen.'

'Hoe bedoel je?'

'Die toestand van vorig jaar.' Ze slaat haar ogen op en leunt voorover op haar stoel. Ze lijkt voor hem tot leven te komen. De thee en toast hebben haar een soort suikerkick gegeven en ze bruist plotseling van de energie. 'Toen je, je weet wel...'

'Wat?'

'Je bent toch neergestoken? Dat hoor ik iedereen zeggen.' Als ze denkt dat het een gevoelig onderwerp is dat heel voorzichtig moet worden benaderd, laat ze dat niet blijken in haar gedrag.

'Eerder neergehakt,' geeft hij schuchter toe. 'Een hakbeweging. Bovenhands met rechts.'

Tremberg blaast haar adem uit. Kan het niet nalaten 'fuck' te zeggen. Ze trekt een peinzend gezicht. 'Net als Daphne?'

McAvoy knikt. De gedachte is ook bij hem opgekomen, maar die is alleen voor hem betekenisvol. Hij weet dat ze pijn moet hebben geleden voordat haar hart ermee ophield. Dat het merkwaardig koud aanvoelt. Dat er een moment van doffe pijn optreedt, gevolgd door pure ontsteltenis. Dat het afschuwelijk is om mee te maken.

Tremberg kijkt hem verwachtingsvol aan, in de hoop op meer. Hij zegt niets. 'Brig?' spoort ze hem aan.

'Wat?'

Ze gooit gefrustreerd haar handen in de lucht. 'Een echte prater ben je niet, hè?'

Hij kijkt op zijn horloge. Ze heeft er acht minuten over gedaan om iets op zijn gezelschap aan te merken. 'Is het wel eens bij je opgekomen dat ik er niet over wíl praten?'

Tremberg overdenkt zijn woorden. 'Ja.' Dan grijnst ze hem schalks toe. 'Ik wilde gewoon de eerste zijn die je aan het praten kreeg.'

Hij kijkt haar vragend aan; zijn wenkbrauwen botsen bijna tegen elkaar.

'Maak je geen zorgen,' zegt ze bij het zien van zijn uitdrukking.

'Het is geen weddenschap. Alleen beroepstrots. Hoe moeten we verdachten laten bekennen als we niet eens een eigen collega kunnen laten toegeven wat hem is overkomen?'

'Zijn mensen daar nieuwsgierig naar?'

'Natuurlijk. Iedereen is dol op een mysterieuze man, maar ze zouden liever het mysterie ontrafelen.'

'Een mysterieuze man?'

'Kom op, Brig. Zo'n grote opdonder als jij, met zo'n beeldig poppetje van een echtgenote die je culinaire lunchpakketten meegeeft; een zoon die denkt dat je Spider-Man bent. En dan is er nog dat akkefietje met Doug Roper en al die heibel van vorig jaar. Een rechercheteam dat wordt opgedoekt? Jij met een messteek afgevoerd naar een of ander chic privéziekenhuis in Schotland? Denk je dat niemand nieuwsgierig is naar het hoe en wat?'

McAvoy denkt hierover na, alsof het de eerste keer is. 'Niemand heeft me er ooit naar gevraagd,' werpt hij zwak tegen. 'Hoe dan ook, ik denk dat ik liever mysterieus blijf zwijgen.'

'Die kunst heb je perfect onder de knie,' merkt Tremberg lachend op.

'Dat zal mijn vrouw deugd doen. Volgens mij ziet ze me als een soort rebel, die eropuit trekt om in gevaarlijke buurten het recht te laten zegevieren, hoewel ze weet dat ik de afgelopen tien maanden weinig meer heb gedaan dan databases ontwerpen en voor loopjongen spelen. Ik heb haar nooit de indruk gegeven dat ik als een soort eenmansleger het kwaad bestrijd.'

'Dat denkt ze gewoon uit zichzelf?'

McAvoy kijkt haar in de ogen en probeert uit te maken of ze hem in de zeik neemt of complimenteert met het feit dat zijn vrouw hem geweldig vindt. Hij vraagt zich af of ze zelf een relatie heeft. Of haar hart vroeger is gebroken. Waar ze woont, wat ze denkt en waarom ze politieagent is geworden. Het dringt tot hem door dat hij niets over haar weet. Over geen enkele collega, nu hij erover nadenkt.

'Ze was heel jong toen we bij elkaar kwamen,' vertrouwt hij haar toe. Hij voelt zichzelf blozen tot achter in zijn nek. 'Ik heb haar geholpen met wat problemen, maar ze kan prima voor zichzelf denken.'

Ze blijven even zwijgend zitten, en McAvoy prijst zich gelukkig dat hij op zijn tong bijt. Dat hij deze gelegenheid niet aangrijpt om zijn neuroses de vrije loop te laten en zijn collega te vertellen dat er geen moment voorbijgaat dat hij niet bezorgd is dat zijn jonge echtgenote met hem is getrouwd uit dankbaarheid, en dat er een dag komt waarop ze op hem is uitgekeken.

'Problemen?' vraagt Tremberg, opnieuw geïntrigeerd.

'Ze komt uit een woonwagenfamilie,' zegt McAvoy wegkijkend. Hij is allesbehalve beschaamd om het te bekennen en weet dat Roisin het niet erg zou vinden, maar praten over zijn privéleven maakt hem ongemakkelijk en het gaat hem beter af zonder haar in de ogen te kijken.

'Zigeuners?' vraagt Tremberg verbaasd.

'Zo je wilt,' zegt McAvoy. 'Klinkt in elk geval beter dan aso's.'

'Hoe heb je haar dan ontmoet?'

'Het was lang geleden. Ik had mijn opleiding nauwelijks afgerond.' Hij zwijgt. Lijkt niet de juiste woorden te kunnen vinden.

'Waar?' vraagt ze om hem verder te helpen, alsof het een verhoor betreft.

'Politiekorps Cumbria. Schotse grens.'

'En?'

'Een groep woonwagenbewoners streek neer op een boerenveld langs de weg naar Brampton,' zegt hij met een zucht, zichzelf erbij neerleggend dat hij het haar moet vertellen.

'Populaire trekpleister?'

'Aardig klein stadje. Veel tory's en grijze besjes, en die waren niet van die vreemden gediend. De brigadier en ik gingen naar ze toe om een praatje te maken. We vertelden dat er aan de rand van Carlisle een speciaal terrein was waar ze konden staan. Ze zeiden dat ze nog diezelfde dag zouden vertrekken. Vriendelijke mensen verder. Misschien een stuk of tien woonwagens. Overal kinderen. Roisin moet er ook zijn geweest, maar ik heb haar toen niet gezien.'

Tremberg kijkt hem vol verwachting aan. 'Liefde op het eerste gezicht, zeker?' vraagt ze, in een poging het gesprek luchtig te houden.

'Ze was nog maar een kind.'

'Ik maak een grapje, Brig. Jezus.' Tremberg kijkt geïrriteerd. Haalt haar schouders op, alsof dit haar te veel moeite kost, maar McAvoy is nu al van wal gestoken. Begint vrijer te spreken. Wil de woorden opeens dolgraag kwijt.

'Ze vertrokken niet,' zegt hij, starend uit het raam. 'Er doken meer reizigers op. Helaas geen beste. Dus ging de landeigenaar erheen om te vragen waarom ze niet weg waren gegaan. Hij werd aangevallen. Raakte dermate gewond dat een paar van zijn knechten kwaad werden. Ze zochten een manier om wraak te nemen. Zagen Roisin en haar zus teruglopen van de winkels.'

McAvoy laat een stilte vallen. Tremberg ziet hem het zout-vaatje pakken en stevig in zijn vuist klemmen. Ziet zijn knokkels wit worden.

'Als ik niet zo'n stomme idioot was geweest, weet ik niet wat er zou zijn gebeurd,' zegt hij verbeten.

'Wat?'

'Geloof het of niet, maar ik had mijn notitieboekje laten vallen in het kamp,' bekent hij. 'De brigadier stuurde me in mijn eentje terug. Ik reed verkeerd en kwam terecht op een klein land-weggetje, op een paar kilometer van het kamp. Maakte gebruik van een opening in de heg om te keren en terug in de goede richting te rijden. Er stond daar een oude schuur. Gaten in het dak. Zag eruit alsof er een tijdje eerder brand was geweest. Hoe dan ook, er stonden buiten twee auto's geparkeerd. Het zag er verdacht uit. Niemand had daar iets te zoeken. Waarom weet ik niet, maar ik kreeg gewoon het gevoel dat er iets naars aan de hand was. Dus zette ik mijn motor af, en toen hoorde ik meisjes gillen.'

'Jezus.' Tremberg heeft bijna spijt dat ze het heeft gevraagd.

'Ik had om assistentie moeten vragen,' zegt McAvoy, terwijl hij het zoutvaatje tussen zijn palmen laat draaien. 'Maar ik wist dat wat daarbinnen gebeurde geen seconde langer mocht duren. Ik dacht niet na. Stapte uit de auto en rende naar binnen. Betrapte ze op heterdaad. Een stel boerenjongens, joelend en roepend, die zich helemaal uitleefden.'

'Jezus,' zegt Tremberg opnieuw.

'Ik raakte buiten zinnen.' McAvoy staart naar de rug van zijn handen.

Tremberg wacht tot hij doorgaat, maar hij zegt niets meer. McAvoy zit onbeweeglijk op zijn stoel; zijn normaal gesproken rode gezicht ziet doodsbleek. Ze vraagt zich af of hij dit ooit eerder heeft verteld. Vraagt zich af wat hij met die jongens heeft gedaan, deze zachtgevooisde kleerkast van een kerel, met het litteken op zijn gezicht, het weerbarstige haar en zo'n grote liefde voor zijn vrouw dat ze zich bijna schaamt ooit te hebben gelachen toen een van haar collega's een grap had gemaakt ten koste van hem.

Ze kijkt omlaag naar haar bord en besluit dat er niets eetbaars meer op ligt.

Besluit eveneens dat wat McAvoy ook in die schuur heeft gedaan, ze nooit zo hard over hem zal oordelen als hij zelf lijkt te doen.

Ze blaast haar adem uit. Geeft wat ritmische tikjes op het tafelblad. Probeert hen allebei gereed te maken voor de start.

'Zullen we?'

McAvoy knikt. Begint op te staan. Hun ogen kruisen elkaar. En in zijn pupillen meent ze heel even vlammen te zien dansen; een brandend gebouw, brandende auto's.

De voordeur met dubbel glas zwaait al open voordat McAvoy en Tremberg het keurige pad naar nummer 58 betreden. Nu ze het afgelopen uur op alle mogelijke manieren het verzoek hebben gekregen om op te rotten – en McAvoys gezicht nog nagloeit omdat hij bij het huis vanwaar de oorspronkelijke melding is gekomen door een dikke, blote vrouw vanuit het bovenraam voor 'vuurtoren' is uitgemaakt – weet geen van beide rechercheurs of een opengaande voordeur betekent dat ze welkom worden geheten of een jachtgeweer op zich gericht krijgen.

'Het gaat zeker over daarginds?'

De man op het stoepje is halverwege de zestig en zo kaal als een biljartbal. Kort maar pezig. Zijn stropdas van de koopvaardij zit perfect geknoopt rond de hals van een geruit overhemd in een polyester broek die zulke scherpe vouwen heeft dat je er fijne vleeswaren mee in plakjes zou kunnen snijden. Hij staat met een rechte rug, en hoewel hij zijn outfit heeft gecompleteerd met een oudemannenvest en bijpassende sloffen, dwingt iets aan zijn voorkomen respect af. Ook al staat hij in de deuropening van een rijtjeshuis met twee slaapkamers aan een verlaten straat in de meest verloederde wijk van de stad, zijn houding doet McAvoy denken aan een landheer die de grote dubbele deur van zijn statige villa heeft geopend.

'Jack Raycroft,' zegt de man. Hij geeft McAvoy een ferme hand, bedekt met levervlekken. Hij reikt ook Helen Tremberg beleefd de hand en knikt opnieuw. 'Nare toestand.' Hij praat met een lokaal accent.

'Dat is het zeker,' beaamt McAvoy, nadat ze zich hebben gelegitimeerd en voorgesteld.

'Waarom nu uitgerekend dat huis in de fik moest,' verzucht Raycroft. 'Er staan hier genoeg huizen leeg. Waarom een huis nemen waar mensen nog een beetje fier op waren, hè? Het is alsof je ook al niet meer trots mag zijn.'

Ze kijken gedrieën naar het huis aan de overkant van het straatje. Er is weinig over waaruit blijkt dat het tot twee dagen terug een geliefde woning was. Het huis oogt nu net zo vervallen en geschonden als de naburige gebouwen. De muur ziet zwart van de rook en de spaanplaat voor het gebroken voorraam zit al onder de graffiti, een schildersdoek vol obscene tekeningen en spuitbusletters.

'U hebt met de collega's in uniform gesproken, begrijp ik?'

'Ja, ja. Niet dat er veel te vertellen was. Mijn vriend Warren lag in het ziekenhuis wegens benauwdheid op de borst. Zijn vrouw Joyce logeerde bij hun dochter in een van de omliggende dorpen. We zaten naar een of ander kostuumdrama op de BBC te kijken. We hoorden de sirenes ongeveer op hetzelfde moment dat we de vlammen zagen. Niet dat we veel aandacht schenken aan sirenes. Je hoort ze hier dag en nacht. Maar ze kwamen duidelijk onze kant op. Ik keek uit het raam om te zien wat er gaande was, en toen zag ik aan de overkant rook uit de voordeur komen. Zelfs met alle rook was die open deur het eerste wat me opviel. Raar hoe je geest werkt, hè? Je ziet hier nooit een open deur. En daar al helemaal niet. Ze wonen hier bijna net zo lang als wij en weten wel beter.'

Tremberg reikt in de zak van haar regenjas en haalt wat betikte vellen papier tevoorschijn, die ze gisteravond heeft uitgeprint voordat ze het kantoor verliet. Het is een korte analyse van de onderzoeksresultaten tot dusver, en dat zijn er bedroevend weinig. 'Het slot is opengepeuterd,' zegt Tremberg, nadrukkelijk knikkend, alsof ze het knap vindt van zichzelf dat ze dat feit heeft onthouden. 'Professionele klus.'

'Dat moet haast wel, bij zo'n deur met dubbel glas,' merkt Raycroft op. 'Die koop je met het oog op de veiligheid.'

Van binnen in het huis klinkt een vrouwenstem. 'Is het de politie weer, Jack?'

Raycroft rolt met zijn ogen naar de twee agenten, die zijn lichte glimlach beantwoorden. 'Mijn vrouw. Ze heeft de schrik goed te pakken.'

McAvoy knikt. 'Dat geloof ik graag.'

'Normaal gesproken zou ik jullie uitnodigen binnen te komen, maar ik denk dat ze dan over haar toeren raakt.'

'We staan hier prima,' zegt McAvoy, die het niet erg vindt om op de stoep te blijven hangen. Afgaande op het bloemetjesbehang dat hij in het stukje gang achter Raycroft kan zien, vermoedt hij dat de woonkamer een allegaartje vormt van antimakassars en kanten kleedjes, met foto's van kleinkinderen en vliegende eenden aan de muur, en hij weet instinctief dat hij bij het zien ervan een weemoedig gevoel zou krijgen. Hij heeft grote bewondering voor mensen die zich niet laten intimideren en weigeren te verhuizen – ook al zou het verstandiger zijn hun verlies te pakken en de boel te verkopen – maar diep vanbinnen weet hij dat hun verzet niets zal uithalen. Dat wanneer ze overlijden, het huis wordt verpatst aan een of andere particuliere onderneming die besluit alles tegen de vlakte te gooien om flats te bouwen voor asielzoekers.

'Wel vreemd, hè? Dat met die foto's en alles.'

McAvoy merkt dat hij beleefd knikt, tot hij beseft dat hij geen idee heeft waar de man het over heeft. 'Sorry, wat bedoelt u?'

'Ik heb het gisteren verteld aan de geüniformeerde kerel die langskwam. Op het gazon voor het huis lag een grote weekendtas, met alle foto's van Warren en Joyce. Ze stonden bij hen op de schoorsteenmantel. Ik weet niet of het slachtoffer aan het stelen was en het spul heeft gedumpt voordat hij binnen ging liggen pitten, maar het is een geluk bij een ongeluk dat hun foto's niet zijn geruïneerd.'

McAvoy kijkt naar Tremberg, die haar schouders ophaalt. Voor haar is dit ook nieuw.

'Waar zijn de foto's nu?'

'Bij mij,' stelt Raycroft nuchter. 'Ik heb ze van het gazon geraapt, nog steeds in de tas. Ik wou ze aan hun dochter geven wanneer ze langskomt. Dat is toch oké, hoop ik?'

McAvoy keert zich om. Kijkt weer naar het uitgebrande huis. Probeert erachter te komen wat het kan betekenen. Waarom iemand de moeite zou nemen om familiefoto's te redden alvorens een huis in brand te steken waar een mens op de bank ligt. Hij denkt terug aan wat hij gisteren heeft gehoord. Dat de dochter van de huiseigenaar blij was dat haar ouders nu moesten vertrekken uit deze buurt. Even vraagt hij zich af of haar bezorgdheid om de veiligheid van haar ouders voor haar voldoende reden kon zijn geweest om het huis in brand te steken. Of was het gewoon toeval en een dronkenlap die een stommiteit had uitgehaald?

'Jack, schat. Is dat de politie?'

'Ik kom zo, lieveling,' roept Raycroft over zijn schouder.

'We zullen u niet veel langer ophouden,' zegt Tremberg, die het woord neemt terwijl haar collega in de verte staart en zijn tong ronddraait in zijn mond alsof hij iets op het spoor is.

'Weten jullie al wie de stumper was?' vraagt de oude man. Hij richt zijn blik op Tremberg, waarbij hij stiekem op zijn tenen gaat staan, alsof het hem niet bevalt dat hij omhoog moet kijken om oogcontact te houden met een vrouw die half zo oud is als hijzelf. 'Waarom hij dat huis heeft uitgekozen om in slaap te vallen? We hoorden op het journaal dat er brand is geweest in het brandwondencentrum van het Hull Royal, en dat het slachtoffer erbij betrokken was. Toen ze hem daar naar buiten droegen, zag hij er niet uit als iemand die ooit nog een sjekkie zou draaien...'

McAvoy en Tremberg wisselen een blik en besluiten dat deze aardige oude kerel een eerlijk antwoord verdient.

'De brand in het ziekenhuis was opzettelijk aangestoken,' zegt Tremberg. 'Iemand kwam naar de afdeling, ging zijn kamer binnen, doordrenkte hem met aanstekervloeistof en stak hem in brand.'

'Mijn hemel.' Raycroft kijkt naar McAvoy voor een bevestiging en krijgt die in de vorm van een licht knikje.

'Het was beslist dezelfde man die uit het huis van uw buren is gehaald. Volgens de rapporten had hij een enorme hoeveelheid alcohol in zijn bloed. Bijna een dodelijke hoeveelheid. Het is dus goed mogelijk dat hij uit de pub kwam, het verkeerde huis binnenging, een peuk opstak en zichzelf in brand stak. Maar we hebben hem kunnen identificeren en weten hoe hij heet. Zegt de naam Trevor Jefferson u iets?'

'Jefferson,' herhaalt Raycroft. 'Was dat niet die vent wiens gezin een paar jaar terug is omgekomen bij die brand hier? Een paar straten verder?'

McAvoy knikt. Hoopt dat Tremberg de tegenwoordigheid van geest heeft om dit subtiel aan te pakken en de oude man geen woorden in de mond gaat leggen.

'Dat klopt, meneer. Zijn vrouw, twee kinderen en stiefkind zijn toen allemaal bezweken aan hun verwondingen.'

'Precies,' zegt Raycroft en hij wrijft met een hand over zijn gezicht. 'Alweer een paar jaar geleden, hè?'

'Ja, meneer.'

'Mijn god.' Hij staart naar het uitgebrande huis aan de overkant en beklopt vervolgens de zakken van zijn vest. Hij haalt er een blikje tabak uit en rolt gedachteloos maar behendig een dunne sigaret, een kunst die McAvoy altijd verbaast. Hij steekt hem aan met een lucifer en begint hem op te roken op een manier die McAvoy aan zijn vader doet denken; de smeulende punt gericht naar de palm, de sigaret vasthoudend met vier vingers en een duim. Beschut tegen de wind en nieuwsgierige ogen. 'Dan heeft hij zijn verdiende loon gekregen,' zegt hij uiteindelijk.

'Hoe dat zo?' McAvoy probeert niet te gretig te klinken. Zijn stem kalm te houden.

'Hij was de lamzak die het huis in brand had gestoken. Zijn hele gezin dood. Hij heeft er geen dag voor hoeven brommen. Kwam er als enige levend uit, terwijl hij degene was die met de lucifers speelde. Zo te horen heeft iemand hem ervoor laten boeten. Vergeet hem niet de hand te schudden voordat je hem de boeien omdoet.'

14

Het is nog geen twee uur geleden dat McAvoy en Tremberg bij Jack Raycroft op de stoep stonden, maar hun onderzoek begint al een aardig beeld op te leveren van wat voor soort man het slachtoffer was. Egoïstisch, onverantwoordelijk, een bijstandsprofiteur: de boulevardpers zou hem zonder veel aanmoediging het etiket 'monster' opplakken, hoewel Tremberg hem het best omschreef toen ze verklaarde dat 'ellendige klootzak' een betere naam voor de dierbare overledene zou zijn dan een van de psychologische termen die McAvoy aandroeg terwijl ze zich verdiepten in het karige dossier dat aan de database was gevoerd.

Tremberg klikt met haar muis en het computerscherm vult zich met foto's van verkoolde lichamen. Beide rechercheurs trekken hun neus op en moeten zichzelf dwingen niet weg te kijken. Het zijn onmiskenbaar de lijken van zwartgeblakerde, door vuur verteerde kinderen.

Een luidruchtige boer vanuit de deuropening doet allebei de rechercheurs zich verschrikt omdraaien. Brigadier Linus houdt zijn twee mollige, vlezige handen rond een mok geklemd. Hij verduistert het licht dat uit de gang naar binnen valt, en het wordt opeens donker in de kamer als hij uitgebreid geeuwt en een slok neemt van zijn drankje. Uit de mok komt een vleesachtige, uitnodigende geur en McAvoy beseft dat de geüniformeerde agent, wiens kolossale lijf het deurgat verspert, daadwerkelijk jus staat te drinken.

'Was een nare zaak.' Linus slurpt nog eens uit de mok en veegt daarna zijn mond af met de rug van zijn hand. 'Ik had nog nooit zoiets gezien. Toen de rook optrok, was het net Pompeii. Je kon de uitdrukking op het gezicht van het kleinste jochie nog zien. Ik zou graag willen zeggen dat hij eruitzag alsof hij sliep. Maar zo zag hij er niet uit. Hij zag eruit alsof hij helse pijnen leed.'

'Dat moet vreselijk zijn geweest,' zegt Tremberg.

'Reken maar.'

Tremberg gebaart naar het kantoor, met de vochtige muren, gedateerde posters en het versleten vloerkleed. 'Je mist het recherchewerk zeker niet? Je wordt hier echt in de watten gelegd.'

Het sarcasme ontgaat Linus en hij geeft een knikje. 'Twintig jaar was genoeg, moppie.'

'Heb je de tijd om ons bij te praten?' vraagt McAvoy, waarbij hij het doet voorkomen alsof het hele onderzoek staat of valt met de paar kostbare minuten van Linus' tijd. 'We willen gewoon alle feiten op een rijtje krijgen.'

'Zoals ik zei aan de telefoon, ik help jullie graag verder.'

Zelfs in de eerste paar uur van het onderzoek kon McAvoy zich al moeilijk aan de indruk onttrekken dat het onderzoek naar de eerste brand chaotisch was verlopen. En hij vindt het lastig om de schuld niet neer te leggen bij de wanordelijke, luie papzak voor hem; een gevoel dat er niet minder op wordt door de verkoolde kinderlichamen die vanaf het computerscherm naar zijn achterhoofd staren.

'Nou, het was vanaf het begin vrij duidelijk dat de vader degene was die de trekker had overgehaald, om het zo te zeggen.

De kerel had geen schrammetje. Ik was geneigd hem er zelf een paar te geven.'

McAvoy wijst met een duim over zijn schouder naar het scherm. 'Het forensisch rapport suggereert dat er een brandversneller werd gebruikt. Aanstekervloeistof. De eerste tekenen wijzen erop dat er gisteravond in het Hull Royal sprake was van dezelfde modus operandi. Net als de avond ervoor in het huis daarginds. Denk je niet dat er een kans bestaat dat hij onschuldig was? Dat degene die de brand heeft gesticht waarbij zijn vrouw en kinderen het leven lieten misschien is teruggekomen om het karwei af te maken?'

Linus lijkt dit te overwegen. 'Het is mogelijk, jongen. Maar zoals ik zei, ik ben er verdomd zeker van dat Jefferson die brand heeft aangestoken. En ik vermoed dat iemand besloot hem een koekje van eigen deeg te geven.'

Er valt even een stilte in de kamer. McAvoy knikt langzaam en besluit niet langer de aardige jongen uit te hangen.

'Maar je hebt hem niets ten laste gelegd, hè? Als hij een koekje van eigen deeg heeft gekregen, komt dat omdat jij hem nooit ergens voor hebt aangeklaagd. Voor zover ik kan zien, kwam je niet eens in de buurt.'

Linus reageert nijdig. Duwt zichzelf weg van de muur. 'Ho eens even,' begint hij, terwijl zijn kaken rood kleuren van woede. 'We hebben het grondig onderzocht. We konden alleen niets bewijzen.'

'Grondig?' McAvoy vervormt het woord tot een minachtende grom. 'Zelfs de *Hull Daily Mail* heeft de achtergrond van die vent grondiger gecheckt. Acht branden! Acht branden op zijn vorige adressen. Vond je dat niet een beetje vreemd?'

'We wisten dat er hier en daar wat fikkies waren geweest,' zegt Linus, die de beschuldiging wegwuift met zijn blubberige armen. 'Hij had ze bij de gemeente gemeld, niet bij de politie. Er stond niets op zijn strafblad, behalve een paar veroordelingen voor oplichting toen hij nog jong was, en hij was een jaar eerder een keertje opgepakt toen hij dronken een agent bedreigde.'

'En toch zeg je dat je meteen wist dat hij het had gedaan.' McAvoy wendt zich tot Tremberg. 'Ik weet niet hoe het met jou zit, rechercheur, maar als ik zeker denk te weten dat iemand een hoop kinderen en zijn wederhelft heeft vermoord, zoek ik meestal net zo lang tot ik een manier vind om de smeerlap op te sluiten.'

Linus kijkt van de ene naar de andere politieagent, waarbij zijn onderkinnen verontwaardigd meewiegen.

Hij laat zijn schouders licht hangen. Kijkt weg. 'Luister, ik heb nooit gezegd dat ik Sherlock Holmes was...'

Ze blijven opnieuw zwijgend zitten. Uiteindelijk haalt McAvoy een hand over zijn gezicht en hij denkt even aandachtig na. Hij voelt hoofdpijn opkomen. Het is alsof hij probeert een legpuzzel op te lossen en bang is dat meer dan de helft van de stukjes nog ondersteboven ligt.

'Ik begrijp het, brigadier,' zegt hij, in de hoop dat zijn gezicht hem niet verraadt. 'We kennen allemaal van die dagen. Weken en maanden zelfs. We hebben allemaal zaken gehad waarbij we vanaf het begin wisten dat ze op niets zouden uitlopen. En het kan niet makkelijk zijn geweest. Roper liet je ermee zitten. Besefte dat het lastig zou worden iets te bewijzen en trok zijn handen ervan af. Dan voel je je niet echt gemotiveerd om alles uit de kast te trekken, hè?'

Linus ademt zwaar, maar puft half glimlachend. Hij lijkt opgelucht. Blij dat dit Schotse heilige boontje tenminste begrijpt hoe het is om bergop te rennen met de wereld op je nek. 'Wat kon ik anders? Het rapport zei dat de brand was aangestoken en dat er brandversneller was gebruikt. Goed. Maar Jefferson zei dat het zijn oudste zoon was. Dat hij hem in het verleden vaker had betrapt op spelen met zijn aanstekers. Het was zijn woord tegen dat van de overledenen. En ja, Jefferson was eerder betrokken geweest bij verdachte branden, maar hetzelfde gold voor de dode jongen. Iets weten en het bewijzen zijn twee verschillende dingen.'

'Heb je hem onder druk gezet? De duimschroeven aangedraaid?'

'Tuurlijk, wat dacht jij dan? We hielden hem urenlang in de verhoorkamer, Pete May en ik. We wisselden elkaar af. Probeerden hem zich schuldig te laten voelen. Maar hij bleef alleen met zijn hoofd zitten schudden en zeggen dat zijn zoon het had gedaan. Dan houdt het op. We konden hem niet in staat van beschuldiging stellen. Het zou nooit langs de rechter zijn gekomen.'

'De pers gaf je wel op je kloten, hè?'

'Zo zijn ze nu eenmaal. Dezelfde kranten die ons bekritiseerden omdat we een treurende vader een dag en een nacht verhoorden, betichtten ons later van incompetentie toen bleek dat hij in de paar jaar daarvoor maar liefst acht branden had gemeld. Al zijn buren dachten dat hij een fokking pyromaan was. We doen het toch nooit goed. Alsof ik het zo leuk vond om die klootzak te laten lopen.'

'En de buren? De mensen die met de kranten spraken? Kan een van hen zo verbitterd zijn geweest over zijn vrijlating dat ze hem alsnog te grazen hebben genomen?'

Linus haalt zijn schouders op. 'Je weet hoe het gaat in dit soort wijken. Mensen zijn snel heetgebakerd, daar is niet veel voor nodig. Maar ik ken geen buurtbewoner die zo hondsbrutaal is dat hij het Hull Royal binnenloopt en een brandslachtoffer in zijn bed roostert. Laat staan dat hij weer rustig naar buiten loopt. Ik denk dat je op een dood spoor zit, jongen.'

McAvoy loopt naar het raam en opent met zijn vingers de kromgetrokken metalen jaloezieën. Kijkt uit over een wijk zo grauw en onappetijtelijk als aardappelpuree in een schoolkantine. Twee kinderen, niet ouder dan zeven, spelen op het enige toestel in het speeltuintje dat niet dusdanig is vernield dat het onbruikbaar is geworden. De vreugde bij het zien van de twee jongens die vrolijk lachen terwijl ze elkaar op de draaimolen rondduwen, wordt getemperd door het feit dat ze allebei roken.

'Niet bepaald Tenerife daarbuiten, hè?' merkt Linus lachend op wanneer McAvoy zich afwendt van de wereld achter het glas en zijn blik weer op het zwetende, kwabbige gezicht van de brigadier richt. 'Je vraagt je soms af of die arme dooie koters er nog goed van af zijn gekomen.'

McAvoy zegt niets.

De stilte wordt verbroken door het onmiskenbare trilgeluid van McAvoys mobiele telefoon. Blij met de afleiding, maar bezorgd dat Pharaoh belt om te vragen of hij nog geen vooruitgang heeft geboekt, haalt hij het ding uit zijn zak. Het is een nummer dat hij niet herkent.

'McAvoy,' zegt hij.

'Met Russ Chandler, rechercheur. Je kwam bij me op bezoek...'

'Meneer Chandler. Ja. Hallo.'

'Ik wilde jullie voor zijn, dus bel ik maar alvast. Wanneer verwacht je me op het bureau?'

'Meneer Chandler, ik ben bang dat ik –'

'Ik ben niet van gisteren, rechercheur. Ik weet hoe de hazen lopen. Stuur je een auto, of...?'

'Meneer Chandler, kunnen we opnieuw beginnen? U en ik hebben onze gesprekken afgerond, tenzij u nog iets te binnen is geschoten over Fred Stein.'

'Stein?' Chandler klinkt verbaasd. Zelfs verbolgen. 'Rechercheur, welk spelletje je ook speelt, het is niet nodig. Ik werk vrijwillig mee.'

Tremberg kijkt naar McAvoy en vormt met haar mond de

vraag: 'Wat is er?' Hij antwoordt simpelweg door zijn ogen samen te knijpen. Zijn geest is een heksenketel van hoofdpijn en verwarring.

'Meewerken waaraan, meneer Chandler?'

Het blijft stil aan de andere kant van de lijn. In McAvoys oren klinkt het alsof de man diep ademhaalt om zijn gedachten te ordenen.

'Meneer Chandler?'

'Ik neem aan dat je zijn telefoongesprekken hebt gecheckt.'

'Van wie?'

'Jezus, man. Jefferson! De vent die is verbrand. Ik heb hem gesproken, oké. Maar daar is het bij gebleven. Ik was niet eens in de buurt van Hull toen het gebeurde. Vergeet dat niet…'

'U hebt hem gesproken? Waarom?'

'Mijn boek, weet je nog? Over overlevenden. We hebben dat besproken. Hij was een van de namen die ik heb benaderd toen ik begon met mijn research. In het prille beginstadium, zoals ik je vertelde, maar een paar dagen geleden heeft hij mij gebeld. Hij wilde weten of ik nog geïnteresseerd was. Zei dat hij geldgebrek had…'

'Hij nam contact op met u? Wanneer was dat?' McAvoy probeert zijn stem kalm te houden.

'Weet ik niet precies. Niet lang nadat ik naar dit vervloekte oord kwam. De eerste paar dagen mocht ik geen contact hebben met de buitenwereld, maar toen ik mijn berichten ging afluisteren, zat hij ertussen. Hij dacht dat ik hem die week opnieuw had proberen te bereiken, maar dat was niet zo. Hij en die vrouw uit Grimsby. Althans… ik geloof niet dat ik ze heb gebeld. Vergeet niet, ik was er slecht aan toe…'

'Welke vrouw uit Grimsby, meneer Chandler? Iemand voor uw boek, bedoelt u?'

'Ja, ja,' zegt hij knorrig, afwijzend, alsof alleen de feiten die hij reeds heeft onthuld van belang zijn. 'Angela nog iets. Het enige slachtoffer dat levend aan de Barslachter is ontsnapt.'

McAvoy loopt nu te ijsberen. Probeert gelijke tred te houden met zijn gedachten en angsten. Hij weet dat er iets belangrijks te gebeuren staat. Hij kan geweld ruiken. Bloed.

'De verkrachter? Van jaren terug?'

'Inderdaad. Meer in jouw omgeving dan de mijne. Dat moet je je vast herinneren.'

McAvoy herinnert het zich. Meer dan tien jaar geleden in de Schotse grensstreek. Een vrachtwagenchauffeur, genaamd Ian Jarvis, kickte erop om in pubs willekeurige vrouwen op te wachten in het toilet en die vervolgens dood te steken en te verkrachten. Hij kerfde ook graag zijn initialen op hun geslachtsdelen. Hij had vier dames om zeep geholpen voordat er op een van de plaatsen delict een DNA-spoor van hem werd gevonden en hij werd opgepakt, terwijl hij op het toilet van een sjofele pub in Dumfries slachtoffer nummer vijf bewerkte – op nog geen vijf minuten van het keurige twee-onder-een-kaphuis waar hij met zijn vrouw en drie jonge kinderen woonde. Zijn laatste slachtoffer overleefde het. Ze getuigde tegen hem van achter een scherm. Hielp hem achter de tralies te krijgen, en was ongetwijfeld blij toen hij zich bleek te hebben opgehangen in zijn cel, nog geen drie weken nadat hij tot meerdere keren levenslang was veroordeeld. Tegen die tijd had ze zichzelf opgegeven voor een huurwoningruil en het eerste aanbod dat ze had gekregen aanvaard: drie kamers zonder uitzicht, op de zevende verdieping van een torenflat in Grimsby.

'En u hebt contact met haar gehad? Hebt u die vrouw onlangs nog gesproken?'

'Nee,' zegt hij ongeduldig. 'Ze stond alleen op de voicemail. Ze zei dat ze mij terugbelde. Maar ik kan me bij god niet herinneren dat ik haar heb gebeld.'

McAvoy schudt verwoed met zijn hoofd. Zijn gezicht heeft dezelfde asgrauwe tint gekregen als de wijk achter het glas.

En hij weet, zonder enige twijfel, dat Angela Martindale het volgende slachtoffer wordt.

15

Het glas is leeg, maar ze brengt het toch naar haar mond. Nipt van niets. Bevochtigt haar lippen met het laatste beetje schuim-nat en likt met een geel verkleurde tong langs de rand.

Ze fluistert onhoorbaar in het glas, dat beslaat door haar dron-ken gebed: 'Kom op, jongens.'

Zet het bierglas met een plof neer op de geverniste toog. Hoopt dat het iemand zal opvallen dat ze op een droogje zit en haar iets te drinken aanbiedt. Dat hij zich opwerpt als haar gentleman en wat van haar kostbare tijd koopt.

'Wil je er nog een, Angie?'

Ditmaal is het Patrijspoort Bob. Een glazenwasser van wie heel de stad weet dat hij nooit de moeite neemt om de hoeken te zemen.

'Je bent geweldig, Bob,' zegt ze, en ze knikt naar de Bass-pomp. 'Nog een biertje, graag.'

Bob heft zijn eigen glas naar Dean de barman, die druk bezig is de lege koelkast aan het eind van de bar te vullen met flesjes alcopop. 'Als je even tijd hebt, Deano.'

Dit is nog echt een ouderwetse pub. Een van de laatste kroegen in deze drukke winkelstraat, aan de rand van het centrum van Grimbsy, die niet door een van de grote ketens is opgekocht. Er zijn vandaag maar vijf, zes klanten en niemand drinkt gezamenlijk. Angie ziet drie oude kerels zitten, losjes in een driehoek, ieder aan een apart tafeltje, en herinnert zich vaag hun wel eens gedag te hebben geknikt. Ze hebben het over een bokser van wie ze nog nooit heeft gehoord, en elk van hen heeft zijn budget voor die dag neergeteld op het gebarsten vernis van de ronde tafelbladen. Ze zitten alle drie aan hun laatste pint van die dag en nemen er hun tijd voor: stellen het grote ongemak uit om zich in overjas en sjaal te worstelen en door wind en sneeuw naar de bushalte te wankelen.

De andere klant is een gespierde man in een zwarte jas met sjaal. Hij tikte bij binnenkomst op de ciderpomp en betaalde zonder een woord te zeggen. Hij heeft zijn drankje nauwelijks aangeraakt. Nauwelijks opgekeken van de *Daily Mirror*. Angie schat hem in als een gokker, waarschijnlijk tot over zijn oren in de schulden door het wedden op paarden, en besluit dat hij niet de moeite van een glimlach waard is.

'Het is donders koud buiten. Ik ben ermee opgehouden voor vandaag.'

Patrijspoort Bob. Hij wrijft zich warm, want hij is net door de blauw geschilderde voordeur met matglas naar binnen gelopen, met medeneming van een kille vlaag sneeuw en wind. Niet zo lang geleden zou er ook verkeerslawaai hebben geklonken. Dit was de voornaamste winkelstraat van Grimsby; een bruisende gemeenschap van zelfstandige handelaren die hun welvaart te danken hadden aan hun nabijheid tot de vismarkt en havens. Die tijd is voorbij. Het is een spookstraat geworden, een en al triplex en graffiti, borden met 'TE HUUR' en metalen luiken. Als ze in Grimsby zou zijn geboren, zou het Angie pijn doen om de ooit zo trotse hoofdstraat er zo armoedig bij te zien liggen, maar ze woont hier nog geen tien jaar en het schandelijk verval van de buurt interesseert haar even weinig als dat van zichzelf.

'Vandaag als het kan, knul.'

Dean haalt twee glazen van onder de toog. Ze zijn nog warm van de vaatwasser, dus spoelt hij ze even af onder de koude kraan. Hij is nog jong maar hij leert snel.

'Kom op, knul. Deze dame hier sterft van de dorst.'

Als Dean er zeker van is dat de glazen koud genoeg zijn om geen commentaar te krijgen, draait hij zich naar de pomp en tapt twee pinten. Zet ze op de bar. Pakt de vier pondmunten uit Bobs uitgestrekte hand.

'Bedankt, Bob.'

'Niets te danken, jongen. Vertoon je vanavond de wedstrijd?'

'Nah, da's op de satelliet. De vergunning kost een fortuin.'

'Is er wel voetbal in Wetherspoon's?'

'Geen idee. Zal best.'

'Harde concurrentie, knul.'

'Wij hebben beter bier.'

'Daar heb jij weer gelijk in.'

Angie heft haar glas in een hand die sinds haar tweede pint van vanochtend niet meer beeft en neemt een grote slok. Voelt het vertrouwd gesijpel door haar keel; het aangename gevoel van koude drank die in haar klotsende buik een gerieflijke warmte verspreidt. Ze neemt een tweede slok. Ontspant, in de wetenschap dat de volgende paar minuten haar problemen tenminste zijn opgelost. Dat ze net als iedereen gewoon een klant is in een rustige, ouderwetse pub; nippend aan een biertje en luisterend naar een kerel die onzin uitkraamt.

Ze neemt weer een teug. Houdt zichzelf dan voor kalm aan te doen. Ze weet immers niet waar haar volgende drankje vandaan moet komen. Evenmin als haar volgende maaltijd, maar dat kan haar minder schelen.

'Alles goed met je, Angietje?' vraagt Bob wanneer Dean terugkeert naar de bierkoelkasten, die hij rinkelend begint bij te vullen met flesjes Carlsberg.

'Het gaat, lieverd. Het gaat.'

'Je bent er vandaag vroeg bij.'

'Ik moest wat boodschappen halen. En ik dacht: laat ik mezelf
eens verwennen.'

'Je verdient het, moppie. Leuk je te zien.'

Ze kijkt naar haar weldoener. Hij is een eind in de veertig en
niet veel groter dan zij. Draagt een namaakdesignerjeans, versleten bij de knieën, en vuile witte gympen, met een blauwe fleece
trui onder een vaalbruin suède jasje, duidelijk afkomstig uit een
liefdadigheidswinkel. Geen onknappe man. Ze zou het er best op
kunnen, mocht dat nodig zijn. Ze benadert haar vluchtige contacten meestal pragmatisch. Besluit in een opwelling of ze een
beetje zweet en een kleverig slipje wil verdragen voor nog een
paar pinten.

'Naar de kapper geweest, Ange?'

'Nee, schat. Het sneeuwde onderweg. Het is gewoon zo opge-
droogd.'

'Staat leuk. Van die krulletjes, zeg maar. Je lijkt wel een engel.'

'Ben ik ook, Bob. Een klein engeltje.'

Ze glimlachen en proosten. Ze neemt nog een slok, er opeens
van overtuigd dat het niet bij dit biertje blijft. Er was een tijd dat
ze zichzelf niet had durven vergelijken met een van de serafijnen,
uitverkoren door de Heer, maar toen God haar verliet, liet ze
Hem gaan. Alleen het kruisje om haar nek herinnert aan het feit
dat ze vroeger een kerkse christen was, die louter bad om veiligheid en genoeg brood op de plank, en in ruil daarvoor haar ziel
schonk.

Ze slikt de alcohol door.

Ze heeft hier een soort kunstvorm van gemaakt. Ze doet dagelijks de ronde langs een zestal pubs, en in elk ervan weet ze meestal twee of drie drankjes te versieren. Haar eerste betaalt ze altijd zelf, maar voor de volgende hoeft ze zelden in haar buidel te tasten. Misschien zou ze haar behoefte om zo veel tijd in pubs door te brengen, in een omgeving die bijna haar dood was geworden, hebben geanalyseerd wanneer ze destijds was ingegaan op het aanbod van posttraumatische stresscounseling. Maar Angie heeft geen tijd voor introspectie. Haar innerlijk is al blootgelegd toen de man haar met het mes begon te bewerken. En ze heeft niets gezien wat ze nog eens wilde zien.

'Je mag er zelf ook wezen, Bob,' zegt ze, waarbij ze haar hand op de zijne legt. 'Ik ben blij dat je binnenkwam. Het afgelopen uur zat ik hier alleen met de ouwe knarren.'

Bob glimlacht naar haar. 'Ik heb met Ken afgesproken in de Bear, dus als je ons gezelschap wilt houden? Is een goeie kerel, die Ken.'

Angie werpt hem een misschien-glimlachje toe, maar weet vrij zeker dat ze het niet doet. Hoewel er een kleine kans bestaat dat Bob en Ken met elkaar zullen wedijveren over wie er galanter is wanneer het op het bijvullen van haar glas aankomt, is de kans groter dat de stamgasten die haar in de Bear trakteren het niet leuk zullen vinden haar met twee kerels te zien die doorgaans in Wilson's aan de bar hangen, zodat ze de volgende keer wanneer ze een hand op hun dij legt en zegt hoe knap ze wel niet zijn hun portemonnee dichthouden.

De deur klapt weer dicht en Angie kijkt om. Zij en Bob zijn de enige overgebleven klanten. Ze herinnert zich niet te hebben gezien dat de oude mannen zijn opgestaan en heeft ze geen gedag horen zeggen, maar haar geest is zo beneveld dat ze, indien gevraagd, niet zou durven zweren hoeveel klanten er waren toen ze binnenkwam. Ze herinnert zich een grote kerel die een krant las, en misschien de oude Arthur, met zijn dikke bril en polyester broek, maar was dat vandaag of gisteren? Ze neemt niet eens de tijd om zich af te vragen of het iets uitmaakt voordat ze besluit dat het niet belangrijk is.

'Heb je gehoord wat John heeft uitgehaald? De idioot.'

'Nee, schat. Vertel. Ik ben dol op verhalen.'

Ze luistert aandachtig naar Bob als hij haar begint te vertellen wat John zaterdagavond in de Red Lion heeft gedaan, en hoeft niet eens met veel vertoon haar glas leeg te drinken om er nog een te krijgen. Halverwege dat biertje voelt ze de behoefte opkomen om te roken, maar ze denkt zich voorlopig wel te kunnen inhouden. Bij de volgende pub op haar ronde zou ze meteen naar de biertuin lopen en opvallend in haar handtas naar haar sigaretten zoeken, totdat een van de rokers medelijden met haar krijgt en haar een peuk aanbiedt. Dan kan ze die van haarzelf voor vanavond bewaren. Ze oproken voor de televisie, terwijl ze wodka uit de supermarkt drinkt en haar gratis belminuten verbruikt met ondeugende sms'jes naar de kroegbaas van de White Hart, die geen late bardienst voorbij laat gaan zonder zijn hart te luchten over het feit dat hij en zijn vrouw alleen samenblijven voor de kinderen, en dat er eigenlijk een vrouw zoals zij, een echte vrouw, in zijn bed hoort te liggen.

Ze weet niet wat hij in haar ziet. Wat mannen überhaupt in haar zien. Op haar drieënveertigste is ze niet bepaald een pin-up, maar ze draagt haar paarse legging, spijkerrok en wijde pullover van de uitverkoop zo uitdagend dat het haar – samen met de rode lippenstift, het donkere haar en de grote bungelende oorbellen – niettemin aantrekkelijk maakt. Ze is ook aanrakerig. Flirterig en vriendelijk. En schijnbaar kan ze goed luisteren, hoewel ze zelden iets anders zegt dan 'je verdient beter' of 'ze weet niet wat ze mist' wanneer ze verstrikt raakt in gesprekken over de tekortkomingen van de wederhelft van haar aanbidders.

Haar leven is natuurlijk niet altijd zo geweest. Angie Martindale was ooit een wonder. Dat zeiden de artsen. De politie. Zelfs de pers, hoewel haar naam nooit in een artikel is genoemd. Ze was het slachtoffer dat was ontsnapt. De overlevende. De enige die hij niet kon doden. Als alcoholiste is ze nog niet zo ver heen dat ze bereid is het verhaal te vertellen in ruil voor drank, maar er zijn momenten, wanneer haar glas leeg is en niemand een oogje op haar heeft, waarop ze een van de krantenknipsels die ze in haar handtas bewaart open zou willen vouwen om de hardcore drinkers van Grimsby te vertellen dat ze in een soortgelijke pub, vijftien jaar geleden, is mishandeld en verkracht door een man die door de rechter 'boosaardig' werd genoemd en wiens dode blauwe ogen nog altijd door haar heen staren in de nachten dat ze te nuchter in slaap valt.

Haar mobieltje trilt in de zak van haar spijkerrok. Ze verontschuldigt zich tegenover Bob en legt haar telefoon nadrukkelijk het zwijgen op.

'Je had best mogen opnemen,' zegt Bob, die een grote domme grijns tracht te verbergen als hij beseft dat ze het gesprek alleen heeft geweigerd om met hem verder te kletsen.

'Ik ben met jou aan het praten, Bob,' zegt ze, waarna ze zich iets uitnodigender opstelt. Ze heeft deze truc al heel wat keer gebruikt. Haar mannen het gevoel gegeven dat ze speciaal waren, alleen door haar alarm om het halfuur te laten afgaan en degene die haar midden in een gesprek met de meest fascinerende man ter wereld durfde te storen weg te drukken.

Ze komt uiteraard wel over de brug. Ze redt het niet met suggestie alleen. Nu en dan, wanneer ze vindt dat ze het hebben verdiend, of wanneer ze zich gewoon zo ellendig voelt dat ze ertegen opziet om in haar eentje naar huis te gaan, vraagt ze wel een man mee. Laat hem kwijlend op en in haar kruipen. Laat zich een paar minuten het oncomfortabele gewicht en ongemakkelijke gebonk welgevallen, in zekere zin haar straf en tegelijkertijd de beloning van haar vrijer. Al gebeurt het dezer dagen niet meer zo vaak. Het idee dat mensen haar persoonlijke leefruimte te zien krijgen staat haar steeds minder aan. Misschien omdat ze haar flatje heeft laten verslonzen, want hoe meer ze is gaan drinken, hoe minder toonbaar haar woning is geworden. Al was haar appartement, halverwege een woontoren, toch al nooit een paleisje.

'Weet je zeker dat je niet meegaat?'

'Volgende keer. Je hebt mijn nummer. Stuur me later een sms'je en wie weet.'

Hij werpt haar weer een grote grijns toe. 'Zal ik doen.'

'Ik zit waarschijnlijk gewoon thuis, moederziel alleen.'

'En dat willen we natuurlijk niet. Of wel?'

'Nee, schat.'

Hij kust haar wang voordat hij vertrekt. Ze voelt zijn ruwe stoppels tegen haar huid en het gekriebel van zijn snor bij haar wimpers. Vraagt zich af of hij haar beneden zal willen proeven, zoals al die verdomde moderne mannen lijken te willen. Of zijn snor zal kriebelen op haar dijen. Of hij het licht wil aanlaten. Of hij iets zal zeggen over de littekens.

Ze komt langzaam, voorzichtig, van de barkruk. Buigt zich voorover en raapt haar boodschappentas op. Wat goedkoop vlees van de slager. Wat lever. Zes witte broodjes. Fles wodka. Twintig Richmond Superkings.

'Ga je ervandoor, Angie? Het wordt hier een dooie boel zonder je.'

Dean heeft de flessenkoelkast inmiddels bijgevuld en staat achter de bierpompen naar de deur te kijken. Het is rustig gebleven tussen de middag, en hij vermoedt dat het pas tegen de avond weer drukker wordt. Aangezien hij in vaste loondienst is, hoopt hij niet zozeer dat het opeens stormloopt, maar zijn uren verstrijken sneller wanneer hij iets omhanden heeft en als de weekopbrengst minder is dan de eigenaar verwacht, komt hem dat op afkeurende blikken te staan. Zeker met kerst, want dan hebben mensen, volgens Wilson, geen enkel excuus om niet straalbezopen te worden.

'Ik ga denk ik lekker met de voeten omhoog,' zegt ze glimlachend, aangenaam wankelend op haar benen. 'Gisteravond een *Miss Marple* opgenomen. Beetje hersengymnastiek kan geen kwaad.'

'Geniet ervan, moppie. Je hebt het verdiend.'

Ze schenkt hem een andere glimlach dan die ze voor haar galante heren bewaart. Deze is oprecht. Het soort glimlach dat ze vroeger toonde zonder erbij na te denken. De vluchtige, opgewekte glimlach die ze ooit naar de man wierp die zijn initialen op haar vagina kerfde, voordat hij een groot broodmes tussen haar ribben stak en haar neukte terwijl ze bloedend op de tegelvloer van een pubtoilet lag.

'Ik kom morgen waarschijnlijk weer,' zegt ze. 'Moet je dan werken?'

'Mijn werk hier is nooit gedaan.'

Op weg naar de deur voelt ze een koude tocht langs haar lichaam optrekken, richting haar blaas. Ze kijkt achterom naar Dean en giechelt. 'De natuur roept, geloof ik. Eerste keer vandaag.'

'Eerlijk waar, ik snap niet waar je het laat,' bromt hij goedmoedig. 'Je hebt vast een kameel in je familie.'

'Ooo, wat ben je toch een charmeur,' zegt Angie, die haar boodschappentas op de dichtstbijzijnde tafel zet en naar het toilet loopt.

'Ik bedoelde het als compliment,' roept Dean haar na, maar ze is al buiten gehoorsafstand en hij trekt een gezicht als hij beseft dat hij haar misschien heeft beledigd. Vreest dat hij een flater heeft geslagen en dat het hem een drankje of twee gaat kosten om het goed te maken. Hij besluit er niet mee te wachten en bukt zich om een leeg glas te pakken.

Hij heeft zich half voorovergebogen wanneer de klap komt.

Een ogenblik voelt hij achter in zijn nek een vernietigende, geestverdovende pijn, en dan ligt hij plat op zijn gezicht; een bewusteloos hoopje mens, liggend op zijn buik bij de bierkoelkasten, met zijn ene beweginjoze hand komisch neerhangend in een halfvolle doos met zout-en-azijnchips.

Dean hoort de man niet over zijn lichaam heen stappen en naar de voordeur lopen.

Hoort niet het zachte *klik* van de deurgrendel die sluit, noch het zachte gekraak van zwarte schoenen op de houten vloer.

Hoort de deur naar de toiletten niet knarsend opengaan, het geluid van een mes dat langzaam uit een leren hoes wordt getrokken.

Hoort niet het gegil dat begint...

16

'Weet je het zeker?' buldert McAvoy, met een vinger in zijn oor tegen het gejank van de motor en het gegons van banden op de betonnen weg. 'Hoe hard heeft hij dan geklopt?'

Tremberg schakelt naar de vierde versnelling. Ze probeert tien extra kilometer per uur uit de eenlitermotor te persen en drukt het gaspedaal, ondanks het protest van rokend metaal onder de kap, bijna door de bodem.

'Nee... Zeker weten doe ik het niet, maar er bestaat een grote kans...'

Tremberg kijkt van achter het stuur naar McAvoy.

Ze bestudeert de rug van zijn hand. Meer kan ze niet van hem zien, alleen de hand waarmee hij het mobieltje te hard tegen zijn schedel drukt. De knokkels zien eruit alsof ze in het verleden meermaals zijn gebroken. Ze lijken alles te vertegenwoordigen wat ze van hem weet. Dat hij letsel heeft toegebracht en opgelopen. Dat dezelfde warme, beschermende palm en vingers waarmee hij zijn knappe zoon en mooie vrouw moet wiegen, samengebald kunnen worden tot een vuist waarmee hij zichzelf en anderen buitengewoon veel schade kan berokkenen.

'Trap de deur in,' roept hij. Dan: 'Kan me niet schelen. Geloof me nou maar.'

Waarom zouden ze, denkt ze. Ze kennen je niet. Tot vanochtend kende ik je nauwelijks. Ik ken je nog steeds amper.

McAvoy smijt de telefoon neer. 'Er wordt niet opengedaan bij haar flat.' Hij kijkt naar haar op van onder een spuuglok van nat rossig haar, met rooddooraderde en glinsterende ogen. 'Ze hebben het de buren gevraagd, maar er komt geen reactie. Ze willen de deur niet intrappen zonder toestemming...'

Zijn stem sterft weg. Tremberg krijgt de indruk dat hij worstelt met zichzelf. Niet wil toegeven dat ook hij, gedurende zijn carrière, volgens het boekje te werk is gegaan. Wachtte op het bevel. Deed wat hem werd gevraagd.

'Waar gaan we nu heen?' vraagt ze, met haar blik weer op de weg.

McAvoy zegt niets. Hij lijkt in het vel van zijn pols te bijten, er gedachteloos aan te knagen als een hond met een bot.

Het wordt donker achter het glas. Er dwarrelen sneeuwvlokken door de lucht.

'Waar gaan we als eerste naartoe?' vraagt ze opnieuw.

Ze naderen het industrieterrein dat de grens met Grimsby markeert. De omgeving ruikt naar vis en fabrieken, en het hersenschuddend getril van banden op beton werkt bijna slaapverwekkend.

McAvoy laat zijn arm weer op zijn schoot zakken. Lijkt een besluit te nemen. 'Volgens een van de buren gaat ze na de middag meestal naar Freeman Street. Naar een van de pubs. Ze wist alleen niet welke...'

'Freemo?'

'Als jij het zegt. Dit is jouw buurt, niet de mijne.'

Op een of andere manier weet Tremberg nog eens vijftien kilometer per uur aan haar vijfdeurs te ontlokken. De wijzer loopt op naar honderddertig, en op twee wielen scheurt ze rond de eerste rotonde en raast het viaduct op dat langs de havens voert. Ze kent deze buurt. Heeft hier als wijkagent gewerkt.

'Wat weten we over haar?' roept ze terwijl ze plankgas langs de visverwerkingsfabriek rijdt. 'Wat drinkt ze?'

McAvoy kijkt haar aan alsof ze gek is geworden, haalt dan nerveus zijn schouders op en pakt zijn notitieboekje van zijn schoot. Hij kijkt naar de onafgemaakte zinnen en cryptische sleutelwoorden die hij tijdens zijn haastige gesprek met de baliebrigadier in het hoofdbureau van Grimsby in steno heeft opgekrabbeld, evenals de vage details die brigadier Linus in de database heeft gevonden en telefonisch heeft doorgegeven, nog geen tien minuten nadat Tremberg en McAvoy naar het parkeerterrein waren gerend en in volle vaart richting de brug waren gereden.

'Ze heeft een uitkering,' leest hij voor. 'Had ze recht op na de aanslag. Opname in het Diana, Princess of Wales Hospital na een dronken incident voor de Fathom Five...'

'De Fathom Five? Die is vorig jaar gesloten.'

'Meer heb ik niet!' roept McAvoy, die zijn notities herleest in de hoop dat hij iets nieuws ziet. Een hint. Een aanwijzing voor wat hij verdomme moet doen.

Tremberg bijt op haar lip en stuurt de auto hard naar rechts bij de nieuwste in een eindeloos lijkende reeks van rotondes die naar het centrum leiden. 'Bel Sharon van de Bear,' zegt ze triomfantelijk. 'Als Angela in Freemo komt, kent ze haar vast.'

Blij dat hij iets kan doen, belt McAvoy het eerste inlichtingennummer dat hij zich kan herinneren. Hij lijkt een eeuwigheid te luisteren naar de Aziatische stem die de welkomsttekst voorleest. 'De Bear,' roept hij. 'Freeman Street. Grimsby.'

Tremberg vertrekt haar gezicht als ze hoort dat hij het moet herhalen.

'Nee,' buldert hij. 'Verbind me gewoon door. Verbind me door.'

Een moment later geeft hij haar een knikje. De telefoon gaat over.

'Hallo? Spreek ik met de eigenares? Mevrouw...? Sharon? Ik bel namens de politie van Humberside. Ik zoek dringend contact met een dame die misschien tot uw vaste klantenkring behoort. Angela Martindale...'

Tremberg kijkt een volle tien seconden naast zich en ziet McAvoys gezicht verschillende stadia van woede en frustratie doorlopen. Ze kan wel raden wat de vrouw aan de andere kant van de lijn zegt. Weet dat ze Angie daarmee een dienst denkt te bewijzen. Dat ze haar stamgasten niet verlinkt en Oom Agent wat haar betreft de boom in kan.

Zonder na te denken pakt ze de telefoon van haar brigadier. 'Sharon,' blaft ze in het mobieltje. 'Met Helen Tremberg. Ik heb Barry de deurwaarder gearresteerd toen hij Johnno een klap gaf met zijn wielklem. Weet je nog? Luister, we moeten Angie Martindale nu vinden. Ik zweer het: als je hoort dat we haar hebben opgepakt vanwege iets wat je ons hebt verteld, betaal ik je bieromzet een jaar lang uit eigen zak. Oké.' Ze knikt. 'Goed, schat. Bedankt.'

Ze geeft de telefoon terug aan McAvoy. 'Een van haar stamgasten zei dat hij een uurtje geleden met haar stond te kletsen in Wilson's. Aan het eind van Freeman Street. Ze tappen daar Bass-bier.'

'Kan ze haar niet op een of andere manier –'

'Daar heb je Freemo.' Tremberg stuurt scherp naar rechts, langs het gebouw van de *Grimsby Telegraph*, een vervallen winkelstraat in, behangen met bedroevend ouderwetse kerstlampjes. 'Waar mensen dromen over een ander leven.'

In het opkomende donker, met hier en daar wat neonreclame en knipperende koplampen, doen de dichtgespijkerde winkelgevels en met graffiti overdekte rolluiken McAvoy denken aan iets uit het Oostblok. Hij is dit soort ellende gewend in Hull, maar dit is een nieuwe stad. Een nieuw beeld van recessie en armoede, van apathie en pijnlijke berusting. Het raakt hem in zijn hart.

'Eind van de straat,' zegt Tremberg opnieuw.

Als ze de gapende ingang tot de vismarkt passeren, zien ze rechts de schommelende uithangborden en geruïneerde façades van drie verschillende pubs. McAvoy proeft de lucht en verwacht kabeljauw, schelvis of misschien tarbot. Ruikt niets van dat alles. Niet het zout van de zee. Alleen frituur- en benzinedampen. Ziet niets dan sneeuw en duister, straatlantaarns en schimmige winkelportieken.

'Dat is de pub van Sharon,' wijst Tremberg terwijl ze langs een bar rijden met een witgekalkte voorgevel en zwartgeschilderde dubbele deuren, waar vijf, zes rokers bij elkaar staan, stampend met hun voeten, sigaretten rollend, kijkend naar het verkeer en spuwend tot aan de stoeprand.

'Er brandt licht.' Tremberg gebaart naar een gebouw rechts voor hen, tussen een liefdadigheidswinkel en een bakkerij. 'Dat is een goed teken.'

Ze mindert snelheid en parkeert voor de bar. Sluit heel even haar ogen voordat ze de motor afzet. Kijkt op en draait langzaam haar hoofd. McAvoy kijkt over haar schouder naar de gesloten voordeur.

'Misschien is ze hier niet,' zegt McAvoy.

'Nee.'

'Ze kan overal zijn. Ergens anders iets drinken. Een kerel hebben ontmoet. Haar kerstinkopen doen...'

'Ja.'

'De kans dat ze nu daar is...'

'Gering.'

'Bijna nul.'

'Maar nu we hier toch zijn, kunnen we net zo goed wat drinken...'

'Een pint Bass?'

'Ja, zat ik ook aan te denken.'

Met een onderlinge blik maken ze zichzelf wijs hun smoesje te geloven. Dan knikt McAvoy.

Als hij zich uit het te kleine voertuig probeert te bevrijden, grijpt de wind het portier en in zijn gevecht om het te sluiten voelt hij een pijnscheut door zijn arm trekken. Tegen de tijd dat hij met beide benen op het wegdek staat en het portier heeft dichtgeslagen, probeert Tremberg reeds de voordeur, rammelend aan de roestige handgreep en bonkend met haar schoenen.

'Op slot,' roept ze buiten adem, boven het geloei van de wind uit. Ze vindt de brievenbus, opent die met haar vingers en brengt haar mond voor de opening, waardoor een gele streep licht naar buiten valt. 'Politie!' roept ze. 'Politie!' Ze kijkt nog een keer door de brievenbus. Drukt haar oor ertegen.

'Hoor je iets?' vraagt McAvoy.

Tremberg trekt een gezicht als ze zich naar hem omdraait. 'Ik weet niet. Misschien.' Ze wuift vertwijfeld naar de wind, alsof ze die tot stilte maant. 'Ik kan het niet goed horen. Probeer jij eens.'

Ze stapt opzij en McAvoy drukt zijn oor tegen de opening. Houdt zijn hoofd schuin en roept: 'Angela Martindale! Ben je daar? Politie. Doe open.'

Het geluid is onmiskenbaar. Menselijk. Bevreesd. Als de oerbrul van een beest dat in doodsangst verkeert.

Tremberg heeft het ook gehoord, maar haar aandacht wordt afgeleid door rumoer verderop. De rokers van de Bear komen de straat op gelopen, aangetrokken tot het spektakel als vliegen die een hoop stront hebben ontdekt.

Ze kijkt achter zich om te zeggen dat McAvoy de deur moet inbeuken, maar hij neemt al een aanloop.

De deur komt los van zijn scharnieren, klapt achterwaarts als bij een stormram, en McAvoy valt languit het dranklokaal binnen. Zijn schouder doet zeer en hij proeft bloed waar hij zijn tanden te hard heeft gestoten, maar hij verdrijft die gevoelens uit zijn geest en schudt zijn hoofd om helder na te denken.

Hij krabbelt op, waarbij hij zich afzet tegen de kapotte deur en een lange, scherpe splinter onder zijn huid voelt steken.

'Brig!'

Tremberg pakt zijn arm en helpt hem overeind. Ze staan op de modderige houten vloer, hun ogen half toegeknepen tegen het licht. De pub is leeg. Bij een barkruk ligt een vergeten boodschappentas. Op de toog staan vuile glazen.

'Hallo.'

Het woord klinkt komisch in de verlaten ruimte.

Dan komt er weer een gil.

McAvoy draait zich meteen om, op zoek naar een deurgat in de nabije muur. Ziet er geen. Begint naar het eind van de bar te rennen. Hij steekt een hand uit en grijpt de koperen stang die langs de geverniste houten toog loopt. Pakt gedachteloos een vuil glas. Houdt bijna in als hij het lichaam achter de bar ziet.

'Helen!' roept hij, wanneer hij de ingang tot de toiletten in het oog krijgt. 'Achter de bar!'

Zonder op adem te komen stormt hij door de klapdeur en klettert tegen een bepleisterde muur. Rechts van hem ziet hij de ingangen tot de dames- en herentoiletten. Met het glas in zijn rechterhand trapt hij de deur naar het damestoilet open en hij stort zich naar binnen.

Het vertrek baadt in blauw neonlicht, afkomstig van een tl-buis aan het plafond. Bij de muur aan de overkant ziet hij een gebroken spiegel en twee hokjes, allebei met de deur halfopen.

Angie Martindale ligt op haar rug op de vloer te kronkelen. Haar rok is tot op haar middel gesjord. Haar legging hangt op haar enkels. In het kunstlicht lijkt de bloederige smurrie rond haar schaamstreek zo zwart als teer en reeds gestold. Haar handen bedekken haar gezicht en huilende snikken ontsnappen door haar vingers.

McAvoy staat roerloos. Het tafereel voelt ergens onwerkelijk. Alsof het iemand anders overkomt. Opeens voelt hij zich koud en klam, alsof hij badend in het zweet uit een nachtmerrie is ontwaakt.

'Da... Daar...'

Angie Martindale steekt een bebloede vinger op, gruwelijk en griezelig, en wijst naar de deur van het dichtstbijzijnde hokje.

Instinctief buigt McAvoy zich voorover om zijn oor naar haar mond te brengen, haar woorden beter te verstaan en te begrijpen wat ze bedoelt.

Dan springt er een gedaante over de deur van het hokje, geheel in het zwart met een bivakmuts; het lichaam diep gebogen, zijn ene been vooruit, als een hordeloper die een hindernis neemt. McAvoy kijkt op. Voelt de wereld om zich heen vertragen, samenkomen in dit ene moment. Dit nu. Deze schoenzool met rupsbandprofiel, die razendsnel op zijn gezicht afkomt.

Op het laatste nippertje trekt hij zijn hoofd terug. De schoen schiet rakelings langs zijn kaak, maar de persoon achter de trap is te groot om te ontwijken. Als de man tegen zijn borst slaat en hem achteruit tegen de muur smakt, voelt McAvoy alle lucht uit zijn lijf verdwijnen.

De dreun tegen het baksteen is misselijkmakend en McAvoy dreigt even weg te zinken in een zwarte stroop van bewusteloosheid. Het glas valt uit zijn hand. Slaat kapot op de tegels. Zijn hoofd gonst. Hij kan bloed ruiken. Er dansen lichtflitsen voor zijn ogen.

En dan realiseert hij zich dat hij iemand in zijn armen houdt. Dat een man in het zwart om zich heen slaat en schopt; ellebogen in zijn ribben ramt en naar zijn schenen trapt. Zich probeert te ontworstelen aan een houdgreep waarvan McAvoy niet eens wist dat hij hem had toegepast.

Het moment van besef, de terugkeer in zijn lichaam, doet zijn greep kort verslappen en onmiddellijk voelt hij een sterke onderarm tegen zijn kaak, die zijn hoofd weer tegen de muur drukt terwijl een vuist neerkomt op zijn ribben.

McAvoy laat zijn armen vallen. Een pijnscheut schiet door zijn ruggengraat en explodeert in een knallende hoofdpijn. Hij krijgt nauwelijks de tijd om de volgende rechtse met zijn handen af te weren, die op zijn jukbeen belandt en hem opnieuw tegen de muur dwingt.

Er is geen ruimte om te vechten. Hij kan zijn armen niet naar achteren bewegen om met zijn vuist uit te halen. Kan niet naar voren stappen omdat hij dan misschien op Angie Martindale trapt.

Hij incasseert nog een klap tegen zijn borst.

Schopt. Mist. Haalt uit met zijn rechterhand en slaat in het luchtledige, waar zich een moment eerder het hoofd van zijn belager bevond.

Jezus, denkt hij, verdwaasd door de pijn, deze kerel kan vechten!

Opeens wordt hij kwaad. Pisnijdig. Een vreselijke oerdrift spoort hem aan.

Hij zet zich met een van zijn voeten af tegen de muur achter hem en duwt zichzelf naar voren, waarbij hij de maaiende armen van zijn belager weet te grijpen. Hij stuwt hen allebei over de tegelvloer, glibberig van het bloed, in een wirwar van ledematen, en voelt een bevredigende bonk als de man met zijn rug tegen de deur van het hokje slaat. McAvoy gromt en beukt hem nogmaals tegen het harde hout. Voelt zijn tegenstander verzwakken. Neemt het hoofd van de man in zijn handen. Voelt de wol van de bivakmuts. Slaat het hoofd tegen de deur. Pakt hem met links bij de keel en geeft hem met rechts een stomp in de maag. Voelt hem ineenkrimpen. Heft zijn rechterhand om een mokerslag op hem neer te laten komen.

De deur klapt open.

Helen Tremberg staat in de deuropening, met in haar linkerhand haar uitschuifbare wapenstok. Ze houdt haar rechterhand omhoog alsof ze het verkeer aan het regelen is.

Ze opent haar mond om te spreken. Om de man in het zwart te vertellen dat het spel uit is? Om Angie Martindale te vertellen dat ze blijft leven? De woorden verlaten nooit haar lippen.

In één vloeiende beweging trekt de man een mes tevoorschijn. Of het uit een zak of uit een mouw komt kan McAvoy zich later niet herinneren, maar het ene moment valt de man half naar de grond, handen gebald als vuisten, en het volgende moment zwaait hij achterhands een bebloed lemmet in het rond, waarmee hij Helens arm opensnijdt.

McAvoys brul van ontzetting komt voor de gil van Tremberg, maar er galmt meteen een kreet van pijn en ongeloof door het piepkleine kamertje.

De man in het zwart stormt naar voren en grijpt Helen Tremberg bij de nek. Draait en smijt haar naar McAvoy, terwijl hij glibberend op de gladde vloer niet onderuit probeert te gaan. Ze raakt McAvoy vol op het lichaam en beide agenten vallen met al hun gewicht op de benen van Angie Martindale.

Tegen de tijd dat McAvoy overeind is gesprongen, zwaait de deur naar de toiletten dicht. Hij wankelt vooruit, trekt de klapdeur open en rent de bar in, alleen om door een woud van armen en benen gegrepen te worden ter hoogte van zijn knie, middel en schouder. Hij klettert hard tegen de houten vloer. Draait zich op zijn rug en haalt uit met kwade trappen, vloekend en tierend tegen de mannen die op hem neerkijken en hem tegen de grond willen drukken.

Als hij probeert te gaan staan, voelt hij een arm om zijn nek en hij duwt zichzelf achteruit tegen de koperen stang. Hoort de man op zijn rug naar adem happen als de lucht uit zijn longen schiet.

'Politie...' brengt McAvoy hijgend uit. 'Ik ben van de politie.'

De druk op zijn nek neemt meteen af. McAvoy kijkt naar de mensen om zich heen. Een bont gezelschap van zes, zeven kroegklanten. De stamgasten van de Bear. Twee plompe kerels, een vent van middelbare leeftijd in een korte broek, een petieterige vrouw met te veel oorringen, een oude man met een grijzend Elvis-kapsel, en een lange, broodmagere man in een wit overhemd die een arm lijkt te missen.

'We dachten...' zegt er een.

McAvoy dringt langs hen heen. Klautert over de ravage van de gebroken voordeur en bereikt buiten adem de straat.

Wanhopig kijkt hij alle kanten op. Links. Rechts. Zelfs terug in de bar.

Dan omhoog naar de hemel als hij beseft dat de man is verdwenen. Dat hij de dader in handen had en hem heeft laten lopen.

Met opengesperde ogen staart hij diep in de wervelende donkere sneeuwwolken en schreeuwt het enige woord dat recht doet aan de situatie.

'KUT!'

17

'Waag het niet iets te zeggen,' begint Pharaoh. 'Ik wil niemand horen.'

Ze loopt achter de bar en pakt een klein bierglas van de bovenste plank. Ze houdt het glas onder een fles wodka en schenkt een dubbele voor zichzelf in, die ze in één keer achteroverslaat.

Het onderzoeksteam heeft zich verzameld in de voorbar van Wilson's. Colin Ray zit onderuitgezakt op een harde stoel, zijn stropdas bijna los tot aan zijn navel. Hij kauwt op nicotinekauwgom en lijkt ingenomen met zichzelf. Zoals altijd bevindt Sharon Archer zich aan zijn zijde. Ze heeft op de tafel voor haar een zakje met chips geopend en eet ze zo stil mogelijk op.

Sophie Kirkland en Ben Nielsen staan aan de bar en kijken naar Pharaoh. Ze zijn een paar minuten geleden samen gearriveerd, mopperend over het gebrek aan parkeerruimte en sneeuw van hun haar schuddend op een vloer vol modderige schoenafdrukken.

McAvoy leunt tegen de fruitautomaat naast de zijingang. Door het matglas ziet hij de fluorescerend gele jas van de agent die de ingang bewaakt. Twee andere agenten zijn bij de voordeur geplaatst. De weg is afgezet, maar de menigte voor het café staat nog steeds te dichtbij. De laatste keer dat McAvoy zijn hoofd uit de voordeur stak, snauwden sommige toeschouwers naar hem. Hij vraagt zich af of het zin heeft tegen hen te zeggen dat hij zich nog rotter voelt over wat Angie Martindale is overkomen. En hij is degene die haar leven heeft gered.

Pharaoh blijft achter de bar staan. Ze sluit haar ogen. Ademt een volle dertig seconden in en uit. Langzaam, zonder een woord te zeggen, haalt ze een dun sigaartje uit een zak van haar jas, steekt het op, en inhaleert de rook diep in haar longen. Ze blaast er heel weinig van uit.

'Ze is niet dood,' zegt Pharaoh ten slotte. 'Dat is goed nieuws.'

Ze zwijgt. Neemt weer een trek van het sigaartje.

'Met Helen Tremberg komt alles weer in orde. Dat is ook goed nieuws.'

Weer een trekje. Nog een wolkje rook.

'Wat geen goed nieuws is, is dat ik dit pas allemaal te horen kreeg toen commissaris Everett mij belde voor de laatste stand van zaken. Hij was blijkbaar op een begrafenis met de hoofdin-specteur van Grimsby, toen de balieagent van de inspecteur belde om te vragen of ze de Eenheid Zware Georganiseerde Criminali-teit wel of niet moesten assisteren bij hun moordonderzoek, en de deur mochten intrappen van een flatje in het centrum. Hij vraagt aan mij wat Angela Martindale te maken heeft met de zaak-Daphne Cotton. Of de zaak-Trevor Jefferson, wat mij betreft. Ik had jullie gevraagd daar onderzoek naar te verrichten, weten jullie nog? Dus vraagt de commissaris mij om tekst en uitleg. Hij luis-tert aandachtig en verwacht dat ik hem op de hoogte breng. Ik stond niet bepaald te juichen toen ik dat telefoontje kreeg. En nog minder toen ik hem moest vertellen dat ik nog nooit van haar had gehoord. Dat ik geen idee had waarom twee van mijn recher-cheurs een arme straatagent in hemelsnaam opdroegen haar deur in te trappen om te kijken of ze nog leefde.'

McAvoy heft zijn hoofd. Opent zijn mond. Sluit hem weer.

'En nu sta ik hier in Grimsby,' zegt ze. 'Met één agent bloedend als een rund. De andere met een flard van een bivakmuts. Een vrouw plat op haar gat in het toilet van een pub, met snijwonden op haar flamoes. En ik zit met een heleboel vragen. Denk je dat het iedereen nu misschien schikt om mij een paar antwoorden te geven?'

Er valt een stilte in het vertrek. Colin Ray haalt zijn schouders op, maar neemt de tijd voor een knipoog naar McAvoy. Een gebaar dat beslist niet collegiaal is bedoeld. Shaz Archer volgt zijn voorbeeld, en ook Ben Nielsen en Sophie Kirkland draaien zich, met een minder vorsende blik, zijn kant op. Alle ogen zijn op hem gericht.

'Zo te zien ben jij de gelukkige kandidaat, mijn jongen,' zegt Pharaoh, maar haar stem is allesbehalve vriendelijk.

McAvoy kijkt op. Zijn ribben bonzen als een migraine en zijn kiezen voelen los aan. Hij voelt zich misselijk worden bij de gedachte zichzelf nader te moeten verklaren, en beroerd tot op het bot omdat hij een moordenaar in zijn handen had en hem heeft laten ontsnappen.

'Het een heeft met het ander te maken,' begint McAvoy. Hij klinkt als een schooljongen. Sluit zijn ogen weer. Draagt zichzelf op alles te vertellen. Alle kaarten op tafel te leggen, in de hoop dat het net zo logisch overkomt als een paar uur geleden, toen hij neerknielend bij Angela Martindale de sterke, pezige armen van de man in bedwang hield en besefte dat hij gelijk had gehad. Dat het goed was geweest om zijn instinct te volgen en de deur in te beuken. Het was alleen verkeerd om zijn baas niet van tevoren in te lichten. Hij vraagt zich af wat dat over hem zegt. Is het zijn eigen hoogmoed die hem ervan weerhoudt met zijn superieur te overleggen? Of kwam het omdat hij in het heetst van de strijd, de adrenalineroes, het koortsachtige moment waarop hij wist dat hij de confrontatie zou aangaan met een moordenaar, nergens meer aan had gedacht?

Hij kijkt weg van iedereen. Stelt zich voor dat hij tegen zichzelf praat. De informatie op een blanco pagina rangschikt.

'Op de dag dat Daphne Cotton werd vermoord, vroeg commissaris Everett of ik langs wilde gaan bij ene Barbara Stein-Collinson, om haar te vertellen dat haar broer dood op zee was gevonden. Zijn naam was Fred Stein. Hij was de enige overlevende van een van de trawlerrampen in 1968 voor de kust van IJsland. Hij wist te ontsnappen in een reddingsboot, samen met twee scheepsmaten. Zij stierven. Hij niet. Een week geleden vertrok hij met een documentaireploeg om zijn verhaal te vertellen en een krans te leggen op de plek waar zijn schip was gezonken. Terwijl hij aan boord was, verdween hij op volle zee. Hij raakte overstuur tijdens een interview, ging naar buiten om een luchtje te scheppen en kwam nooit meer terug. Een paar dagen later werd hij dood in een reddingsboot aangetroffen. Niet een reddingsboot van het schip, maar een die speciaal aan boord was gebracht. Een zorgvuldig voorbereide zelfmoord? Voelde hij zich schuldig omdat hij als enige in leven was gebleven? Misschien. Maar het voelde niet goed. Om een lang verhaal kort te maken, ik nam contact op met een schrijver die Russ Chandler heet. Hij verblijft in Linwood Manor...'

'Het gesticht?' Sharon Archer staart hem ongelovig aan.

'Hij is aan het afkicken. Heeft een drankprobleem. Hoe dan ook, hij belde me vandaag en wilde weten wanneer we hem kwamen ophalen. Hij begon over de telefoongesprekken van Trevor Jefferson...'

Enkele agenten beginnen hun hand op te steken en verwarde blikken uit te wisselen. 'Trevor Jefferson? De kerel in het ziekenhuis?'

'Ja. Bleek dat Chandler niet alleen de deal met Fred Stein had geregeld voor het televisiebedrijf, maar hij had enige tijd geleden ook Trevor Jefferson benaderd omdat hij een boek wilde schrijven over de enige overlevenden van een ramp. Mensen die als enige aan de dood waren ontsnapt.'

McAvoys ogen vinden Trish Pharaoh. Ze staat met de armen over elkaar en bijt op haar onderlip, maar ze luistert en het knikje van haar hoofd doet vermoeden dat ze begrijpt waar hij heen wil.

'Jefferson overleefde een brand waarbij zijn vrouw en kinderen omkwamen,' gaat McAvoy verder, op zoek naar een gezicht waar hij tegen kan praten zonder zich ongemakkelijk te voelen. 'Zelf had hij geen schrammetje.'

Hij zwijgt opnieuw en wacht tot iemand een vraag stelt.

'Hoe kom je dan bij Angela Martindale terecht?' vraagt Kirkland kalm. Ze lijkt oprecht in de war en haar ogen zien nog rood van de schrik door de aanblik van Tremberg achter in de ambulance, terwijl haar opengereten arm in verbandgaas werd gewikkeld.

'Angela Martindale was ook iemand met wie Chandler contact had opgenomen. Ze was het enige overlevende slachtoffer van een man die door de pers de Barslachter werd genoemd. Hij verkrachtte een aantal vrouwen op de toiletten van pubs. Kerfde zijn initialen op hun geslachtsdelen. Stak ze dood. Angela Martindale overleefde haar verwondingen. Getuigde tegen hem. Zij is de enige die aan hem is ontsnapt.'

McAvoy vangt Pharaohs blik op. Ze geeft weer een knikje om te laten weten dat hij mag doorgaan.

'Daphne Cotton was als baby het slachtoffer van een aanval met machetes,' zegt hij op gewichtige toon. 'Al haar dierbaren werden door militanten in stukken gehakt. In een kerk. Zij overleefde het. Als enige.'

Na een ogenblik verandert Colin Ray van houding. Hij gaat meer rechtop zitten en lijkt te luisteren.

'Wraakactie?'

McAvoy schudt zijn hoofd. 'Past niet in het plaatje. Ja, bij Jefferson kan ik het begrijpen. Vooral als hij degene is geweest die de brand heeft gesticht. Maar Stein? Daphne Cotton? Angela Martindale? Wat hebben zij ooit misdaan?'

McAvoy wordt onderbroken door de toiletdeur die openklapt. Een technisch rechercheur, in een wit pak met een blauw mondkapje, betreedt de bar met een plateau vol bewijszakjes. Hij kijkt naar de verzamelde rechercheurs en beseft dat hij ongelegen komt. Hij zet het plateau op de dichtstbijzijnde tafel. Kijkt naar Pharaoh en mompelt 'dezelfde voetafdruk' door het mondkapje, voordat hij hem smeert door de zijdeur. Een ijskoude windvlaag en wat straatgeluiden vullen de leegte die hij in het vertrek achterlaat.

'Voetafdruk?' vraagt McAvoy, met een blik naar Pharaoh.

'Het spijt me, brigadier.' Haar stem druipt van het sarcasme. 'Ik weet dat ik die informatie niet met je heb gedeeld. Hopelijk kun je het me vergeven. Het was niet opzettelijk. Dat ik het als hoofdrechercheur wist, leek me eigenlijk voldoende. Frustrerend, vind je niet?'

'Maar het is dus dezelfde kerel? Die ook Daphne heeft vermoord?'

Pharaoh knikt. 'Daar ziet het wel naar uit.'

Nielsen wendt zich tot McAvoy. 'Jij hebt hem twee keer gezien.'

'Ja,' geeft hij schuldbewust toe, om te laten merken dat hij zich er al rot genoeg over voelt zonder dat het hem wordt ingepeperd, hoe verdiend ook.

'Was het dezelfde vent? Ik bedoel, had hij dezelfde lichaamsbouw?' Nielsen glimlacht charmant. 'Dezelfde tranerige blauwe ogen?'

McAvoy is buitengewoon verheugd dat Nielsen zijn omschrijving heeft onthouden. Het doet hem goed te weten dat er iemand naar hem heeft geluisterd.

'Geen twijfel mogelijk. Ik ving alleen een glimp op van zijn ogen, maar het waren dezelfde. Blauw. Rooddooraderd. Vochtig, alsof hij had gehuild.'

'En het slachtoffer zei hetzelfde?'

'Ja,' antwoordt McAvoy. 'Het was moeilijk iets zinnigs uit haar te krijgen, maar daar was ze duidelijk over. Hij had gehuild. Zat een eeuwigheid boven haar, met zijn broek omlaag en zijn mes getrokken, en deed niets anders dan snikken.'

Colin Ray wendt zich weer tot Pharaoh. Hij lijkt tot leven te komen. 'Is er geld in het budget voor een profiel?' vraagt hij.

Pharaoh knikt, zonder zelfs over de kosten na te denken.

Ondanks alles wat er is gebeurd, krijgt McAvoy bijna een warm gevoel vanbinnen. Het is alsof zijn collega's veranderen in politie-agenten waar hij bij staat. Ze beginnen vragen te roepen. Theorieën. Suggesties. Pharaoh komt van achter de bar en leidt Kirkland en Nielsen, met een zachte, strelende hand in het midden van hun rug, naar de inspecteurs toe.

'Wie het ook is, dit zijn beslist geen willekeurige acties,' zegt Pharaoh. 'Hij heeft erover nagedacht. Gaat weloverwogen te werk. Het is iemand die geobsedeerd is door onafgedane zaken, en wij moeten erachter komen waarom hij die denkt te moeten afmaken.'

McAvoy stapt weg bij de fruitautomaat en trekt gedachteloos een stoel bij. Ze zitten min of meer in een cirkel en met elk woord dat wordt gesproken voelt hij zich meer deel uitmaken van dit gezelschap van opgewonden rechercheurs. Zo had hij het zich altijd voorgesteld toen hij de overstap maakte naar de opsporingseenheid.

'Hoe weten we nu waar hij de volgende keer toeslaat?' vraagt Sophie, die opkijkt van haar notitieboekje en haar driftige gekrabbel. 'Hoe vinden we in godsnaam weer een enige over-levende?'

Colin Ray, die iets in het oor van Shaz Archer heeft zitten smoezen, leunt plotseling achterover op zijn stoel, alsof hij tegen zijn borst is geduwd. 'Die Chandler, wat is dat voor type?'

McAvoy vraagt zich even af hoe hij de verfomfaaide, drank-zuchtige broodschrijver het best kan opsommen. 'Typische jour-nalist eigenlijk. Uit op eigen roem. Houdt zich niet altijd aan de regels. Kwaad op het leven en drinkt te veel.'

'Zo te horen is hij de schakel in het geheel,' concludeert Ray. McAvoy ziet een paar knikjes bij de anderen. Hij kijkt naar Pha-raoh. 'Je wilt toch niet beweren dat Chandler degene kan zijn die…'

'Bingo. Ga je door voor de hoofdprijs?' reageert Ray.

'Nee, ik zie het verband wel,' zegt McAvoy, 'maar hij is fysiek niet in staat om dit soort misdrijven te plegen. Onmogelijk.' Het hele idee komt hem zo belachelijk voor dat hij onbewust zijn stem verheft.

Ray schiet in de verdediging. 'Luister, jongen, ik heb gasten gekend zo schriel als een jockey die in een kwade bui een body-builder konden vloeren. Als zo'n kereltje je een of twee keer de baas is geworden, is het geen schande dat toe te geven.'

Voor hij het weet staat McAvoy overeind. 'Denk je dat ik daar-over inzit?' wil hij weten.

'Rustig, brigadier,' zegt Ray onbewogen.

'Ik heb Chandler ontmoet. Hem een tijdje gesproken. En ik heb de man gezien die dit doet. Het zijn twee heel verschillende kerels.'

'Zo is het wel genoeg,' zegt Pharaoh, die McAvoy gebaart weer te gaan zitten. Ze kijkt van zijn rode gezicht naar het kwade hoofd van Colin Ray en lijkt een besluit te nemen. 'Wat heb jij toch met mensen die een arm of een been missen? Toen ik hier aankwam, stond er ook al een eenarmige Rus tegen je te foeteren,' zegt ze met een flauwe glimlach. 'Een zuipschuit met één been is nu wel het laatste waar ik op zit te wachten.'

Even lijkt hij in woede te zullen uitbarsten, maar hij beheerst zich. Werpt haar een lachje toe om te laten zien dat hij zichzelf in de hand heeft. Voelt iedereen weer wat ontspannen.

'Onze situatie is als volgt,' zegt Pharaoh. 'We maken vorderingen, dat is één. Vanmorgen hadden we twee aparte zaken. Vanavond hebben we er vier, maar het is zeker mogelijk dat ze iets met elkaar te maken hebben. McAvoy heeft hier goed werk verricht, ook al deed hij nog zo zijn best om het geheim te houden...'

Er wordt gelachen en McAvoy hoeft zich ditmaal niet te forceren om een glimlach op zijn gezicht te toveren.

'McAvoy, ik wil dat je dit opschrijft zodra je de kans krijgt. Ik wil een volledig rapport over de huidige stand van zaken, wat je weet. Ik heb je getuigenverklaring nodig van wat hier vanmiddag is gebeurd. Ik ga de hoge heren bellen en uitleggen dat we dit onder de radar hebben gehouden en radiostilte wilden betrachten. Of meer van dat soort lulkoek. Zolang het maar klinkt alsof ik weet wat mijn team in godsnaam uitspookt. Het is nog vroeg, dus terug naar huis zit er voorlopig niet in. Ben, jij gaat naar het ziekenhuis voor een verklaring van Angie Martindale. En ook van de barman, als hij aanspreekbaar is. Doe het rustig aan, oké? En Sophie, jij gaat uitzoeken of er een connectie bestaat tussen de personen in deze zaak. Ik wil weten of er enig verband is tussen Stein, Daphne Cotton, Trevor Jefferson, en nu ook Angela. Die snuiter Chandler is zonder twijfel een belangrijk stukje in de puzzel. McAvoy, hij vertrouwt je kennelijk, dus maken jij en ik morgen een ritje naar Lincolnshire om met hem te babbelen. Ik wil weten wat hij zich nog meer kan herinneren. Colin, Shaz, jullie ondervragen de buurtbewoners. Ga de pubs langs. Probeer zo veel mogelijk over Angela Martindale te weten te komen. Had ze een vriend? Sprak ze openlijk over wat haar in het verleden was overkomen? Was het algemeen bekend of haar eigen geheimpje? Dit is een vissersgemeenschap, dus laat ook de naam van Fred Stein vallen…'

McAvoy heft zijn hoofd. Kijkt haar aan als een puppy die wacht op een plak ham.

'Het leukste heb ik voor jou bewaard,' zegt ze. In haar ogen flikkert de genegenheid die hem in de afgelopen dagen op de been heeft gehouden. 'Gebruik die grote hersenpan van je. Zoek uit wie we moeten beschermen. Wie is er nog meer aan de dood ontsnapt? Zijn er hier in de omgeving andere mensen die als enige iets hebben overleefd? Het ziet ernaar uit dat het een latertje wordt vanavond, en wat nog erger is: we zijn in Grimsby. Ik ben dicht bij huis en kan niet even langswippen om mijn fles Zinfandel in de koelkast leeg te drinken. Daar baal ik van. Zorg ervoor dat ik nergens anders van hoef te balen.'

Ze wisselen allemaal blikken uit. Halen diep adem, alsof ze zich warmlopen voor een marathon. Dan schrapen de stoelpoten over de vloer en staan ze op van hun plaats, pratend, grappen makend, lachend, stropdassen rechttrekkend en klikkend met balpennen.

McAvoy staat als laatste op. Pharaoh verschijnt aan zijn zijde. Ze valt in het niet bij zijn reusachtige postuur, maar kijkt glimlachend naar hem omhoog alsof hij een grote peuter is.

'Ik weet niet of je dit wel of niet goed hebt aangepakt,' zegt ze zacht. 'Maar ik weet zeker dat Helen Tremberg liever een litteken op haar arm heeft dan een doorgesneden keel. En Angie Martindale leeft nog. Wat er ook wordt gezegd, vergeet dat niet.'

Hij weet niet wat hij moet zeggen, dus knikt hij alleen maar.

'Je kunt je rapport thuis schrijven,' zegt ze.

Hij knikt weer.

Als McAvoy haar opnieuw aankijkt, staart ze hem nog steeds aan. En in haar blik meent hij meer dan moederlijkheid te zien.

18

De lucht in zijn longen voelt als gelatine. Hij wil niezen, maar vreest dat zijn zere ribben bij de explosie uiteen zullen spatten als een tl-buis die tegen een muur wordt gegooid, en wanneer hij de mok warme chocola met cognac naar zijn lippen probeert te brengen, zorgen zijn bevende handen voor een vloedgolf op het donkerbruine oppervlak en brandt hij zijn neus aan de klotsende vloeistof.

Hij bekijkt zichzelf in de weerschijn van het computerscherm; zijn gezicht overdekt met plaatjes en tekst.

'De adrenaline is uitgewerkt, daar komt het door,' zegt Roisin, die haar slanke, tedere armen als een krans rond zijn nek hangt. 'We moeten je gewoon weer opgewonden krijgen.'

McAvoy knikt. Weet een glimlach op te brengen. Wil naar haar opkijken om haar te kussen, maar drukt die neiging kwaad de kop in. Houdt zich voor dat hij nog werk heeft te doen. Dat er niets is opgelost. Dat hij vandaag een moordenaar bij de strot had en hem heeft laten lopen.

Ze gaat op zijn bureau zitten, op de rand van het stevige, ma-honiehouten meubelstuk dat hij voor nog geen tientje heeft gekocht bij een liefdadigheidswinkel in Freetown Way, en dat vloekt met al het andere in hun geel en paars geschilderde slaapkamer, met de witte ingebouwde kledingkasten en het fragiele hemelbed. Ze is naakt. Haar sierlijke voeten, met hun vuile zolen, rusten allebei op zijn eigen blote been; kleine tenen masseren zacht zijn vlees, graven zich in hem alsof hij uit zand bestaat. Hij houdt een van haar kuiten in zijn hand; sluit zijn vingers om haar ledemaat en voelt in zijn palm het dunne laagje stoppels dat op haar gladde huid is gegroeid sinds haar buik een te groot obstakel is geworden om haar onderbenen te scheren.

'Aector. Voel je je al beter?' Ze draait zijn hoofd naar zich toe. Toont een begerige glimlach. 'Wat heb je ontdekt?'

McAvoy, gekleed in zijn oude rugbyshirt van de universiteit en afgedragen korte spijkerbroek, duwt zichzelf weg van het computerscherm en wuift vermoeid naar de tekst. 'Te veel,' zegt hij. Waarop hij zichzelf meteen corrigeert. 'En niet genoeg.'

Roisin gaat op zijn knie zitten en begint het scherm te lezen. McAvoy bekijkt haar van dichtbij. Er verschijnt een klein glimlachje op zijn gezicht als hij merkt dat ze nog steeds haar lippen wat beweegt, zelfs als ze niet hardop leest. Hij hoopt dat ze die gewoonte nooit afleert.

'Is dit wat je denkt dat er gaat gebeuren?' vraagt ze, nadat ze de pagina vluchtig heeft doorgelezen.

McAvoy haalt alleen zijn schouders op. 'Ik zou het niet weten.' Hij laat zijn voorhoofd op haar schouder vallen en inhaleert diep de fruitige geur van haar schone huid. 'Als Chandler niet over haar was begonnen, zou ik Angie Martindale er nooit uit hebben gepikt. Of Fred Stein.'

McAvoys hoofd zit vol overlevenden. Hij heeft het klokje in de rechterbenedenhoek van het scherm uitgeschakeld, omdat hij niet wil weten hoe laat het is. Hij weet dat hij hier al uren mee bezig is, maar tast nog net zo in het duister over wie het volgende slachtoffer gaat worden als toen hij begon. Zijn opsporings-methode is meelijwekkend amateuristisch. Hij voelde zich vol-slagen idioot toen hij 'sole survivor' intikte bij Google en voor-al hits kreeg over een film uit 1970 met William Shatner. Hij heeft geprobeerd strategischer te denken. Heeft zijn kennis van zoekopdrachten en internetdesign gebruikt om het meer po-pulaire kaf van het koren te scheiden. Zich op krantensites ge-concentreerd. Tijdschriftartikelen. Eindeloze verhalen van doffe ellende gevonden.

Hij heeft geprobeerd het geografisch zoekgebied te verkleinen. Zich afgevraagd of er in de delictlocaties tot dusver een patroon valt te ontdekken. De moord op Fred Stein heeft zich weliswaar op volle zee afgespeeld, maar Stein kwam van de oostkust. Hij was geboren en getogen in Hull. De moord op Daphne Cotton vond plaats in het centrum van de stad. Trevor Jefferson is om-gekomen bij een brand in het Hull Royal-ziekenhuis. Angie Martindale mag dan zijn aangevallen in Grimsby, maar dat is nog geen halfuur rijden hiervandaan. Komt de dader uit de buurt? Heeft hij iets tegen de oostkust? Heeft hij zelf als enige iets overleefd? Misschien is hij aan iets gruwelijks ontkomen. Kan hij niet leven met het schuldgevoel. En wil hij anderen daar ook van verlossen...

'Ga eens terug naar dat bericht over die vrouw,' zegt Roisin. Ze knikt naar de muis en spoort hem aan terug te keren naar een website die ze over zijn schouder heeft meegelezen toen ze hem bij deze marathonsessie achter het beeldscherm zijn eerste warme drankje bracht.

Hij bekijkt in de browser zijn internetgeschiedenis van de laat-ste vierentwintig uur. Ziet wat onder aan de lijst. Een artikel uit *The Independent* van iets meer dan vier jaar geleden, onder de kop 'BRITSE BETAALT PRIJS VOOR MOED'.

Een Britse hulpverleenster is vermoedelijk de enige overlevende van een vernietigende explosie die gisteren een schoolbus aan flarden heeft gereten.

Na deze meest recente bomaanslag in het onrustige gebied van Noord-Irak is Anne Montrose, 27, opgenomen in een Brits legerhospitaal. Ze verkeert in kritieke toestand.

Miss Montrose, afkomstig uit Stirling, weigerde geëvacueerd te worden toen de regio zes maanden terug als een gevaarlijk vijandig gebied werd aangemerkt.

Sindsdien hebben er zware gevechten plaatsgevonden tussen geallieerde troepen en opstandelingen die loyaal zijn gebleven aan de ten val gebrachte dictator Saddam Hoessein.

Ze reisde oorspronkelijk naar de regio met de Britse kinderhulporganisatie Rebirth, die zich specialiseert in het helpen van gemeenschappen bij het creëren van veilige opvang en weeshuizen voor kinderen die door een oorlog of een ramp hun ouders hebben verloren.

Hoewel veel van haar collega's de regio zijn ontvlucht, zou Miss Montrose zijn achtergebleven om te helpen bij de wederopbouw in het gebied.

Berichten wijzen erop dat ze met de kinderen een uitstapje maakte naar een pas heropend speelterrein toen de bom ontplofte. Er wordt gevreesd dat er misschien wel twintig kinderen om het leven zijn gekomen.

Een woordvoerder van Rebirth zei: 'We weten nog niet alle details, maar dit is een tragedie die simpelweg te afschuwelijk is om te bevatten. Anne stond altijd voor iedereen klaar. Ze zou geen seconde nadenken om met gevaar voor eigen leven anderen te helpen. Ondanks alle risico's waar ze dagelijks mee werd geconfronteerd, bleef ze de meest zorgzame, liefdevolle persoon die we ooit hebben mogen kennen...'

'Arme vrouw,' zegt Roisin. 'Staat er verder niets over?'

'Niets. Ik heb haar naam door ik weet niet hoeveel zoekmachines gehaald en na dit artikel is er geen woord meer over te vinden. Ze schrijven niet eens of ze het heeft gered. Maar ik heb de journalist bij de krant een e-mailtje gestuurd om te vragen of ze een telefoonnummer hebben van haar familie. Misschien is ze inmiddels weer op de been. Of overleden. Soms verliezen kranten gewoon hun interesse.'

'Zoals bij jou,' merkt Roisin op.

'Ik was nooit echt interessant.'

'Dat geloof je toch zelf niet?'

'Hangt ervan af uit welke hoek de wind waait,' zegt McAvoy, zo eerlijk mogelijk. Hij is er nog steeds niet uit of hij zichzelf beschouwt als een rechercheur van wereldformaat, of een grote hopeloze klungel.

Roisin glijdt van McAvoys knie en rekt zich luid geeuwend uit; onder haar rijzende borsten komen de twee tatoeages van platgedrukte elfjes tevoorschijn, die ze op een zaterdag op haar ribbenkast heeft laten zetten om hem te verrassen, en die hem altijd aan het lachen maken wanneer ze haar borsten in haar handen opduwt om zijn aandacht te krijgen. Ze loopt naar het bed en gaat op de deken liggen. 'Ben je nog lang bezig?'

'Ik heb geen idee,' antwoordt hij naar waarheid. 'Ik moet het hele internet lezen. Tot nu toe ben ik weinig opgeschoten.'

'Pharaoh heeft gezegd dat je wat tijd met je gezin moest doorbrengen,' zegt ze, halverwege een volgende geeuw. 'Daar bedoelde ze vast mee dat je hier bij mij op bed moet komen om mij een poosje het gevoel te geven dat ik heel aantrekkelijk ben.'

McAvoy kijkt weg van het computerscherm. Blaast zijn adem uit. Ze ligt breeduit op de deken en wrijft met haar ene hand over het donkere driehoekje tussen haar benen, terwijl ze met haar andere, haar duim glinsterend van speeksel, zacht in de volle, dikke tepel van haar kleine linkerborst knijpt.

'Roisin, ik…'

'Ga jij maar rustig verder,' onderbreekt ze hem hijgerig. 'Ik red me wel.'

Ze stopt even. Reikt naar haar nachtkastje en haalt er een pot zalf uit. Ze doopt haar vinger erin en begint het vaalgroene spul stevig tussen haar dijen te kneden.

'Wat is dat?' vraagt McAvoy met overslaande stem.

'Mijn geheim,' plaagt ze. 'Het is lekker.'

'Wat zit erin?'

'Van alles. Jij vooral.'

McAvoy voelt zijn gezicht rood aanlopen.

'Toch wonderlijk dat je nog kan blozen terwijl al het bloed naar je kruis stroomt.' Ditmaal is er in haar stem een kort adem-stootje te horen.

Hij begint op te staan, maar ze schudt haar hoofd. 'Op de plaats rust, soldaat.'

Ze sluit haar ogen.

Een moment later draait ze zich op haar zij en bijt ze in de donsdeken. Ze krijgt over heel haar lichaam kippenvel en schokt alsof ze een stuiptrekking heeft.

Na zo'n dertig tellen komt ze tot rust en rolt ze op haar rug, met een glimlach op haar rode gezicht, dat glimt van het zweet.

'Beetje slaperig nu,' zegt ze, en haar ene oog begint al dicht te vallen.

McAvoy, ademloos en stijf, balt zijn handen tot vuisten. Weet met moeite weg te kijken van haar naakte gestalte, terug naar het computerscherm. Naar het tekstdocument met al zijn aanteke-ningen. Wat is hij nu eigenlijk wijzer geworden? Hij vraagt zich af of dit allemaal de moeite van zijn tijd waard is geweest.

Of hij vandaag een goed mens is geweest.

Hij weet dat hij niet lang meer wakker kan blijven. Zijn gedachten beginnen wazig te worden. Met een beetje geluk kan hij nog vier, vijf uur slaap pakken voordat hij weer naar het bureau moet. Voordat hij e-mails terugkrijgt van mensen die hij aan een enige overlevende heeft weten te koppelen, en hij een of ander rapport kan samenstellen over wie ze in godsnaam moeten beschermen.

Die stomme rapporten. Hij heeft er zijn buik vol van. Het afgelopen jaar is hij in een ziekenhuisbed begonnen, wachtend op lof voor zijn optreden, maar binnen een dag begreep hij dat zijn aandeel in de arrestatie van een seriemoordenaar onder het tapijt werd geschoven, dat beloften werden gebroken, en dat de eerste stappen werden gezet om hem snel over te plaatsen naar een baantje waar hij informatie moest sorteren, verifiëren, archiveren en invoeren. Hij heeft vanaf de kant moeten toekijken hoe anderen het echte politiewerk deden en zijn hart in toom proberen te houden telkens wanneer de Eenheid Zware Georganiseerde Criminaliteit een melding kreeg en hem werd bevolen 'de telefoons te bemannen'.

Hij heeft zijn rapport voor Pharaoh inmiddels uitgeprint. Het beknopt gehouden. Hapklare brokken. Zijn vermoedens en theorieën erbuiten gelaten.

Of zou het beter zijn geweest haar alles te geven? Zijn geest in een kantoorenvelop te overhandigen en tegen haar te zeggen dat ze de beste ideeën eruit mag pikken?

Hij begint het warm te krijgen. Voelt het in zijn tenen. Voeten. Enkels. Merkt dat hij in slaap wegzinkt. Hij pakt het rapport en schudt het bij elkaar. Een van de vellen papier glipt door zijn handen, maar hij weet het net op tijd te grijpen. Het is de tekening van een eenarmige, eenbenige man, die Fin uren eerder heeft geschetst.

McAvoy aanschouwt de tekening. Vindt de energie voor een

glimlach. En voor zelfverwijt. Moet hij dit soort dingen wel vertellen waar zijn zoon bij is? Brengt hij de jongen schade toe door te praten over dood en geweld, over eenarmige dronkenlappen en eenbenige broodschrijvers?

Hij kijkt weer naar de tekening. Vraagt zich af waarom hij de man met de ontbrekende arm zelfs maar heeft genoemd. Het was een van de eerste dingen die uit zijn mond kwamen rollen.

'Channler zeg u?'

De man had het gevraagd met een onvervalst Oostblok-accent. Hij was voor McAvoy opgedoken als een soort geestverschijning toen hij door de zijdeur van de bar naar buiten stapte. McAvoy stopte net zijn mobieltje terug in zijn zak, nadat hij een voicemail voor Chandler had achtergelaten, waarin hij hem vroeg ervoor te zorgen morgenochtend aanwezig te zijn in het afkickcentrum. Hij had niet beseft dat hij zo hard had gesproken.

'Chandler, ja,' zei McAvoy, die zijn schrik probeerde te verbergen. En niet probeerde te staren naar de armloze hemdsmouw die over de borst van de man was gespeld. 'Russ Chandler.'

'Wat wil u van Channler? Hij ken Angie niet.'

'Mevrouw Martindale is vanavond het slachtoffer geworden van een ernstig –'

De man zwaaide met zijn ene arm. Hij was lang en mager, maar zag er sterk uit. Hij had een breed gelaat, en ook al droeg hij alleen een wit overhemd en een vale spijkerbroek, hij leek geen last te hebben van de kou. Zijn blik had iets fels. McAvoy herkende hem als een van de mannen uit de bar. Een van de mannen die hem de weg hadden versperd en een paar trappen hadden uitgedeeld. De gekneusde McAvoy, die het koud had en het beu was om midden in een zin te worden onderbroken, verhardde zijn blik.

'Ik ben een held. Ik heb slechte man gestopt, ja?'

'Nee, jij hebt niet slechte man gestopt. Alleen politieagent die slechte man wilde pakken.'

'Gelul.'

'Geen gelul.'

Ze stonden elkaar strak aan te kijken, twee lange kerels, oog in oog, kwaad in de wind.

'Mijn fout. Niet Channler. Lamaar.'

De man keerde hem de rug toe om weg te lopen. McAvoy stak instinctief een hand uit om hem tegen te houden, maar hij greep in het luchtledige, op de plaats waar zijn arm had moeten zitten. Toen hij de stem van de jonge agent achter zich hoorde, draaide hij zich om en zag de warme politiewagen staan, met de portieren open, die wachtte om hem naar huis te brengen. Naar Roisin, naar Fin. Toen hij weer achteromkeek, was de Rus verdwenen in de menigte die zich voor het politiekordon had verzameld, ergens tussen de sigarettenrook en de bierblikken, de fish-and-chips en de natte kleding.

Iemand zou zijn verklaring opnemen. Iemand anders...

McAvoy legt de tekening boven op het rapport. Kijkt naar het harkpoppetje. De stomp waar het been hoort te zitten.

'Chandler,' zegt hij tegen zichzelf. Waar had de Rus het over? Was het belangrijk? Was er verdomme ook maar iets belangrijk?

Zijn hoofd begint voorover te hangen, zwaar van de slaap. Hij wankelt naar het bed, trekt zijn trui uit, laat zijn korte broek zakken, met in gedachten reeds de warmte van Roisins huid terwijl hij tegen haar aan gaat liggen, zijn grote hand op haar volmaakt ronde buik legt en zich voorstelt dat het ongeboren kind de eigen vingertjes omhoogbrengt naar de zijne, als tegen de glazen scheidingswand in een gevangenis.

Zijn mobiele telefoon piept.

Vloekend rolt hij weer van het bed af. In zijn werkkleding die verfrommeld op een hoop naast de kledingkast ligt, vindt hij zijn mobieltje. Hij kijkt op het scherm. Ziet dat het nog geen één uur 's nachts is.

Opent het bericht.

Afkomstig van een nummer dat hij niet herkent.

Colin Ray heeft Chandler gearresteerd. Ik dacht dat je dat wel wilde weten. Tom Spink.

McAvoy voelt de moed in zijn schoenen zakken en proeft de gal die op komt zetten in zijn keel.

Hij is meteen klaarwakker.

DEEL DRIE

19

Het is begonnen te sneeuwen. Dikke, witte, perfecte sneeuw-vlokken tuimelen met miljoenen tegelijk uit een in honderd tin-ten zwart kleurende hemel. Ze bedekken de trottoirs, de straten, de daken en de luifels met een witte donslaag, die centimeters toevoegt aan de hoogte van de natte, klamme stad.

McAvoy kijkt maar ziet niets. De voorruit is ongemerkt besla-gen door zijn adem, die met een laag, ijzig, kwaad gefluit uit zijn longen komt. In de sneeuw op het glas zijn twee grote rugvinnen gekerfd door de ruitenwissers, waarvan hij zich niet herinnert dat hij ze heeft aangezet. Het weer dringt niet tot hem door. Evenmin als de kou. Hij knarst alleen met zijn tanden en tuurt voor zich uit, terwijl hij in de personenauto te snel over de ge-vaarlijk gladde wegen rijdt.

Colin Ray, denkt hij. Die verdomde Colin Ray.

De kracht waarmee hij zijn kaken op elkaar klemt bezorgt hem hoofdpijn en zijn ribben spelen op vanwege de kou. Geleidelijk wordt hij zich bewust van de toenemende pijn. Van zijn omge-ving. Van het weer.

'Dwaas dat je daar bent,' zegt hij tegen zichzelf, misschien wel voor de honderdste keer. 'Waarom ben je naar huis gegaan? Waarom?'

Als de woede is weggezakt, zal hij zichzelf streng toespreken. Zichzelf vertellen dat hij zijn zelfbeheersing heeft verloren omdat hij bang was dat iemand anders met de eer ging strijken. Dat hij de arrestatie heeft gemist in een zaak die onder zijn huid is gekropen. Hij zal manieren vinden om zichzelf te minachten, en zich voornemen om nooit eerst aan zijn persoonlijke glorie te denken wanneer hij hoort van een arrestatie in een moordonderzoek. Maar vooralsnog lijkt zijn gevoel gerechtvaardigd. Hij is dan wel niet de hoofdrechercheur, maar het voelt als zijn zaak. Hij heeft alle puzzelstukjes in elkaar gepast. Tot twee keer toe in de vochtige, blauwe ogen gekeken van de man die deze misdaden begaat.

En het ergste van allemaal: hij vraagt zich af of hij het bij het verkeerde eind heeft. Ray kan niet hebben opgetreden zonder enig bewijs. Chandler niet hebben gearresteerd op grond van een vaag vermoeden.

Jezus. Stel dat hij het echt is?

Voorzichtig, om de doffe pijn in zijn ribben niet erger te maken, draait hij het stuur hard naar rechts en rijdt hij het parkeerterrein achter het bureau in Queen's Gardens op. Parkeert op een plek die is gereserveerd voor hooggeplaatste bezoekers en geniet stiekem van het gevoel dat het hem geen barst kan schelen of hij daar problemen mee krijgt. Schopt het portier open, waarop hij wordt gegrepen door de wind en de sneeuw.

'McAvoy,' klinkt een stem. 'Brigadier. Hier.'

Worstelend met het portier en rillend als er sneeuw van de rand van zijn pet in de kraag van zijn haveloze rugbyshirt valt, werpt hij een blik over het parkeerterrein naar de zwak verlichte achteringang van het gebouw.

McAvoy laat een spoor van diepe voetafdrukken achter in de

sneeuw als hij de afstand tussen zichzelf en de stem aflegt. De sneeuw komt al tot aan zijn enkels.

'Ik dacht wel dat je zou komen,' zegt de stem. Als McAvoy dichterbij komt, ziet hij Tom Spink in de deuropening staan, met in zijn ene hand een mok met het een of ander en net als gisteren gekleed in een donkere broek, een vest en een overhemd zonder kraag.

'Ik heb uw bericht ontvangen,' zegt McAvoy geheel overbodig, maar hij is te verwaaid en geïrriteerd om zichzelf op de vingers te tikken.

Spink knikt. Blaast zuchtend zijn adem uit. Als McAvoy het trapje op komt, biedt Spink hem de mok aan.

'Ook een slok?'

Het maakt McAvoy niet eens uit wat het is. Hij neemt een teug van een koude vloeistof die hem tegelijk verwarmt.

'Calvados.' Spink pakt de mok weer aan. 'Ze zitten in verhoorkamer drie. Ik zal je onderweg bijpraten.'

Als ze door de open deur stappen, spoelt er een golf van warmte over hen heen. Boven hun hoofd komt de energiebesparende verlichting met bewegingsdetector flikkerend tot leven en de gang baadt in een bleekgroen licht. Rond dit uur is het bureau vrijwel verlaten; het burgerpersoneel ligt allang in bed en een minimale bezetting van geüniformeerde agenten heeft als taak het cellenblok te bewaken, terwijl de patrouillewagens en verkeersagenten over de stad zijn verspreid, ongetwijfeld ergens warm ineengedoken met thermosflessen thee en eetwaar gekocht bij een benzinestation.

McAvoy staat op het punt te vragen wat er in godsnaam is gebeurd in de paar uur sinds hij de Bear verliet, maar Spink geeft hem niet de gelegenheid. Hij begin zacht en snel te praten terwijl ze door de gang lopen, langs gesloten deuren en prikborden boordevol politieposters, presentielijsten, roosters en personeelsnieuws. McAvoy heeft nooit iemand zien stilstaan om ze te lezen.

'Pharaoh is er niet,' zegt Spink fluisterend. 'Maar ze weet het. Vloekte en tierde aan de telefoon.'

'Is ze op weg hierheen?'

'Kan niet. Haar echtgenoot is ernstig ziek. Gekluisterd aan een rolstoel, mocht je dat nog niet weten. Hij heeft goede en slechte dagen. Dit is een slechte dag. Ze probeert een oppas te regelen voor hem en de kinderen zodat ze hierheen kan komen, maar met dit weer betwijfel ik of we haar zullen zien.'

'Dit was dus niet haar besluit?'

'Ben jij gek? Jezus, ze is echt laaiend.'

'Ze heeft inspecteur Ray niet zelf gestuurd?'

'Geen schijn van kans. De brutale aap heeft het gedaan zodra ze haar kont had gekeerd. Het probleem is: het begint erop te lijken dat het de juiste beslissing is geweest. Dat vindt de politietop althans.'

'Wat?' McAvoy houdt abrupt stil in de gang en moet op een drafje achter Spink aan wanneer hij beseft dat de man blijft doorlopen.

'Luister, ik ben alleen een onschuldige toeschouwer, jongen,' zegt hij, terwijl hij zijn hoofd schudt en daarna knikt bij een kruising om hen een andere gang door te leiden. 'Trish verstaat haar vak, maar ze heeft vijanden. Deze baan was nooit voor haar bedoeld. Voor elke vrouw en allochtoon die promotie krijgt om ons korps in een redelijk en progressief daglicht te stellen, worden twintig kerels van de oude stempel tot inspecteur bevorderd. Als Colin Ray de regels aan zijn grote laars lapt en iemand weet op te pakken die we de schuld kunnen geven, gaan ze hem niet op de vingers tikken omdat hij Trish heeft gepasseerd.'

'Maar het is flauwekul,' zegt McAvoy duidelijk gefrustreerd. 'Chandler kan onmogelijk –'

'Voor antwoorden moet je niet bij mij zijn, jongen.' Hij vertraagt hun tempo en kijkt op van zijn voetstappen om oogcontact met McAvoy te maken. 'Ik ben tegenwoordig alleen schrijver. Een schrijver die nu en dan toevallig wat hoort, en een schrijver die vanavond toevallig een mok thee dronk met de baliebrigadier toen Colin Ray en Shaz Archer een klein kereltje binnenbrachten dat een houten been vasthield en naar jou vroeg. Ik belde Trish. Ze zei dat ze zo snel mogelijk hierheen zou komen. Dat ik jou dat moest laten weten. Je weet het nu.'

'Ze vroeg u het mij te vertellen? Waarom?'

'Weet ik niet, knul. Misschien wilde ze dat je wat broodjes voor ze smeert.'

Spink draait zich om en wil verder lopen, maar McAvoy verspert hem de weg. 'Wat voor bewijs hebben ze? Wat heeft Ray ontdekt?'

Spink kijkt de gang door, alsof hij het liefst de benen wil nemen, maar lijkt dan tot een besluit te komen. 'Ik weet niet in hoeverre dit lulkoek is en hoeveel ze kunnen bewijzen, maar Colin heeft mensen lopen vertellen dat jij en Trish het hebben verkloot. Dat jullie zijn vergeten de achtergrond te checken van een hoofdverdachte in het onderzoek. Blijkbaar heet Chandler helemaal geen Chandler. Hij heet in werkelijkheid Albert Jonsson. Hij staat onder die naam ingeschreven bij de kliniek. Hij wil graag Russ Chandler worden genoemd en mensen respecteren dat, maar de persoon Chandler bestaat niet. Albert Jonsson daarentegen wel. En hij heeft een strafblad. Eén veroordeling wegens mishandeling, twee inbraken, financiële oplichting...'

McAvoy knarsetandt. 'Maar we zouden hem morgen gaan ondervragen.'

'Er is nog iets,' zegt Spink, die wegkijkt. 'Het was niet mogelijk om zo laat nog een bevelschrift te krijgen. Dus gooide Shaz Archer haar charmes in de strijd. Ze wist de nachtverpleging over te halen Chandlers kamer te doorzoeken. Ze vonden zijn notitie-boekje.'

De toon waarop Spink het uitspreekt, geeft McAvoy het gevoel alsof hij een laatste aanmaning opent.

'En?'

'De naam van Daphne Cotton staat erin, knul. Schot in de roos.'

McAvoy laat zijn schouders hangen. Zijn hoofd zakt naar zijn borst. Hij zet een stap naar achteren en leunt tegen de muur. Het bloed suist door zijn hoofd. Heeft hij de plank echt zo misgeslagen? Heeft hij werkelijk met een moordenaar zitten kletsen?

'Het heeft misschien niets te betekenen,' zegt Spink. 'Ik heb wel gekker toeval meegemaakt.'

McAvoy wil hem gelijk geven door te knikken, maar kan er niet de kracht voor vinden. Het voelt alsof hij een trap in zijn maag heeft gekregen.

'Hij heeft dus nog niet bekend?' vraagt hij, met een stem die plotseling oud en moe klinkt.

'Ze zijn hem nu aan het verhoren. Het enige wat hij gaat zeggen is "geen commentaar". Die tactiek gebruikte hij althans toen ik hem voor het laatst hoorde. Maar Colin kan heel overtuigend zijn. Hij zal niet opgeven.'

McAvoy weet een flauw knikje op te brengen. 'Jonsson? Is dat…?'

'IJslands, ja. Kan wederom toeval zijn.'

'Maar waarschijnlijk niet.'

'Nee.'

Hij probeert zich te vermannen. Heel even zou hij willen dat hij rookte en een sigaret kon opsteken, gewoon om iets omhanden te hebben wat een beetje troost zou bieden.

'Als hij het is…'

'Ja.'

'Dan is hij tenminste van de straat,' zegt hij, in een poging opluchting te voelen bij de gedachte dat er in elk geval een moordenaar achter de tralies zou verdwijnen. 'Dan hebben we tenminste iets goeds gedaan.'

Spink probeert een glimlach. 'Precies.'

Er volgt een lange stilte.

'Hij leek er totaal niet op,' zegt McAvoy ten slotte, meer tegen zichzelf dan iemand anders. 'Andere ogen.'

'Weet ik.'

'En hij belde mij,' roept hij opeens uit. 'Hij belde mij over Angie Martindale. Waarom zou hij dat doen? Hij zou er niet eens tijd voor hebben gehad. Hij belde mij, vergeet dat niet. Ze hebben echt de verkeerde...'

'Ze vonden een mobieltje op zijn kamer. Ze hebben contact opgenomen met het mobieletelefoonbedrijf. Morgen horen ze meer. Dan weten ze waar het signaal vandaan kwam. Of hij het kerven van zijn naam in Angie Martindale lang genoeg heeft onderbroken om je een kans te geven hem tegen te houden.'

'Denken ze dat hij een spelletje speelde?'

Spink knikt.

'Kat-en-muis met mij, de slome Schotse duikelaar?'

Spink onderdrukt een glimlach door zijn hand over zijn mond te wrijven. 'We weten nog niets.'

Even verderop klinken stemmen. Voetstappen. Een geanimeerd gesprek. Zonder iets te zeggen duwen McAvoy en Spink zich weg van de muur om het geluid te volgen. Ze slaan bij de volgende T-splitsing links af en lopen langs de vier stukjes plakgum waaraan vroeger een gelamineerd stuk papier hing met 'VERHOORKAMERS'.

Colin Ray en Shaz Archer staan voor een houten deur met een lange, smalle glasruit in het midden. Ray houdt een dossiermap open en knikt hevig, terwijl Archer met een afgekloven balpen in de map wijst. '... zou iedereen door gefrustreerd raken,' zegt ze.

'Grote kop met hersens, klein pikkie in de broek, grote problemen, hè, Col? Hoe vaak hebben we dat al niet gezien? Hij kan niet gewoon uitgaan om bonje te zoeken, want daar voelt meneer zich veel te goed voor, maar hij kan wel zoiets bedenken, hè? Iets waardoor hij zich bijzonder voelt. Alles wijst erop.'

McAvoy had het prima gevonden om rechtsomkeert te maken en op zijn schreden terug te keren. Maar Spink geeft een kuchje en begroet de twee politieambtenaren met een glimlach.

'Lukt het?'

Colin Rays ogen vlammen op. Hij klapt de dossiermap dicht alsof hij een vlieg tussen de pagina's wil pletten. Spert zijn neusgaten open alsof hij zich klaarmaakt om aan te vallen. 'Heeft ze haar loopjongen gestuurd?'

De vraag is gericht aan Spink, maar McAvoy weet dat Ray hem bedoelt. Later zal hij zichzelf voorhouden dat het een goede ontwikkeling is dat hij inmiddels bekendstaat als het lievelingetje van Pharaoh, terwijl ze een week geleden zijn naam niet eens kon spellen. Maar nu gloeien zijn kaken verontwaardigd.

'Het is ook mijn zaak,' zegt McAvoy. En terwijl hij het zichzelf hoort zeggen, verwondert hij zich over de woorden.

De twee inspecteurs wisselen een blik uit.

'Nou, dan ben je net op tijd om te zien hoe je zaak afloopt.' Ray knikt in de richting van de verhoorkamer. 'We hebben de hele klerezooi.'

'Heeft hij bekend?' vraagt Spink ongelovig.

'Momenteel geeft hij nergens commentaar op,' valt Archer in. 'Maar hij raakt uitgeput.'

McAvoy kijkt hen alle twee aan. Colin ziet er vermoeid en beroerd uit, maar het web van gebarsten bloedvaatjes in zijn wangen en de kloppende ader bij zijn slaap duiden erop dat hij genoeg vuur in zich heeft om dit tot aan het bittere eind vol te houden.

'Je denkt toch niet echt dat je hem iets ten laste kan leggen…'

'En of ik dat kan,' snauwt Ray, waarop hij naar de gesloten map kijkt alsof er een schat in verborgen zit.

McAvoy kan niet anders dan de vraag stellen. 'Wat hebben jullie dan?'

Shaz Archer komt plots over als een kat die zich uitrekt na een lang dutje. Haar hele lichaam neemt een zelfvoldane en bijna wellustige houding aan. 'We hebben de kerel wakker gebeld die vroeger zijn literair agent was,' zegt ze grijnzend. 'Interessante man.'

'En?' De stem van Tom Spink heeft een gebiedende toon gekregen. De inspecteur in hem is tijdelijk vergeten dat hij met pensioen is.

'En hij zegt dat onze Russ Chandler, of hoe hij zichzelf ook wil noemen, niet goed bij zijn hoofd is.' Ze neemt de map uit Rays handen en houdt die McAvoy voor. Ze wenkt hem naderbij alsof ze een hond lokt met een koekje. Hij pakt de dossiermap aan. 'Lees het maar,' fluistert ze.

Terwijl McAvoy de map openslaat, hoort hij de deur van de verhoorkamer open- en dichtgaan. Als hij opkijkt ziet hij alleen het gezicht van Shaz Archer. Ray is teruggegaan voor de genadeslag.

'Zo moeilijk is het allemaal niet als je alle puzzelstukjes hebt,' zegt Archer, haar vingers mysterieus wapperend in de lucht. 'Onze gast daarbinnen heeft zijn godganse leven geprobeerd schrijver te worden. Het was een jongensdroom van hem. Maar hij was nooit goed genoeg. Zijn eerste manuscripten kreeg hij ongeopend retour. Toen hij onderzoeksjournalistiek ging bedrijven, ontstond er enige interesse, maar zijn carrière kwam nooit van de grond. Uiteindelijk moest hij zijn werk in eigen beheer uitgeven. Eén boek kon ermee door en hij slaagde erin een literair agent te krijgen, maar de doorbraak bleef uit. Op het laatst ging hij door het lint. Hij kon de afwijzingen niet meer verkroppen. Kon het niet uitstaan over mensen te schrijven die hij als nullen beschouwde terwijl hij zelf geen bekendheid was. Hij heeft dit allemaal bedacht om het de wereld betaald te zetten. Psychologisch klopt het als een bus. Kan zo ondertekend worden door een zielenknijper. Colin kent iemand…'

McAvoy heeft met zichzelf geworsteld om niet hardop 'lulkoek' te roepen, maar het is een strijd die hij niet kan winnen.

'Dat is toch allemaal giswerk, rechercheur Archer?' zegt Spink.

'We hebben zijn fantasieën.' Ze wijst naar de map. 'We hebben de naam van Daphne Cotton in zijn notitieboekje. We hebben Angie Martindale. Zijn betrokkenheid bij de zaak-Fred Stein. Trevor Jefferson. Hij is de rode draad in het geheel.'

'Maar dat wil niet zeggen dat –'

'Lees dan maar eens zijn brief aan de uitgever die hem afwees.'

Iets aan de manier waarop ze het zegt, doet McAvoy verstommen. Hij bladert door de fotokopieën in het dossier. Ziet de cirkel van rode viltstift rond de pagina met handgeschreven notities. Ziet de naam 'Daphne C'. Een telefoonnummer. Vellen vol steno. Hij draait de pagina's om.

'Daar,' zegt Archer knikkend.

Beste heer Hall,

Mijn literair agent, Richard Sage, heeft mij zojuist op de hoogte gebracht van uw beslissing om mijn roman, Alle hens, *niet te publiceren. Zoals u zich misschien kunt voorstellen, stemt dit nieuws mij zeer droevig. Ik heb dit boek met hart en ziel geschreven en zoals de verkoop van mijn vorige, zij het in eigen beheer gepubliceerde, literaire inspanningen heeft aangetoond bestaat er een markt voor mijn werk. Ik moet u vragen uw besluit te heroverwegen. In onze eerdere correspondentie heb ik mij in gloedvolle bewoordingen uitgelaten over het respect dat ik heb voor uw uitgeverij en ik heb een grote persoonlijke interesse opgevat voor zowel uw organisatie als uw personeel. Zo weet ik, bijvoorbeeld, dat u woonachtig bent in Lowndes Square, Knightsbridge. Uw vrouw heet Lauren. Uw zoon, William, verblijft op de Rowan Prep School in Esher. Ik vertel dit niet om u te verontrusten of om u te dreigen zodat u mij een boekendeal aanbiedt, maar om de nauwkeurige doelgerichtheid van mijn zorgvuldige research aan te tonen. U moet weten dat ik tot bijna alles bereid ben om mijn droom te verwezenlijken. Zoals ik eerder heb vermeld, kan ik de criminele psyche als geen ander door-gronden en mijn vele interviews met veroordeelde moordenaars hebben mij een uniek inzicht gegeven in hoe gestoorde geesten werken. Ik zie uw antwoord met interesse tegemoet...*

McAvoy sluit vijf tellen zijn ogen. Stelt zich voor dat de correspondentie in de rechtbank wordt voorgelezen. Ziet Chandlers advocaat zijn cliënt overtuigen dat hij beter schuld kan bekennen om strafvermindering te krijgen. Ziet Ray glimlachen terwijl zijn maten hem schouderklopjes geven.

'Klip en klaar,' zegt Archer, en haar woorden lijken deze ene keer niet bedoeld om hem de oren te wassen. Ze stellen alleen de feiten vast.

'Hoe is dit afgelopen?' vraagt McAvoy, met weinig meer dan een schor gekras.

'De uitgever dreigde naar de politie te stappen en de literair agent liet hem vallen,' zegt Archer, die de map uit zijn handen pakt en onder haar arm steekt. 'De agent heeft ook heel wat e-mails van hem gekregen. Allemaal op vergelijkbare toon. Totaal geobsedeerd. Sage zei dat hij nog nooit zo'n wanhopig iemand heeft ontmoet. Iemand die over lijken zou gaan om met zijn naam op een boekenplank te komen.'

McAvoy fronst. Het is niet logisch. Hij heeft niets in Chandlers ogen gezien wat dit geloofwaardig maakt.

'Zijn ogen,' herinnert hij zich opeens. 'De man met wie ik heb gevochten had blauwe ogen. Chandler niet.'

'Godsamme, McAvoy,' zegt Archer kwaad. 'Misschien droeg hij contactlenzen. Dat zijn alleen details. We zitten met meerdere moorden, en bij die kerel daarbinnen staat het woord "moordenaar" op zijn voorhoofd geschreven, helemaal tot aan zijn voetzolen.'

'Maar als hij het niet is…'

'Dan legt hij geen bekentenis af. Simpel.'

McAvoy reikt in zijn jaszak en haalt pagina's tevoorschijn die hij meteen na Spinks bericht van het internet heeft geprint. 'Kijk hier nou naar,' zegt hij op smekende toon. 'Er zijn andere mensen die gevaar lopen. Zoals deze vrouw. Een hulpverleenster, opgeblazen in Irak. Leeft nog, maar ze is de enige die het heeft gered. We moeten het zeker weten. Het volgende slachtoffer kan hiertussen zitten…'

McAvoy wendt zich tot Spink, maar de oude man staart met zijn rug naar hem toe de gang door, alsof hij hem niet meer in de ogen kan kijken.

De deur gaat open en Colin Ray steekt zijn hoofd door de kier. Zijn gezicht is bedekt met zweet. De kraag van zijn trui is gehavend en verdraaid. Hij kijkt McAvoy nog geen seconde aan voordat hij zijn blik op Archer richt.

'Kom binnen, Shaz,' zegt hij rustig. 'Mankepoot wil bekennen.'

Ze pakt de afgedrukte pagina's uit McAvoys weerloze hand en loopt terug de verhoorkamer in.

20

8.43 uur. Queen's Gardens. Tien dagen voor kerst.

Een verzonken park onder een deken van ongerepte sneeuw, doorkruist met verborgen paden en bezaaid met dode rozen-struiken en bloembedden vol zwerfvuil.

Een paar voetafdrukken, diep in de grond.

Een bankje zonder rugleuning.

Aector McAvoy. Ellebogen op de knieën. Pet naar beneden. De ogen gesloten.

Hij haalt zijn telefoon uit zijn zak. Achttien gemiste oproepen.

Hij verschuilt zich. Heeft stampvoetend de sneeuw en de stil-te opgezocht, omdat het te pijnlijk werd iemand anders de hand van de hoofdcommissaris te zien schudden en whisky te zien drinken omringd door lachende uniformen en grijnzende pak-ken.

Russ Chandler.

De man die om 6.51 uur twee moorden ten laste zijn gelegd.

Russ Chandler.

De man die Daphne Cotton heeft afgeslacht voor de ogen van de kerkgemeenschap in de Holy Trinity Church.

Die Trevor Jefferson in brand heeft gestoken, en later nog een keer in zijn ziekenhuisbed.

Russ Chandler. De man die vier uur lang heeft geantwoord met 'geen commentaar' en daarna genoeg leugens vertelde om een aanklacht wegens moord aan zijn broek te krijgen.

Over drie uur zal hij in afwachting van het proces in voorlopige hechtenis worden genomen. Het zal maanden duren voordat de openbare aanklagers de zwakke punten in de zaak beginnen te ontdekken.

Tegen die tijd zal de eenheid waarschijnlijk zijn geïmplodeerd, of overgedragen aan Ray, en heeft McAvoy vermoedelijk een kantoorbaantje in een afgelegen wijkbureau, waar ze niet echt zitten te wachten op iemand die handig is met een database.

Hij stopt het mobieltje terug. Bukt zich en pakt de literfles frisdrank tussen zijn voeten. Schroeft de dop los en neemt een slok, lurkend aan de sinas als een zwerver die cider achterover-slaat. Hij heeft drie chocoladerepen en een zak gomsnoepjes ge-geten en de suiker maakt hem een beetje hyper. Hij heeft enorme trek in iets vlezigs en zwaars.

Hij haalt zijn benen van elkaar. Leunt voorover. Wrijft over zijn koude dijen. Leunt achterover. Neemt nog een slok. Vraagt zich af of hij hier niet voorgoed kan blijven zitten. Van dit bankje zijn permanente verblijfplaats kan maken. Hier, in de besneeuwde afzondering van Queen's Gardens; ineengedoken in zijn jas, de smaak van chocola op zijn tong, met verkleumde botten en een gevoel dat iets weg heeft van kiespijn borend in zijn schedel, als in een bewuste poging om zijn gedachten hol en gevoelig te maken.

Het is stil in het park. Zo vroeg op de ochtend, in deze tijd van het jaar, ligt het er verlaten bij. Net als Hull. De plotse sneeuwval na dagen van vorst heeft het netwerk van B-wegen met kuilen en bochtige vierbaanswegen veranderd in evenzovele schaatsbanen en sneeuwbanken. McAvoy vermoedt dat duizenden forensen die gewoonlijk naar het stadscentrum komen nu naar hun werk bellen om een vervroegde kerstvakantie voor te stellen. Anderen zullen het erop wagen. Hun oude wagen met versleten banden en veel te lichte motor starten, om vervolgens te snel over spiegel-glad asfalt te rijden. Er zal gerouwd worden vandaag. Gezinnen zullen geliefden verliezen. Tegen het vallen van de avond zal het forensisch team gebroken ledematen bevrijden uit verkreukelde auto's. Agenten in uniform zullen het slechte nieuws aan snik-kende familieleden hebben meegedeeld. Er zal een rechercheur zijn aangesteld. Een persbericht in omloop zijn gebracht. En daarna begint alles weer van voor af aan. Alsof het niemand een reet kan schelen.

'Ben je de pinguïns aan het voeren, McAvoy?'

Hij kijkt op en ziet de tengere, elegante figuur van Tom Spink, die knerpend door de sneeuw naar hem toe komt lopen.

'Meneer, ik…' begint McAvoy, maar dan stopt hij weer.

'Ik kan je geen ongelijk geven,' zegt Spink luchtig. 'Doet een mens goed. Frisse neus halen. Frisse longen ook, als je rookt. Mag ik je gezelschap houden?'

McAvoy knikt naar de ruimte op de smeedijzeren bank. 'Het is nat,' waarschuwt hij, voor het geval Spink de vijf centimeter sneeuw op het groen geschilderde bankje niet heeft opgemerkt.

'Het is goed zo.' Spink neemt plaats. 'Wel een beetje koud,' voegt hij eraan toe, terwijl hij het zich enigszins comfortabel maakt. Hij draagt een dunne leren jas over zijn kraagloze over-hemd en ribfluwelen broek. 'Maar jullie zijn in Schotland wel erger gewend, hè?'

McAvoy kijkt weg.

'Pharaoh is niet veel verder gekomen dan de Humber Bridge,' zegt Spink. 'Ondanks de weerswaarschuwingen kwam ze de brug over. Ze reed net Boothferry Road op toen haar mobieltje ging.

De korpsleiding vertelde haar het niet te riskeren. Een paar dagen vrij te nemen. Dat Colin Ray alles onder controle heeft.'

'Heeft ze zich daar iets van aangetrokken?'

'Ja en nee. Ze gaat hun feestje niet verstoren en is doorgereden naar Priory Road.'

'Hoe vat ze het op?'

'Het kon slechter. Ze heeft haar waffel weten te houden, maar ze moet op haar hoede blijven. Als ze zich gedeisd houdt, kan het goed voor haar uitpakken. Dan is ze de hoofdrechercheur van een geslaagde klopjacht op een moordenaar. Als ze een grote mond gaat opzetten en herrie gaat schoppen, zullen ze haar dat niet in dank afnemen.'

McAvoy merkt dat hij met zijn gebalde vuisten over zijn knieën schuurt. Dwingt zichzelf te stoppen. 'Het is niet Russ Chandler,' zegt hij verbeten. 'Ik heb er hier over na zitten denken. Ik heb nergens anders meer aan gedacht. Hij is het niet.'

Spink wendt zich tot hem. Staart hem wel twintig seconden in de ogen, alsof hij het binnenste van zijn schedel probeert te lezen. Zijn intense blik lijkt McAvoys hersenpan te verschroeien. Dan wendt hij zich af, alsof hij een besluit neemt. 'Dat is vaak zo.'

McAvoy trekt een gezicht. 'Wat?'

'Het is vaak de verkeerde, knul. Dat weet jij beter dan wie ook. Als je zo doorgaat, bezorg je jezelf een hartaanval, jongen.'

'Ik kan niet tegen onrecht, daar is niets mis mee,' gooit hij er kwaad uit.

'Nee, knul. Daar is niets mis mee. Maar dit is de prijs die je ervoor betaalt. Dat moet je zelf toch ook zien? Je ziet toch ook de agenten die naar hun werk komen, er een slag naar slaan, en weer huiswaarts keren zonder om te kijken. Je moet ze ook hebben zien proosten op twijfelachtige resultaten en dubieuze veroordelingen. Je moet je hebben afgevraagd waarom jij niet zo kan zijn.'

'Het is voor mij gewoon belangrijk,' begint McAvoy. Dan zwijgt hij als hij de woorden in zijn keel voelt stokken.

'Het is ook belangrijk, Aector. Het is belangrijk dat een boef opgesloten wordt, want dan kunnen de mensen zich weer veilig voelen, in de wetenschap dat onze jongens in het blauw opgewassen zijn tegen hun taak en het volk beschermen tegen gekken. Daarom is het belangrijk. En het is belangrijk voor de pers, want het verkoopt kranten. Het is belangrijk voor de politietop, omdat het leuk staat in hun misdaadstatistieken. Het is belangrijk voor politici, want kiezers willen niet in een maatschappij leven waarin een meisje tijdens een kerkdienst in mootjes kan worden gehakt. En onder aan de ladder is het belangrijk voor dienders, want die willen niet op hun donder krijgen van hun superieuren, en de meesten zijn politieagent geworden in de hoop wat te veranderen in de wereld. En dan heb je nog mensen zoals jij, jongen. Mensen die het allemaal opblazen tot kosmische proporties. Mensen die op zoek zijn naar gerechtigheid alsof het een fundamenteel onderdeel van het universum is. Alsof je het als een natuurlijk mineraal uit de grond kan halen en eerlijk verdelen.'

Spink laat een stilte vallen. Wuift vermoeid met een hand.

'McAvoy, mijn jongen, zo werkt het niet. Ja, zo zou het moeten werken. Jezus, wat zou het mooi zijn als de hele wereld je verontwaardiging zou delen. Als mensen niet konden eten of slapen of functioneren tot het evenwicht is hersteld en het kwaad is bestreden door een daad van goedheid, of fatsoen, of gerechtigheid, of hoe je het ook wilt noemen. Maar dat doen ze niet. Ze lezen over iets vreselijks, schudden hun hoofd en zeggen hoe erg het wel niet is en dat de wereld naar de haaien gaat, maar daarna zetten ze de televisie aan om naar *Coronation Street* te kijken. Of ze gaan met de kinderen voetballen in de tuin. Of ze gaan naar de pub om een paar pinten te pakken. En ik weet dat het je misselijk maakt, knul. Ik weet dat je mensen hun dagelijks leven weer ziet oppikken alsof er niets is gebeurd. Het maakt je boos en leeg vanbinnen dat mensen zo onverschillig en harteloos kunnen zijn, terwijl ze aandacht zouden moeten hebben voor de doden, maar als je een leven lang gaat wachten tot de wereld verandert, ga je teleurgesteld het graf in.'

Spink stopt met praten. Knijpt zijn ogen tot spleetjes. Schudt licht zijn hoofd. Kijkt weg.

McAvoy blijft zwijgend zitten. Hij trekt aan het kleine plukje haar onder zijn onderlip. Rukt er zelfs een paar haartjes uit. Hij voelt woede. Verontwaardiging over het feit dat hij wordt doorgrond, geanalyseerd en beoordeeld door een man die hij amper kent en die de brutaliteit heeft hem 'knul' te noemen.

McAvoy opent zijn mond en sluit hem weer. Hij haalt een hand over zijn gezicht.

'Colin Ray heeft bewijs, knul. Je onderbuik zegt misschien iets anders en het komt misschien hard aan, maar tenzij je wat van die natuurlijke gerechtigheid op zak hebt om mee te strooien, is Russ Chandler de man die kan worden berecht, en misschien zelfs veroordeeld, wegens moord.'

McAvoy kijkt hem nijdig aan. 'Denkt u dat hij het heeft gedaan?'

Na een moment zijn blik te hebben getrotseerd, wendt Spink zijn ogen af. 'Wat ik denk is niet belangrijk.'

McAvoy spuwt op de grond.

Hij staat op. Neemt een teug van de koude, frisse lucht.

Torent boven Spink uit.

'Wat ik denk is wel belangrijk.'

Hij zegt het knarsetandend, maar zijn mond vertrekt zich tot een glimlach als het triomfantelijk besef van die overtuiging zijn bloed laat bruisen en zijn schedel vult met endorfines en energie.

'Het is verdomd belangrijk.'

Lopen in de sneeuw is een kunst. Beginnelingen grijpen te veel met hun voeten; krommen hun zolen, graven met hun tenen en liggen binnen honderd passen op hun knieën, wrijvend over verkrampte kuiten.

Anderen zijn te voorzichtig, nemen grote stappen en zetten hun voeten alleen daar waar de grond stevig lijkt. Ze glijden uit op beijzeld beton. Maken een smak, bezeren hun schenen en verzwikken hun enkels in ongeschikt schoeisel.

McAvoy loopt zoals hij het als kind heeft geleerd. Hoofd omlaag. De ogen gericht op de grond, lettend op veranderingen in de structuur van de sneeuw. De armen langs de zij, klaar om zijn val te breken.

Hij is geboren in een onherbergzamer landschap dan dit mozaïek van verzorgd gras en asfaltpaden, bedekt met vijftien centimeter wit. Het terrein waar hij is opgegroeid lag bezaaid met kloven en scheuren, losse kiezels en schalie, die acht maanden van het jaar door de aanhoudende sneeuwval aan het oog werden onttrokken.

Soms herinnert hij zich het kermend geblaat dat de schapen maakten wanneer ze struikelden en een poot braken. Hij herinnert zich ook de stilte in de momenten nadat hij ze uit hun lijden had verlost. Hun keel had doorgesneden met een zakmes. Een gehandschoende hand over hun bek en neusgaten had geklemd.

Hij herinnert zich de vaardigheid waarmee zijn vader een nek kon breken. Zijn berusting dat het noodzakelijk was om te doen, maar tegelijkertijd de vastbeslotenheid er geen behagen in te scheppen.

Hij herinnert zich ook de droevige ogen die zijn vader op hem richtte. De tederheid waarmee hij de wol streelde. Hoe hij zijn hand naar zijn neus bracht om de natte muskusgeur van een ooi op te snuiven die hij vanaf de geboorte had grootgebracht, en wier nek hij had gebroken om een eind te maken aan haar pijn.

De man bij de Holy Trinity Church had diezelfde blik in zijn vochtige, blauwe ogen. Net als de man die zijn naam in Angie Martindale kerfde. Die een eeuwigheid had zitten huilen voordat hij aan zijn werk begon.

Weer vol energie, met het bloed pompend door zijn aderen en gedachten wervelend in zijn hoofd, denkt McAvoy na over de moordenaar.

'Is dat wat je doet? De pijn wegnemen bij anderen? Verlos je hen uit hun lijden? Vraag je mij bij jou hetzelfde te doen?'

McAvoy blijft stilstaan. In gedachten verzonken heeft hij het verkeerde pad uit het park genomen.

Zijn telefoon begint te rinkelen. Een onbekend nummer.

'Aector McAvoy,' zegt hij.

'Rechercheur? Hallo, met Jonathan Feasby. Ik kreeg een bericht dat ik moest bellen...'

McAvoy pijnigt zijn hersens. Zet de gebeurtenissen van de afgelopen vierentwintig uur enigszins op een rijtje. Feasby. De journalist van *The Independent*. De kerel die hij een e-mail heeft gestuurd over de hulpverleenster in Irak.

'Meneer Feasby, ja. Bedankt dat u iets van zich laat horen.'

'Geen probleem, geen probleem.' Zijn stem klinkt joviaal. Zuidelijk accent. Opgewekt, gezien het weer en het vroege tijdstip.

'Meneer Feasby, ik ben bezig met de moordzaak-Daphne Cotton en ik denk dat u informatie heéft die relevant kan zijn voor het onderzoek.'

McAvoy hoort de journalist verbaasd fluiten.

'Ik? Nou ja, als ik kan helpen. Maar u belt toch vanuit Hull? Ik ben zelfs nog nooit in Noordoost-Engeland geweest.'

'Hull ligt in Oost-Yorkshire, meneer. Niet Noordoost-Engeland.'

'Juist, ja.'

'Weet u welke moordzaak ik bedoel?'

'Haar naam zegt me niets, nee. Maar ik heb net "Hull" en "moord" en "McAvoy" gegoogeld en kreeg zowat een miljard resultaten. Kwestie van elimineren, dus neem ik aan dat u de huidige zaak bedoelt. Dat arme meisje in de kerk? Vreselijk.'

McAvoy knikt, ook al kan niemand het zien.

'Meneer Feasby, ik wilde u spreken over een artikel dat u enige tijd terug hebt geschreven. Het ging over ene Anne Montrose. Ze raakte gewond bij een bomaanslag in Noord-Irak. Naar ik begrijp was u de freelancer die voor *The Independent* verslag deed van het incident...'

Het blijft stil aan de andere kant van de lijn. McAvoy houdt de telefoon dicht tegen zijn oor en kan de radertjes in het hoofd van de journalist bijna horen knarsen.

'Meneer Feasby?'

'Eh. Ik geloof niet dat ik me dat herinner,' zegt Feasby. Hij liegt.

'Meneer, ik heb een goede verstandverhouding met de lokale pers en mijn collega's verklaren me voor gek omdat ik nog geloof in de mensheid. Als ik u iets off the record vertel, blijft het dan vertrouwelijk?'

'Ik ben een van de laatste journalisten die nog in dat principe geloven.'

'En ik een van de laatste mensen ter wereld die geen loze beloften doen, en ik beloof u dat ik niet blij zal zijn als de inhoud van dit gesprek wordt gepubliceerd.'

'Ik begrijp het. Waarmee kan ik u helpen?'

'Ik ga uit van de theorie dat de moordenaar van Daphne Cotton misschien andere mensen op het oog heeft die een bijna-doodervaring hebben overleefd. Dat hij of zij het misschien onverdraaglijk vindt dat ze aan de zeis van Magere Hein zijn ontsnapt en het karwei afmaakt. Ik probeer uit te zoeken wie de volgende op de lijst kan zijn, voor het geval er zo'n lijst bestaat. Anne Montrose voldoet aan het criterium. Ze overleefde een incident waarbij alle andere betrokkenen omkwamen. Ik wil weten wat er met haar is gebeurd nadat u het artikel had geschreven. Ik moet weten of ze geen gevaar loopt.'

Er valt een stilte aan de andere kant van de lijn. McAvoy luistert of hij gekrabbel hoort.

'Meneer Feasby?'

'Als ik niets openbaar mag maken, mag u dat ook niet. Goed?' De luchtige toon van Feasby is verdwenen. Hij klinkt peinzend. Bijna bang. 'Ik wil mezelf of iemand anders hier niet mee in de problemen brengen...'

'Ik begrijp het.'

De journalist blaast fluitend zijn adem uit. 'Luister, het zegt u waarschijnlijk niet veel, maar u moet mij geloven als ik zeg dat ik dit nooit eerder heb gedaan...'

'Ik geloof u.' McAvoy weet niet zeker of hij dat wel of niet doet, maar hij weet het oprecht te laten klinken.

'Nou, de enige keer dat ik ooit geld heb aangenomen om een verhaal niet te publiceren, was toen ik een tweede artikel wilde wijden aan Anne Montrose. Ik had de mogelijkheid om het zoveelste stukje te schrijven over het zoveelste slachtoffer op de zoveelste klotedag van die kloteoorlog. En ik had de kans om niets te schrijven. Mijn nieuwsredactie om een gunst te vragen en het hele verhaal te vergeten...'

'Hoezo? Waarom?'

'Ik kreeg de kans om weg te gaan.'

McAvoy zwijgt. Hij probeert zijn hoofd helder te krijgen.

'Nadat ik het artikel over de explosie had geschreven, over wat haar was overkomen, kwam er een man bij me langs,' zegt Feasby. Zijn stem klinkt ver weg.

'Ga door.'

'Hij was de baas van een bedrijf dat geld verdiende tijdens de schoonmaakoperatie. De wederopbouw van dorpen. Het bouwen van scholen en ziekenhuizen. En hij zei dat als ik iets voor hem deed, hij iets voor mij zou doen.'

'En dat was?'

'Geen woord meer over Anne schrijven. Dan zou de krant voortaan exclusief verslag mogen doen van alles wat zijn onderneming deed...'

'Wat zat er voor u in?'

Feasby zucht. 'Een erefunctie in het bestuur van zijn bedrijf.'

'En u zei ja?'

'Op papier was ik een marketingadviseur, die zijn firma hielp een mediastrategie te ontwikkelen...'

'En in werkelijkheid?'

'Ik schreef geen woord. Trok een paar maanden salaris. Toen ging ik weer doen waar ik goed in was.'

'Was u niet nieuwsgierig?'

McAvoy stelt zich voor dat Feasby een vanzelfsprekend gebaar maakt. 'Ik ben journalist.'

'En?'

'En ik denk niet dat ik u meer moet vertellen voordat ik eens goed heb nagedacht over wat u werkelijk moet weten.'

McAvoy laat een stilte vallen. Hij vraagt zich af of de journalist aan het vissen is. Of hij de belofte van een exclusief verhaal verwacht in ruil voor zijn informatie.

Zijn telefoon piept in zijn oor. Meer impulsief dan welbewust schakelt hij over naar de andere lijn.

'Meneer McAvoy? Met Shona Fox van het Hull Royal. We proberen u al uren te bereiken. Het gaat over uw vrouw. Ik ben bang dat er complicaties zijn opgetreden...'

En dan doet niets anders er meer toe.

2 1

McAvoy heeft de eerste zevenentwintig uur niet geslapen. Niet gegeten. Alleen twee slokjes water uit een matplastic beker gedronken, die hij weer heeft opgehoest over zijn stinkende rugbyshirt, terwijl er slijmvocht uit zijn ogen en neus liep.

Buiten bevroor Hull.

De opwinding over een mogelijk witte kerst maakte plaats voor bezorgdheid over de strenge en barre weersomstandigheden. De sneeuw landde op een harde ondergrond. Bevroor. Viel opnieuw. Bevroor. De hemel was net een grijze potloodschets. De wolken ziedend en kolkend aan de lucht, kronkelend als slangen in een zwarte zak.

De stad kwam tot stilstand.

Later zal McAvoy zijn dochter vertellen dat zij de winterse betovering eindelijk verbrak. Dat de wolken pas openbraken en de sneeuw ophield met zijn werveldans toen zij haar ogen opende. Dat het door haar kwam dat Hull, voor het eerst in een generatie, geen witte kerst had gekregen. Omdat zij de zon liet schijnen. Het zal een leugen zijn. Maar een leugen die zijn dochter zal doen glimlachen. Een leugen die hem een andere herinnering geeft aan de eerste paar dagen van haar leven dan de doffe angst dat ze het niet zou redden.

Hij hoort iets achter zich bewegen.

Draait zich om.

'Ga terug op bed liggen...' begint hij.

'Ik ben nog wat gevoelig vanonder, maar als je me zo graag wilt...' zegt Roisin, haar gelaat bleek, haar ogen donker. Ze draagt een flodderige, gele nachtpon en een roze band zorgt ervoor dat haar ongewassen, vettige haar niet voor haar gezicht valt. Ze lijkt op de een of andere manier misvormd. Hij is zo gewend geraakt aan de bolling van haar buik onder haar kleren.

'Roisin.'

'Ik verveel me, Aector. Ik heb kusjes nodig.'

Hij zucht. Zet een toegeeflijke blik op. 'Kom hier.'

Wankelend loopt ze naar haar echtgenoot, die zich met zijn kolossale lijf in een houten, oranje stoel met hoge rugleuning heeft gewurmd. Hij zit tegenover het raam maar de gordijnen, met hun onsmakelijke groene en bruine tinten, zijn gesloten. Ze vertrekt haar gezicht pijnlijk als ze op zijn knie glipt en legt haar klamme voorhoofd tegen de warrige rossige krullen op zijn kruin.

'Je stinkt,' zegt ze met een ingehouden glimlach.

McAvoy stoot voor het eerst sinds dagen een lachje uit. 'Je ruikt zelf ook niet bepaald naar bloemetjes.'

Ze heft haar hoofd. Hij voelt haar kleine, klamme hand tegen zijn wang. Ze brengt zijn gezicht omhoog en draait hem naar haar blik toe.

Een ogenblik kijken ze elkaar alleen aan, het innige en tedere contact maakt duizend conversaties overbodig.

'Ik was zo bang.' En hoewel ze bijna alleen zijn fluistert ze haar bekentenis, alsof ze vreest dat die tegen haar gebruikt zal worden.

'Ik ook,' geeft McAvoy toe. Zijn eerlijkheid lijkt haar sterker te maken. Ze leunt voorover en kust hem. Ze kussen elkaar een eeuwigheid. Houden alleen op om tegen elkaar te glimlachen en te grinniken omdat alles zo idioot is verlopen. Om samen een vrolijke, veelbetekenende blik te werpen op het voeteneinde van het bed.

Lilah Roisin McAvoy is op 15 december om 6.03 uur geboren.

Bijna meteen nadat McAvoy na Tom Spinks sms'je kwaad van huis was vertrokken, waren bij Roisin de weeën begonnen, terwijl hij in de personenwagen door de sneeuwstorm denderde, met de al ingepakte bevallingstas in de kofferbak.

Ze had hem proberen te bellen. Hem mentaal willen dwingen op te nemen. Zich uit alle macht geconcentreerd om de koude kilometers tussen hen met haar gedachten te overbruggen. Hem te smeken naar huis te komen. Haar te helpen.

Uiteindelijk hadden haar kreten Fin wakker gemaakt. Hij was degene die haar overhaalde het alarmnummer te bellen. Die zei dat papa soms moest werken en er niet altijd kon zijn als anderen hem nodig hadden. Die in de ambulance haar hand vasthield terwijl de verpleegkundigen stilletjes morden over hoeveel bloed ze verloor, over het ijs en de sneeuw op de wegen, en dat ze anderhalf keer betaald zouden moeten krijgen om 's nachts met dit weer te werken.

Roisin had geprobeerd het vol te houden. De baby tegen te houden tot de verpleegkundigen haar echtgenoot wisten te bereiken. Maar Lila wilde eruit. Glibberde in een rode regenboog van bloed en slijm naar buiten en werd daar opgevangen door een kale, bebrilde, Nigeriaanse arts, die haar wegdroeg naar een schoongeschrobde tafel, waar hij complexe handelingen uitvoerde met haar piepkleine lijfje.

Voor Roisin leek het net alsof hij een dood vogeltje tot leven wilde wekken.

Ze wendde haar hoofd af. Sloot haar ogen. Verwachtte het ergste te horen.

En toen hoorde ze het gehuil.

Lilah was vier uur oud, dieproze en gerimpeld, met een zuur-stofslangetje vastgetapet aan de zijkant van haar gezichtje en te grote wanten en sokken aan haar handjes en voetjes, voordat haar vader zijn rode, bezwete, met tranen besmeurde gezicht tegen de plastic couveuse hield en de eerste van wel honderden verontschuldigingen uitbracht die hij in de eerste paar uur van haar leven zou stamelen.

Toen hij zijn dochter overnam van de verpleegkundige, paste ze precies in de palm van zijn hand.

Fin moest daarom lachen. Vroeg of hij ooit zo klein was geweest. McAvoy zei van niet. Dat zijn zusje hem zo graag had willen zien, dat ze te vroeg op de wereld was gekomen. Dat hij nu haar grote broer was, en dat het zijn taak was haar te beschermen.

Fin knikte ernstig. Gaf haar een natte, onelegante kus op het hoofd. En ging daarna terug naar de kamer vol smoezelig, gedoneerd speelgoed, waar hij met een driewielige brandweerauto had zitten spelen op het moment dat zijn zusje begon te huilen.

'Slaapt ze nog?' vraagt Roisin.

'Volkomen uitgeteld. Net als haar moeder.'

'We hebben een paar vermoeiende dagen achter de rug.'

'Ja.'

Ze zet zich schrap, alsof ze van de knie van haar echtgenoot wil, maar ontspant weer, geeft zich over aan zijn stevige handen en zakt terug in zijn omhelzing.

'Laat haar maar lekker slapen.'

'We waren haar bijna kwijt, Aector. Als ze was overleden... als ze niet wakker was geworden...'

Hij voelt dat ze begint te huiveren en houdt haar dichter tegen zich aan. Sust haar gesnik.

Na een poosje stelt hij opnieuw de vraag die hij eruit heeft gesnotterd toen hij drie dagen geleden haar kamer binnenstormde, de sneeuw stuivend van zijn jas en een bewaker hangend aan beide armen, bijna waterskiënd achter hem terwijl hij over het gladde groene linoleum kwam aanhollen.

'Kun je het me ooit vergeven?'

Ze antwoordt hem, net als toen, met een stralend witte glimlach. Een prachtig moment lang voelt McAvoy zich zo volmaakt gelukkig, zo geliefd en gezegend, dat hij even overweegt om zijn eigen hart te stoppen. Om gelukkig te sterven.

Als ze zich opnieuw beweegt, laat McAvoy haar gaan. Ze staat op, weer met een pijnlijk gezicht. Stapt naar de gordijnen en trekt die open.

'Mijn hemel.'

Ze bevinden zich op vierhoog, in een van de weinige privé-kamers op de kraamafdeling van het Hull Royal. Vanaf hier kijken ze uit over een stad die bijna onherkenbaar is geworden. De vertrouwde gebouwen, de typische kenmerken, het karakter van de stad – alles is geruisloos verdwenen onder een dikke witte deken. De straten zijn zo goed als verlaten. Roisin strekt haar nek. Kijkt omlaag naar het parkeerterrein. Het is vrijwel leeg. Op de brede, open vlakte staan vijf, zes grote 4wd's her en der geparkeerd, als blikken eilanden op een enorme ijsbaan. Het ziekenhuis draait op een minimale bezetting. Degenen die dienst hadden toen het begon te sneeuwen zijn voor het merendeel gebleven. Degenen die thuis zaten met een auto die recht op de weg kon blijven, zijn erin geslaagd naar hun werk te komen, maar op de griezelig stille afdelingen en in de wandelgangen gaan de gesprekken alleen over de vraag hoe ze terug naar huis kunnen komen; of hun auto zelfs wel wil starten als ze weer achter het stuur kruipen.

'Het is hier beter dan buiten,' zegt McAvoy, die zich uit de stoel verheft.

Hij leunt langs haar heen en kijkt uit het raam. Glimlacht

wrang als hij het kluitje oude broze mannen en dikke middelbare vrouwen in het oog krijgt die bij de ingang tot het parkeerterrein, hun jas over hun pyjama, wanhopig sigaretten wegpaffen, de rook in hun longen zuigen als diabetici die zich volstoppen met insuline.

McAvoy kijkt naar de vloer. Beseft opeens dat hij zijn mobieltje bij zich heeft. Voelt het toestel bijna tintelen in zijn zak. Zijn vingers beginnen te jeuken door de overweldigende behoefte om het aan te zetten. Weer contact te maken met de wereld. Om te horen wat hij heeft gemist in de afgelopen drie dagen van hoop en vrees.

'Roisin, vind je het goed als ik...'

Ze glimlacht. Geeft een knikje.

McAvoy houdt even in bij de wieg van zijn dochter. Wrijft met zijn grote, ruwe vingers over haar zachte, bolle wang. Abrikozen, denkt hij. Ze heeft wangen als abrikozen.

Drieënveertig gemiste oproepen.

Zeventien sms'jes.

Een overvolle voicemailbox.

McAvoy staat in de deuropening van de kraamafdeling, met op de achtergrond het gegons van stemmen.

Hij vindt het gesprek waar hij naar heeft gezocht.

'Rechercheur McAvoy, hallo. Eh, met Vicki Mountford. We hebben een paar dagen geleden over Daphne gesproken. Luister, dit is misschien niet belangrijk, maar...'

McAvoy luistert naar de rest van het bericht. Denkt even aandachtig na.

Belt haar terug.

Als de telefoon voor de tweede keer overgaat, neemt ze op.

'Mevrouw Mountford, hallo. Ja, sorry, Vicki. Ik heb je bericht gehoord. Je zei dat er misschien nog iemand op de hoogte was van Daphnes opstel. Heb ik dat goed begrepen?'

'Ja, dat klopt,' begint ze. 'Zoals ik in mijn bericht zei, zat ik met mijn zus te praten. Een dag of wat na ons gesprek. Hoe dan ook, ik zat haar te vertellen wat we hadden besproken en vertelde haar wat Daphne allemaal was overkomen. We zaten er gewoon over te babbelen en zeiden hoe akelig en vreselijk het allemaal was, en toen herinnerde ze zich dat ze haar vent erover had verteld. Nadat ik had opgehangen, belde ze mij terug en gaf ze hem aan de lijn. Hij klonk nogal sullig, maar goed, om een lang verhaal kort te maken: hij herinnert zich dat hij op een avond een paar biertjes dronk en een stel kerels vertelde over dat arme meisje dat in Hull was beland en een prachtig opstel had geschreven over alle afschuwelijke dingen die haar waren overkomen, en dat het een geweldig boek zou zijn...'

McAvoy sluit zijn ogen. Hij knikt maar zegt niets. Hij weet al welke kant dit op gaat.

'En waar was dat?'

'Southampton.' Ze spreekt het woord zo verwonderd uit dat ze net zo goed 'op de maan' had kunnen zeggen. 'Hij had daar een sollicitatiegesprek. Echt zo'n eeuwige student, die Geoff.'

'En?'

'Nou, dat is het juist,' zegt ze. 'Geoff weet niet meer hoe het ter sprake kwam, maar de kerel met wie hij in gesprek raakte was heel geïnteresseerd. Zei dat hij schrijver was. Geoff droomt er zelf van om ooit nog een boek te schrijven, dus bakte hij zoete broodjes met die vent. Vertelde hem wat hij wist, ook al was dat niet veel. En hij vergat het weer, zeg maar. Totdat...'

McAvoy schraapt zijn keel. Krijgt opeens vreselijke honger. Verlangt naar suiker.

'Totdat?'

'Hij een paar dagen geleden op de site van de *Hull Daily Mail* keek. Op de dag dat ik je belde. En hij zag de moordverdachte. Die schrijver Chandler. En...'

'... en het is dezelfde man?'

Er klinkt een stilte, maar McAvoy weet dat ze knikt.

Hij zegt een moment niets. Noteert dan de gegevens van Geoff. Zegt dat ze er goed aan heeft gedaan hem te bellen. Dat hij een agent zal vragen het vriendje van haar zus een officiële verklaring af te nemen en dat de jongen misschien moet langskomen voor een getuigenconfrontatie om de identiteit van de man te bevestigen. Bedenkt even dat het moeilijk zal worden om vijf eenbenige dronkenlappen te vinden om een rij te vormen voor de confrontatie.

Als hij het gesprek beëindigt, vangt hij een glimp op van zijn reflectie in de donkere glazen toegangsdeuren van de kraamafdeling.

Ziet dat hij glimlacht.

Het begint nu te bezinken.

Colin Rays bewijsvoering vraagt er gewoon om om onderuitgehaald te worden, en hij weet precies waar hij moet beginnen.

Hij brengt het mobieltje weer omhoog. Belt het kantoor van de recherche op Priory Road, wetende dat er niemand is om op te nemen. Laat een bericht achter waarin hij uitlegt dat Roisin ziek is. Dat hij niet eerder van haar bed kon wijken om zich te melden. Dat hij tot minstens na de kerst wegblijft.

Dan hangt McAvoy op, enigszins buiten adem.

Hij is bezig zijn sporen uit te wissen. Niemand op kantoor zal eraan denken om de tijd en datum van het bericht te checken. Ze zullen het gewoon noteren en pas later doorgeven aan de korpsleiding. Als het ooit tot een onderzoek komt, heeft hij zich alvast ingedekt.

En hij heeft zichzelf een paar dagen de tijd gegeven om uit te zoeken wie Daphne Cotton werkelijk heeft vermoord.

Hij houdt de telefoon voor zich. Toetst het nummer dat zojuist met fluisterstem op zijn antwoorddienst is ingesproken.

Bij de derde keer rinkelen pakt er iemand op.

'Bassenthwaite House.'

McAvoy wrijft met een hand over zijn gezicht en stelt verbaasd vast dat hij zweet. Hij vraagt zich af of dit wel zin heeft. Of dit particulier medisch centrum aan de rand van het Penninisch Gebergte ook maar iets met dit alles te maken heeft. Of Anne Montrose belangrijk is. Of zij het volgende slachtoffer kan zijn. Of hij niet gewoon een blunder begaat en Russ Chandler inderdaad verantwoordelijk is voor de sterfgevallen.

'Hallo. U spreekt met rechercheur Aector McA...'

Hij wordt begroet met een opgewekt, zakelijk 'hallo'.

'Het gaat over een particuliere patiënt van u. Ene Anne Montrose. Ik begrijp dat ze langdurig wordt verpleegd op uw afdeling Neurologie?'

Er klinkt een stilte aan de andere kant van de lijn.

'Een ogenblik, alstublieft.'

Hij wordt in de wacht gezet en luistert ruim vijf minuten naar een klassiek stuk dat hem bekend in de oren klinkt. Als hij echt had gewild, zou hij het zich herinnerd hebben als een van Debussy's somberder werken.

Dan hoort hij opeens het korte 'hallo' van een diepe, aristocratische mannenstem. De man maakt zich bekend als meneer Anthony Gardner en mompelt iets van 'contactpersoon' bij wijze van functietitel.

'Meneer Gardner, hallo. Het gaat over Anne Montrose. Ik heb begrepen dat zij een patiënt van u is.'

Na een momentje stilte schraapt Gardner zijn keel. 'U weet dat ik daar geen mededelingen over mag doen, rechercheur.'

'Meneer, ik begrijp dat u een geheimhoudingsplicht hebt, maar de kans bestaat dat mevrouw Montrose in gevaar is. Als u mij in contact kunt brengen met een familielid van haar, zou dat enorm helpen bij een lopend moordonderzoek.'

'Moord?' reageert Gardner, niet langer kalm en beheerst. Het doet McAvoy vreemd genoeg deugd dat het woord zelfs in deze tijd nog een schok teweeg kan brengen.

'Ja. Misschien hebt u over de zaak gelezen. Afgelopen zaterdag is er in de Holy Trinity Church in Hull een jong meisje vermoord. En dezelfde persoon is misschien verantwoordelijk voor enkele andere moorden...'

'Was daar niet iemand voor opgepakt? Ik weet zeker dat ik zoiets heb gelezen,' zegt hij. McAvoy hoort het veelzeggende getik van vingers op een toetsenbord. Hij vraagt zich af of het medisch staflid een nieuwssite raadpleegt.

'We moeten een paar losse eindjes aan elkaar knopen, meneer,' antwoordt McAvoy, zo onheilspellend als hij kan.

Als Gardner niets terugzegt, legt McAvoy zijn troef op tafel.

'U heeft misschien ook gelezen dat een van de slachtoffers levend is verbrand in een ziekenhuisbed, meneer.'

Het blijft een poosje stil. McAvoy hoopt dat Gardner nadenkt over het risico dat hij neemt wanneer hij niet meewerkt. Dat hij het boze telefoontje dat hij kan krijgen als hij patiëntgegevens verstrekt zonder de juiste kanalen te bewandelen afweegt tegen de storm aan kritiek die hij over zich heen zal krijgen als een van zijn comapatiënten het slachtoffer wordt van moord.

Ten slotte slaakt Gardner een zucht. 'Kunt u mij uw nummer geven, rechercheur? Ik bel u zo terug.'

McAvoy overweegt nee te zeggen. Te verklaren dat hij aan de lijn blijft hangen terwijl Gardner doet wat hij moet doen. Maar zijn aanpak lijkt te werken, en hij wil zijn doel niet voorbijschieten door te veel aan te dringen. Nog niet. Dus geeft hij zijn nummer en hangt op.

Hij ijsbeert even door de gang. Stuurt een sms'je naar Tom Spink en Trish Pharaoh. Zegt dat Roisin zich veel beter voelt. Dat het goed gaat met Lilah. Vraagt naar Helen Tremberg.

Dan gaat zijn mobieltje. Anthony Gardner is kortaf en praat zacht, alsof hij bang is afgeluisterd te worden. Hij klinkt als iemand die de combinatie van zijn kluis prijsgeeft en hangt niet langer dan twintig seconden aan de telefoon, maar hij vertelt McAvoy wat hij moet weten.

McAvoy knikt een beetje in zichzelf. Zegt niets als hij ophangt en belt onmiddellijk een ander nummer.

Hij krijgt de voicemail.

'Met rechercheur McAvoy. Hartelijk dank voor die informatie. Sorry als we een paar dagen terug verkeerd zijn begonnen, maar ik waardeer het dat u van gedachten bent veranderd. U had gelijk. Anne Montrose is een patiënt in dat centrum. En het zal u niet verbazen te horen wie de rekeningen betaalt. Dit zou wel eens een heel verhaal kunnen worden. Bel me als u geïnteresseerd bent.'

Hij beëindigt het gesprek. Telt tot twintig. Tijd genoeg voor Feasby om naar het bericht te luisteren. Om erover te piekeren. Om met een zucht toe te geven aan zijn journalistieke instinct…

McAvoys telefoon rinkelt.

'Rechercheur,' zegt een stem. 'Met Jonathan Feasby.'

DEEL VIER

22

Het klokje op het dashboard staat op 13.33 uur. Het wordt donker. Misschien is het nooit licht geworden.

McAvoy is meer dan honderdtwintig kilometer van huis. Ergens in het hart van Brontë Country, zoals de borden langs de weg verkondigen.

In de verte bieden de woeste heidegronden van West-Yorkshire een onheilspellend gure aanblik. Het gras is vochtig en groen, maar hij zou dit tafereel alleen met houtskool kunnen schetsen. Het is een door de regen geteisterd, leeg en dreigend landschap, strijdend tegen een constante wind onder een kwikzilveren hemel.

De weg buigt af naar links. McAvoy volgt de bocht.

Hij stuurt de auto door een zwart smeedijzeren hek, een oprit van grind op. De oprijlaan eindigt bij een groot voorterrein naast een onberispelijk groen gazon, doorweekt met fijne regendruppels.

Het landhuis tekent zich af tegen de verduisterde lucht. Intimiderend luxueus en excentriek verweerd.

'Blijf rustig,' houdt hij zichzelf voor, terwijl hij het zweet tussen zijn schouderbladen voelt prikken. Hij zou er meer willen uitzien als een politieagent. In zijn stinkende rugbyshirt, afgedragen spijkerbroek en steeds voddiger wordende designerjas ziet hij er meer uit als een zwerver die een kostuumwinkel heeft beroofd.

Een beweging achter McAvoy doet hem omdraaien. Er komt een andere auto de oprijlaan op.

McAvoy doet zijn best om het laatste knoopje van zijn shirt dicht te krijgen, maar hij geeft zich gewonnen als het lospringt.

Hij begeeft zich naar het andere voertuig, waar twee mannen in zitten. De ene schat hij in de vijftig. Hij heeft grijzend haar en scherpe, havikachtige gelaatstrekken. De andere is een jongere kerel. Groot, met een gemillimeterd legerkapsel.

McAvoy blikt nieuwsgierig achterom als hij iets hoort bij het huis.

Uit de grote, dubbele, eikenhouten deuren onder de granieten portiek aan de voorzijde verschijnt een welgevormde vrouw van middelbare leeftijd in een dure jurk, zwarte regenjas en leren laarzen. Ze heeft blond haar dat overgaat in grijs, geknipt in een gelaagde bob. Ze is aantrekkelijk, hoewel haar gezicht iets hangerigs heeft, iets van een oude, vervlogen schoonheid; alsof ze pas weer zo stralend en begeerlijk kan zijn als vroeger als haar huid iets strakker zou worden getrokken.

De oudere man komt vanaf de bestuurderskant aangelopen. Hij draagt een spijkerbroek, een duur roze overhemd en een tweedjasje onder een gewatteerde overjas. Aan een ketting rond zijn nek hangt een bril en hij heeft zich zo glad geschoren dat de huid er rauw en pijnlijk geschaafd uitziet.

Hij brengt zijn arm omhoog als hij McAvoy nadert en rond zijn pols glinstert een gouden horloge. Dan steekt hij zijn kin wat vooruit, bij wijze van begroeting.

'Bent u McAvoy?'

'Rechercheur Aector McAvoy. Politie Humberside, Eenheid

Zware Georganiseerde Criminaliteit. Luitenant-kolonel Montague Emms, neem ik aan?'

De man grijnst. 'Niet meer,' zegt hij. 'Althans, niet de rang. Ik ben nog steeds Montague Emms, maar ik haat die naam. Noem me maar Sparky. Dat doet iedereen. Zelfs onze jonge Armstrong hier.'

Emms steekt een hand uit. McAvoy schudt een eeltige, ruwe palm en vingers. Wrijft zijn duim subtiel over de rug van de aangeboden hand en voelt knokkels die ooit zijn gebroken en nooit goed rechtgezet.

Emms gebaart in de richting van het huis. 'Zullen we?'

De vrouw in de deuropening verdwijnt weer naar binnen als ze het huis naderen. Emms slaat zich plots voor het hoofd en draait zich om naar de soldaat. 'Ga je spullen halen, knul. De jongens zullen zo terugkomen en vertellen waar je heen moet. Als je warm wilt blijven, langs dat pad vind je links een schuur en stallen.'

Hij wendt zich weer tot McAvoy voordat Armstrong zelfs maar kan salueren.

'Nieuwe rekruut?' vraagt McAvoy terwijl ze door de deuren naar binnen lopen.

'Misschien.'

Van dichtbij lijkt Emms langer dan McAvoy dacht. De man loopt met een rechte rug en ferme, zelfverzekerde passen.

'U woont hier mooi,' merkt McAvoy terloops op, als ze even in de hal blijven staan. Een paar meter verder opent de vrouw een houten deur in een muur met eiken panelen. Ze glimlacht naar hen beiden, duwt de deur zo ver mogelijk naar achteren, en doet daarna een stap terug.

'Volgens mij moeten we mijn studeerkamer in,' zegt Emms opgewekt. 'Dat is overigens mijn vrouw. Ellen. Ze zorgt voor me. Als ik haar niet zou hebben…'

'Ik heb er ook zo een,' flapt McAvoy er uit voordat hij het weet.

'Een goede vrouw is haar gewicht in goud waard,' zegt Emms, en de twee wisselen een blik waaruit een gedeelde wijsheid en waarheid spreekt die niet veel andere mannen kennen. McAvoy begint de man nu al aardig te vinden.

'Goed, ik zal eerst een pot thee laten aanrukken. Maak het u gemakkelijk in mijn studeerkamer. Ik ben zo terug. Thee, toch? U lijkt me niet het soort dat koffie drinkt.'

'Is dat discriminerend bedoeld, meneer?' vraagt McAvoy, met een glimlach om te laten zien dat hij een grapje maakt.

'Ha!' roept Emms vrolijk, waarbij hij zijn hoofd naar achter gooit.

Emms lacht nog steeds als hij wegbeent en bij een deur tegenover de studeerkamer linksaf gaat. Hij laat een spoor van modderige voetstappen op de houten vloer achter.

McAvoy moet een beetje bukken als hij de studeerkamer betreedt. Het huis is minstens drie eeuwen oud, en hij weet uit ervaring dat de deurgaten in die tijd voor kleinere mensen waren bestemd.

Het is een bescheiden, rechthoekig vertrek, met een groot schuifraam dat bijna de gehele buitenmuur beslaat. Er staan twee computers en drie telefoons op een antiek bureau, dat bezaaid ligt met getypte documenten en schijnbaar lukraak opgevouwen bouwtekeningen.

Op het bureau, in een sierlijke gouden lijst, prijkt een pentekening. McAvoy moet turen om te zien wat de tekening voorstelt. Een gezicht of een gestalte? Een landschap? Het lijkt een hoop gekriebel en gekrabbel, maar als hij beter kijkt ziet hij dat elk lijntje afzonderlijk is geëtst. Het is een verbluffend staaltje chaotische schoonheid dat McAvoy beter zou willen begrijpen.

Er valt onvoldoende licht door het raam om het schemer-grijs in de kamer te verdrijven, dus knipt McAvoy een ouderwetse metalen lichtschakelaar aan. De gloeilamp flikkert tot leven.

McAvoy staart naar een hele wand vol foto's. Er zijn vierkante kurkborden opgehangen, die helemaal zijn volgeprikt met kiekjes van glimlachende en grijnzende mannen in legeruniform. McAvoy bestudeert de afbeeldingen. Er hangen hier misschien wel honderden soldaten. Zittend op tanks. Met opgestoken duim op stoffige, zonovergoten start- en landingsbanen. Bepakt met rugzakken en wapens, helmen en radioapparatuur, ontspannen achter in jeeps met een open dak of het bovenlijf ontbloot en zwetend van de inspanning, een voetbal tussen hun voeten en zand op hun schoenen. Sommige foto's zijn misschien al dertig jaar oud. Op enkele ervan doen de snorren van de officieren en de slechte, korrelige kwaliteit McAvoy denken aan beelden die hij van de Falklandoorlog heeft gezien.

Voordat hij Feasby vroeg deze ontmoeting te regelen, had hij beter meer research kunnen verrichten naar de legercarrière van Emms. Misschien zou hij dan weten wat hij hier in godsnaam te zoeken heeft.

'Ah, schaamteloze nostalgie,' roept Emms, waarop McAvoy zich verrast omdraait en hem in de deuropening ziet staan met twee mokken thee. McAvoy weet niet waarom, maar hij had eerder een pot thee op een dienblad verwacht, tussen elegante kopjes en schotels. In plaats daarvan krijgt hij een mok in de hand gedrukt met een bedrijfslogo. MAGELLAN STRATEGIES.

'Ik stond alles net te bewonderen...'

'Ja, ja,' vervolgt Emms op blije toon. 'Dat zijn de jongens en meiden die onder mij hebben gediend. Voornamelijk jongens, als ik eerlijk ben. En dat zijn ze niet eens allemaal. Maar zo veel als ik kon vinden. Ellen vindt me knettergek. Zegt dat ik hier foto's van de kleinkinderen moet ophangen, maar ik kan het niet over mijn hart verkrijgen ze van de muur te halen.'

'U mist het zeker?'

'Het soldatenleven? Ja en nee. Ik heb achtentwintig jaar in het leger gezeten. Dan heb je alles wel gezien. En ik zit nog steeds in het wereldje, als het ware. Ik heb nog genoeg te doen.'

'Toen u het leger verliet hebt u meteen het bedrijf opgericht?'

'Zo ongeveer. Ik legde de juiste contacten in de aanloop naar mijn pensioen, om het zo te zeggen. Maar alles viel gewoon op zijn plek. En ik deed het uiteraard niet in mijn eentje. In het begin had ik zakenpartners. En nu we een gevestigd bedrijf zijn, een raad van bestuur. Allemaal heel officieel en verantwoord. Volgens mij hebben ze me niet eens meer nodig. Ik heb een eretitel en soms vragen ze me een paar radertjes te smeren, maar verder loopt alles eigenlijk op rolletjes.'

'U rekruteert nog wel nieuwe soldaten?' vraagt McAvoy, gebarend naar de ingang tot het huis, waar Armstrong vermoedelijk strak in de houding staat, terwijl de motregen die langs het raam is beginnen te waaien hem tot op de huid doorweekt.

'O, dat is de zoon van een oude makker van me,' zegt Emms, die neerploft in de leunstoel en een slok thee neemt. 'Niet echt geschikt voor het reguliere leger. Dat heb je soms. Hij verloor een paar kameraden tijdens zijn eerste missie. Opstandelingen. Ze openden het vuur op hem en twee vrienden terwijl ze snoepjes uitdeelden aan een groep kinderen. Armstrong kon wegkomen. Zijn maten niet. Op het internet stonden een tijdlang videobeelden van wat er met hen was gebeurd. Het ergst denkbare. Armstrong had geen schrammetje, maar het kwam hard bij hem aan. De zinloosheid ervan, snapt u? Iets wat ik zelf ook nooit zal begrijpen, en wij werken nog wel als expert in die gebieden. We wisten zijn ontslag te regelen en gaan het nu met hem proberen.

Ons assistent-hoofd Rekrutering is dit weekend hier met een paar van de andere nieuwe jongens. Ze houden momenteel een trainingsoefening.'

'U liet Armstrong niet binnen,' merkt McAvoy op, die zich afwendt van de foto's om Emms recht in de ogen te kijken.

'Als uw vrouw er net zo uitzag als de mijne, zou u dan al die soldaten wel in huis halen?' vraagt Emms met een lachje, maar McAvoy ziet dat hij het serieus meent.

'Daar hebt u een punt,' zegt hij.

Na een korte stilte haalt Emms zijn schouders op en lijkt hij ter zake te willen komen. 'Goed,' begint hij, terwijl McAvoy in een houten stoel plaatsneemt. 'U wilde mij spreken over Anne.'

McAvoy kijkt weg van het vriendelijke, levendige gezicht van de oudere man. De dwaasheid van deze hele onderneming vloert hem opeens als een vuistslag. Hij wil de man iets kunnen vertellen wat hout snijdt. Iets wat zijn inbreuk op de tijd van deze man rechtvaardigt. En zijn eigen beslissing om naar dit godverlaten oord te rijden.

'Meneer Emms...'

'Sparky,' corrigeert hij.

'Ja, wat die bijnaam betreft...' zegt McAvoy, dankbaar voor de onderbreking.

'Lang verhaal, kort verteld. Als jonge officier kreeg ik een briljant idee om tijd te besparen voor als we een avondje uitgingen. Ik besloot mijn haar te drogen terwijl ik nog in bad zat. Op een dag liet ik die verdomde haardroger vallen. Ik lag bijna vijf minuten te spartelen als een vis op het droge voordat een maat van me de stekker eruit trok. Sindsdien noemt iedereen mij Sparky.'

McAvoy blaast zijn adem uit, onder de indruk en met ontzetting vervuld. 'Au.'

Hij begint weer aan zijn uitleg.

'Hoe dan ook, u zult van meneer Feasby wel hebben gehoord dat ik onderzoek doe naar de moord op Daphne Cotton. Bent u bekend met die zaak?'

'Nare toestand.' Emms sluit zijn ogen. 'Arm meisje.'

'Ja.'

McAvoy aarzelt even. Besluit dan alles eerlijk te vertellen.

'Ik was erbij toen het gebeurde. Ik hoorde het gegil, maar kwam net te laat. Ik werd tegen de vlakte geslagen door de man die het heeft gedaan.'

Emms knikt alleen. Zijn ogen spreken boekdelen.

'In de nasleep van die moord heb ik diverse andere incidenten onderzocht. Ze leken er niet direct verband mee te houden, maar hadden iets met elkaar gemeen wat nader bekeken moet worden.'

'O ja?' Emms kijkt geïnteresseerd.

'De slachtoffers zijn allemaal overlevenden,' zegt McAvoy. 'Ze overleefden als enige een rampzalige gebeurtenis. Een voormalig trawlervisser die levend thuiskwam terwijl ruim dertig scheepsmaten verdronken, is een week geleden voor de kust van IJsland dood in een reddingsboot aangetroffen. Een kerel die zijn eigen huis in brand stak, waarbij zijn hele gezin omkwam, is levend verbrand in een ziekenhuisbed van het Hull Royal. Een vrouw die bijna werd afgeslacht door een seriemoordenaar werd in Grimsby op precies dezelfde wijze aangevallen.'

McAvoy laat zijn hoofd zakken.

'Ik wil gewoon voorkomen dat Anne Montrose het volgende slachtoffer wordt.'

Emms zegt een poosje niets. Hij neemt slurpend nog een slok van zijn thee. Kijkt op naar zijn foto's en geeft dan een knikje.

'Ik begrijp uw bezorgdheid. Maar had ik niet gehoord dat ze daar iemand voor hebben opgepakt? Een of andere schrijver. Die pissig was op de wereld, en wat al niet meer.'

'Russ Chandler is verdachte in de moordzaak. Dat is zo, ja.'

Er verschijnt langzaam een glimlach op het gezicht van Emms. 'Maar u bent niet overtuigd.'

'Ik ben van mening dat niet alle sporen zijn onderzocht.'

'Daar maakt u zich vast niet populair mee.'

'Dat kan me niet schelen. Ik wil er zeker van zijn dat de juiste persoon achter de tralies verdwijnt. Ik wil ervoor zorgen dat er niemand anders slachtoffer wordt.'

'Zeer lovenswaardig,' zegt Emms. 'Waarom Anne?'

'Ze is een van de velen.' McAvoy kijkt door het venster naar buiten, waar het landschap donker wordt en regenvlagen als losse zeilen opbollen in de wind. 'Maar ik vermoed dat ze als volgende aan de beurt is. Ik weet niet hoe hij zijn slachtoffers uitkiest. Ik weet niet waarom hij het doet. Maar…'

'Maar…'

McAvoy balt zijn vuisten, terwijl hij tegenover deze vreemde de ene gedachte eruit gooit die hem tot een betere politieman maakt dan zijn naaste collega's. 'Als ik de dader was, zou ik nu haar nemen.'

'Methodacteur zeker?'

'Wat?'

'U weet wel, net als De Niro en Pacino. Je verplaatst je in het personage. Je leeft als ze. Je denkt als ze. Je kruipt in hun hoofd, en wat al niet meer.'

'Ik weet niet of ik –'

'Zo gek klinkt het niet,' peinst Emms. 'Nou ja, ik kan u in ieder geval geruststellen.'

'Pardon?'

'Wat Anne Montrose betreft. Als u gelijk hebt over die smeerlap, heeft hij het gemunt op mensen die werkelijk iets hebben overleefd. Die aan de dood zijn ontsnapt, of hoe je het ook wilt zien. Dat geldt niet voor Anne. Anne is nooit wakker geworden.'

Ze ligt al in coma sinds het gebeurde. Ze is geen overlevende. Ze heeft een polsslag, meer niet.'

McAvoy knikt en wrijft zich over het gezicht. Hij beseft hoe ongeschoren hij is.

'Kunt u mij op z'n minst iets vertellen over de achtergrond? Wat er is gebeurd. Uw onderlinge relatie. Waarom u de rekeningen krijgt.'

Emms brengt de bril aan de ketting rond zijn nek omhoog en zet hem op. Bestudeert McAvoy met de blik van een verzamelaar.

'Ik kende Anne amper,' zegt hij schouderophalend. 'Naar ik heb gehoord was ze een aardige vrouw. Ze was dol op kinderen. Een echte schat. Ze wilde het land niet ontvluchten toen ze dat wel had moeten doen. Ze dacht iets goeds te kunnen bewerkstelligen. Verkeerde plaats, verkeerde tijd. Ze organiseerde een uitstapje voor de school waar ze werkte als hulpverlener en zodra de chauffeur de sleutel omdraaide, vloog de bus de lucht in. Anne stond nog in de open deur te zwaaien naar de andere leraren. De explosie slingerde haar naar buiten, maar ze kwam hard neer op haar hoofd. Werd nooit meer wakker.'

'Maar waarom u? Waarom bemoeide uw bedrijf zich ermee?'

Emms blaast een lange zucht uit, die luidruchtig wordt versterkt door zijn natte lippen. Hij staat op en loopt naar zijn fotowand. Haalt er een beeltenis af die in de rechterbovenhoek van de borden is geprikt.

'Vanwege hem,' zegt hij, en hij laat McAvoy de foto zien.

McAvoy ziet twee glimlachende mannen. De ene met een ontbloot bovenlijf, een bokserslichaam glanzend van het zweet, met een gespierde arm rond de nek van een lange, ranke man in legertenue. McAvoy tuurt en kijkt dan naar Emms.

'Bent u dat?'

Emms knikt. 'Een jongere versie althans. Balkanoorlog. Negentienvijfennegentig, denk ik? Ik moet die foto's echt eens van een jaartal voorzien.'

'En wie is die andere man?'

'Simeon Gibbons. Majoor, tegen die tijd. Hij was opgeleid tot aalmoezenier, maar hij vocht mee aan het front.'

McAvoy zwijgt verwachtingsvol.

Emms trekt een wenkbrauw op. 'De verloofde van Anne Montrose.'

'En uw relatie tot majoor Gibbons?'

Emms stoot een weemoedig lachje uit. '"Wapenbroeders" lijkt me een goede omschrijving. Hij was mijn beste officier. Mijn beste vriend, als er zoiets bestaat. Ik wilde dat hij samen met mij de beveiliging in ging, maar daar hadden we een verschil van mening over. Noem het een botsing van idealen. Hij zei dat hij geen huurling wilde zijn. Ik vertelde hem dat we mensen hielpen. Iets bijzonders opbouwden. Levens redden. Hij zei dat Anne dat voor niets zou doen. We zouden het nooit eens zijn geworden. Dus bleef hij in het leger. Ik richtte Magellan op.'

'En Anne?'

'Hij ontmoette haar in een of ander godverlaten oord in Irak. Werd halsoverkop verliefd. Simeon was daar helemaal niet het type voor. Hij hield zichzelf altijd onder controle. Een echte binnenvetter. Hij had zijn overtuigingen en week daar niet van af. Een christen. Maar hij viel als een blok voor Anne.'

'Dus toen de explosie plaatsvond…'

Emms haalt zijn schouders op. 'Ik hoorde erover van een andere oude vriend. De pers op afstand houden vond ik wel het minste wat ik kon doen voor een oude strijdmakker. Was niet moeilijk, eerlijk gezegd. Verwacht niet dat ik me schuldig ga voelen omdat ik een journalist heb omgekocht, rechercheur.'

McAvoy schudt zijn hoofd. 'Verwacht ik ook niet. Ik begrijp het.'

'Toen Gibbo het hoorde, verloor hij zijn verstand. Hij kon zich er niet bij neerleggen. Het is moeilijk te beschrijven voor mensen die er nooit zijn geweest. In een oorlog, bedoel ik. Daarginds. Onder de koperen ploert. De afzondering. Je begint aan alles te twijfelen. Je begint anders naar de wereld te kijken. Mensen worden gelovig, of vallen van hun geloof. Dat kan de beste overkomen, en toen hij Anne verloor, ontstond er een leegte in hem. Ik weet niet wat ervoor in de plaats kwam. Hij wilde niet meer met zijn oude makkers praten. Wilde niet naar huis. Zelfs niet toen ik Anne terug naar het Verenigd Koninkrijk liet vliegen... toen ik haar in die privéfaciliteit onderbracht, met vierentwintiguurszorg...'

Emms kijkt naar de foto op zijn schoot. Kijkt naar het gezicht van een oude kameraad die zijn verstand verloor toen zijn hart werd gebroken.

'Werd hij ontslagen uit militaire dienst?'

'Kreeg ie de kans niet voor,' zegt Emms opkijkend. 'Niet lang daarna reet een stuk metaal van een bermbom zijn keel open. Hij bloedde dood langs de kant van de weg in Basra. Ze hadden hem eigenlijk nooit naar het front mogen laten gaan.'

'Het spijt me dat te horen.'

'Het was zo zonde. Zo'n geweldige kerel.' Hij reikt achter zich. Pakt de pentekening van het bureau. Houdt die omhoog naar McAvoy. 'En getalenteerd.'

Hij maakt de lijst open en haalt het kostbare, crèmekleurige tekenkarton tevoorschijn. Het is gesigneerd op de achterkant. Emms kijkt ernaar en sluit zijn ogen. McAvoy voelt zich opeens een indringer en niet op zijn gemak.

'Het spijt me voor u.'

'Dat zei u, ja.'

Er valt een stilte in de kleine kamer. Het is pas halverwege de middag maar het donker schuift als een scherm naar de vloer.

'En u betaalt nog altijd haar rekeningen?'

'Zou u dat niet doen?'

Daar hoeft McAvoy niet over na te denken. Hij weet dat hij zijn laatste penny zou geven om een vreemde te helpen.

'Ik zal twee van mijn jongens de wacht laten houden bij het bed van Anne. Voor de zekerheid. Bel me wanneer u denkt dat dit voorbij is.'

Om de mistroostige sfeer te doorbreken, wendt Emms zich naar het raam. 'Het houdt maar niet op.'

'Pardon?'

'De regen. Ik heb dit huis voor Ellen gekocht. Ze droomde er altijd van in een landhuis te wonen. Is opgegroeid met die romans van de Brontë-zusjes en had een zwak voor Heathcliff. Ze vond het zo romantisch, die woeste heiden en heuvels in de wind en regen. Nou, die heeft ze gekregen. Verdomd deprimerend, als je het mij vraagt. En nu wil ze een paard. Volgens mij hoopt ze ergens op een heuvel een mysterieuze kerel in een rijbroek tegen te komen. Ze haalt zich voortdurend dat soort fantasieën in het hoofd.'

McAvoy glimlacht geamuseerd. 'Mijn Roisin is ook zo. Een hoofd vol mooie sprookjes.'

'Lastig om daaraan te voldoen, niet?'

McAvoy knikt, en de beide mannen delen kort een gevoel dat verdacht veel op vriendschap lijkt.

'Armstrong staat vast te vernikkelen,' zegt McAvoy.

'Hij heeft erger meegemaakt. We zullen hem hard laten werken, maar als je het slim aanpakt is er goed geld mee te verdienen.'

'En denkt u dat hij het geestelijk aankan? Na wat er is gebeurd?'

'Hij komt niet in de vuurlinie, om het zo te zeggen. Hij zal toezien op een van onze vrachtcontracten. Meegaan naar besprekingen. Een beetje zijn spierballen tonen om bouwondernemers gerust te stellen. Als hij eenmaal bevriend raakt met de anderen, wordt hij gewoon een van de jongens. Op dat soort locaties zijn je kameraden belangrijk.'

In de wijze waarop Emms het zegt, hoort McAvoy een behoefte aan iets wat hij herkent. Misschien beter dan wie ook begrijpt hij de behoefte om te horen dat hij juist heeft gehandeld.

23

De sneeuw die eerder die week in Grimsby was gevallen, is weggesmolten. De straten lijken er op een of andere manier door te zijn gereinigd en de stad ziet er zo schoon geschrobd uit dat McAvoy moet denken aan een hond die, verwonderd met de ogen knipperend, uit een bad komt dat hij onvrijwillig heeft genomen.

De avondlucht is gevuld met het soort fijne regen dat je tot op de huid doorweekt voordat je zelfs beseft dat je beter een jas kunt aantrekken.

McAvoy had niet verwacht hier zo snel terug te keren. Terug in de straat waar hij zo recentelijk met een moordenaar heeft geworsteld, en een leven heeft gered.

Pharaoh parkeert de sportwagen op een paar straten van de Bear. Misschien om hem de herinnering aan die bloederige en pijnlijke worsteling te besparen, of misschien alleen om haar geliefde voertuig op een iets veiliger plek neer te zetten.

'Niet zo somber.' Ze opent het portier en laat een kille windvlaag de auto binnen. 'Onze onkosten worden vergoed.'

McAvoy zet zijn kraag op en weet met moeite de compacte tweezitter uit te komen. Zijn hoofd duizelt.

Plotseling wordt het onderzoek op de juiste manier aangepakt, zoals hij al vanaf het begin had gewild.

Hij concentreert zich op de stortvloed aan informatie die Pharaoh hem tijdens de rit van een halfuur vanaf Hull heeft toevertrouwd.

'Ze spreken verdomd goed Engels,' zegt ze, onder de indruk. 'Zeer respectvolle mensen. Ze wilden echt helpen. Heel verfrissend.'

Ze is opeens fan van de IJslandse politie, nadat ze een genoeglijk kwartiertje een paar jonge rechercheurs volledig heeft ingepakt met haar charmes. Ze heeft hun ego's gemasseerd en uitgelegd dat hun informatie belangrijk kon zijn om een seriemoordenaar te pakken.

Ze wilden met alle plezier helpen. En Colin Ray zou heel ongelukkig worden van de informatie die ze hadden onthuld.

Er was inderdaad geknoeid met een van de containers op het vrachtschip dat was gecharterd voor de documentaire over Fred Stein. Toen het vaartuig de haven binnenliep en de man als vermist werd opgegeven, hadden twee agenten van een kleinstedelijk politiebureau de kapitein en eerste stuurman ondervraagd. Ze hadden foto's van de hut van Fred Stein genomen. Ze hadden de televisieploeg verhoord en kopieën van hun materiaal opgevraagd. En ze hadden even rondgekeken in het vrachtruim. Zelfs in hun ietwat ondeskundige ogen werd duidelijk dat een van de containers onder aan de stapel niet in dezelfde conditie verkeerde als de tientallen andere die erboven en eromheen torenden. In de metalen deur was een gekartelde opening van zo'n anderhalf bij één meter gesneden. Bij een inspectie met zaklampen bleek het interieur leeg te zijn, op een smerige slaapzak en drie flessen water na. Ze onderwierpen de kapitein aan een tweede verhoor. Vroegen hem of hij wist waardoor de schade kon zijn veroorzaakt. Of hij, net als zij, dacht dat het met een lasbrander was gedaan. Hij had zijn schouders opgehaald. Gezegd dat verstekelingen een probleem waren. Op de zijkant van de container stond een serienummer dat Tom Spink had weten te traceren naar een transportbedrijf in Southampton. De vrouw die bij de vervoerder de telefoon opnam, was dezelfde persoon die – iets meer dan een week eerder – de vrachtorder had opgenomen voor de overtocht van de bewuste container.

'Soms is het alleen een kwestie van de aanwijzingen opvolgen,' zegt Pharaoh terwijl ze over Freeman Street lopen, dicht genoeg bij elkaar om voor een vreemd koppel te worden aangezien. 'Soms heb je gewoon geluk. En soms is het echt zo simpel.'

De vrouw bij het transportbedrijf herinnerde zich de boeking. Ze was gemaakt door een man die ze goed kende. Iemand die vroeger in de haven van Southampton de kraan bestuurde om de containers op de vrachtschepen te laden. Hij verloor zijn arm toen er in een harde storm een stapel omkieperde, die hem onder zo veel vracht verpletterde dat de meeste mensen het niet zouden hebben overleefd. Het laatste wat ze over hem had gehoord was dat hij naar het noorden was verhuisd. Ze had het leuk gevonden weer iets van hem te horen. Blijkbaar werkte hij als stuwadoor, ergens aan de Humber. Ze hadden zijn verzoek om een referentie gekregen, die ze met alle plezier hadden verstrekt, en hij klonk goed te pas toen hij gedag zei en de overtocht voor de container boekte, waarbij hij er, bizar genoeg, op had aangedrongen dat die onder aan de stapel werd geborgen. Ze had het afgedaan als een eigenaardigheid ten gevolge van zijn ongeval. Misschien had ze hem verkeerd verstaan. Want dat was soms moeilijk vanwege het zware Russische accent…

Pharaoh knikt naar de open voordeur van een donker geschilderde, ouderwetse bar, die in een kleine galerij aan de hoofdstraat de ruimte van drie winkels in beslag neemt.

Een uitsmijter, met een mok thee in zijn hand en een beveiligingsoortje in, leunt tegen de bakstenen voormuur. Hij kijkt even naar Pharaohs borsten, die ondanks haar leren jasje nog indruk-wekkend zichtbaar zijn, en richt dan zijn aandacht op McAvoy. Hij lijkt wat meer rechtop te gaan staan, alsof hij zich plots realiseert dat hij voor het eerst sinds lange tijd een grotere kerel tegenover zich weet.

'Goedenavond. De laatste ronde is over een kwartier, dus zou ik maar opschieten.'

Pharaoh reikt in haar decolleté en haalt er haar legitimatie uit.

'O, fuck,' zegt de uitsmijter met een zucht.

'Niets om je druk over te maken,' stelt ze hem gerust met een hand op zijn arm. 'Ik moet iemand spreken die hier vaste klant is. En ik denk dat je mij wel wilt helpen. Een grote kerel zoals jij is een redder in nood, dat zie ik zo. En je wilt me vast de moeite besparen om op zo'n avond over straat te trippelen.'

De uitsmijter fronst het voorhoofd, maar het is alleen voor de vorm. Hij lijkt nog altijd graag in Pharaohs gratie te willen komen. 'Om wie gaat het?'

'Russische kerel,' zegt Pharaoh. Ze komt zo dicht bij hem staan dat McAvoy weet dat haar geur zijn neusgaten vult en de warmte van haar lichaam door zijn jasje en pantser heen dringt. 'Met één arm.'

De uitsmijter slaat zijn ogen op. 'Zorro, bedoelt u?'

'Hm?'

'Hij ging een keer vissen met een paar van de jongens,' legt hij uit. 'Toen hij een lijn uitwierp, greep de wind zijn hengel. Het was alsof hij een heleboel letters Z in de lucht kerfde. Net als Zorro. Weet u wel?'

'En waar zou ik die Zorro, op een koude winteravond in Freeman Street, kunnen vinden?'

'Hij was hier eerder op de avond,' zegt de uitsmijter met een schouderophalen. 'Vertrok rond een uur of acht met een stel van de jongens. Ze gingen naar het centrum, geloof ik.'

'En waar kan ik hem het best gaan zoeken?'

De uitsmijter neemt haar nog eens in ogenschouw. Weegt zijn opties tegen elkaar af, en besluit dat hij zijn kennis niet echt een slechte dienst bewijst door wat informatie uit te wisselen voor de genegenheid van deze bloedsexy oudere vrouw met haar fraaie rondingen.

'Hij woont boven de zonnestudio daar bij Riby Square.' Hij knikt in de richting vanwaar de politieagenten zojuist zijn gekomen. 'Maar hij leek me niet van plan vroeg naar huis te gaan.'

'En als ik hem nu wil spreken?'

De uitsmijter glimlacht en Pharaoh blijft hem aankijken.

'Ik zou 'm voor u kunnen bellen.'

Pharaoh glimlacht, reikt omhoog en geeft hem een kus op de wang, alsof hij een brave jongen is die net een levensechte tekening van een hond heeft gemaakt. Hij antwoordt met een grijns, die meer kinderlijk dan begerig overkomt, en lijkt zichzelf te corrigeren door er een wellustige blik aan te voegen.

'Mensen kunnen zo behulpzaam zijn,' zegt ze tegen McAvoy. Dan haakt ze haar arm in de zijne. 'Kom op. Je mag me een drankje aanbieden.'

Pharaoh bereikt al bijna de bodem van haar tweede wodka-Diet Coke.

Ze zitten aan een ronde, bruinrode tafel. De pub maakt op McAvoy een groteske indruk; het is een slechte imitatie van betere kroegen. Achter een lange winkelhaak van een bar, bevoorraad met huismerken en goedkoop bier, hangt een gebarsten spiegel die smoezelig glanst.

'Je weet wel de mooiste barretjes uit te zoeken, hè?' zegt Pharaoh, die haar glas leegdrinkt. Dan voegt ze eraan toe: 'Daar zul je 'm hebben.'

McAvoy kijkt op en ziet dat de uitsmijter hen aanwijst voor

een lange, pezige man met vlakke, duidelijk Oost-Europese gelaatstrekken en een lege mouw in zijn leren jasje. Hij loopt naar
hun tafel, niet bepaald opgetogen.

'Algirdas?' vraagt Pharaoh. 'De jongens noemen je "Zorro"?'

'Ja.' Dan richt hij zijn aandacht op McAvoy. 'Heb ik jou niet
eerder gezien?'

McAvoy knikt. 'Na dat hele gebeuren aan de overkant. Je sprak
me aan op straat.'

De Rus knijpt zijn ogen tot spleetjes, alsof hij het zich probeert te herinneren.

'Jij ben de smeris die klop kreeg van m'n maten,' zegt hij met
een luide lach, waarbij hij zijn hoofd in zijn nek gooit. 'Ze hebben het verkloot, hè?'

'Ja,' antwoordt McAvoy.

'Was vreselijk,' vervolgt Algirdas hoofdschuddend. 'Ik ken
Angie. Aardige vrouw. Eenzame vrouw, denk ik. Was mijn vriendin.'

'Ze is niet dood,' zegt McAvoy voordat Pharaoh kan spreken.

'Nee, dat niet. Maar niet meer de oude, hè?'

Ze laten die gedachte even bezinken. Vragen zich af wat voor
soort persoon er uit het ziekenhuis zal komen. Hoeveel jaar
Angie zal leven met de angst dat iemand anders het karwei gaat
afmaken, voordat de drank en sigaretten haar voor eeuwig verlossen.

Pharaoh neemt het over. Ze kijkt Algirdas vriendelijk aan en
tikt op de rug van zijn hand, die op tafel ligt, vlekkerig, bleek en
getatoeëerd met iets onleesbaars op de vingers en knobbelige
knokkels.

'Hopelijk stel je het op prijs dat we speciaal hierheen zijn gekomen,' zegt ze glimlachend. 'We hadden vanavond een hoop
andere dingen kunnen doen, maar toen mijn brigadier mij over
jou vertelde, liet ik alles meteen uit handen vallen.'

Algirdas knijpt één oog dicht, als om zich beter te concentreren, en wendt zijn hoofd naar McAvoy.

'Channler?' vraagt hij, waarna hij zijn hand van tafel haalt om onder zijn jasje de plek te kneden waar zijn arm in een stomp eindigt.

Pharaoh knikt. McAvoy blijft onbewogen zitten.

'Ken je hem?'

Algirdas kijkt weer de andere kant op en ziet Pharaoh naar de bar benen. Ze heeft een snel onderonsje met de barman – die ze in niet mis te verstane bewoordingen laat weten dat het nog geen tijd is voor de laatste ronde – en keert terug met een pint bitter bier en dubbele wodka voor de Rus, nog een pint voor McAvoy, en een zakje met spekzwoerdjes voor zichzelf.

Ze scheurt het zakje open en begint de snacks in haar mond te proppen, maar houdt Algirdas scherp in het oog terwijl die een eerste slok van zijn pint neemt. Hij slaat de wodka in één keer achterover, drukt zijn mouw tegen zijn mond en ademt vervolgens in.

Pharaoh werpt McAvoy een steelse blik toe, alsof ze vraagt wat de man doet.

'Geeft een grotere kick,' legt McAvoy uit. 'Russische gewoonte.'

'Rot op,' foetert Algirdas. 'Ik ben Litouwer.'

'En ik politieagent, dus rot zelf op.'

Ze kijken elkaar even strak aan zonder iets te zeggen.

'Weet je dat Russ Chandler is verhoord in verband met twee moorden?' vraagt Pharaoh, boven het lawaai van de barman die lege flessen in een plastic afvalbak kiepert. 'Hij zal inmiddels wel zijn aangeklaagd.'

Algirdas schiet achterover in zijn stoel, alsof hij een elektrische schok krijgt. Hij zit opeens kaarsrecht, met zijn hand knijpend in zijn stomp, zo hard dat het bijna pijn doet om naar te kijken.

'Moord? Wie vermoord?'

'Een jong meisje, Daphne Cotton,' zegt McAvoy kalm. 'En een man, Trevor Jefferson. Zeggen die namen je iets?'

Algirdas neemt een grote teug van zijn pint. Beklopt zijn jaszakken en haalt een pakje tabak en vloeitjes tevoorschijn. Met één hand begint hij behendig een reeks sigaretten te rollen. Hij steekt er een in zijn mond.

'Binnen roken mag tegenwoordig niet meer.' McAvoy verbaast zichzelf als hij onverwacht over tafel reikt om het sjekkie uit de mond van de man te plukken. 'Chandler,' begint McAvoy opnieuw.

Algirdas kijkt naar Pharaoh. Hij lijkt boos te worden. 'Barry, de uitsmijter. Hij zei dat de politie mij wou spreken. Ik kom. Hij zegt leuke vrouw, grote tieten. Ik zeg geen probleem. Ik kom naar hier. Ik praat met jullie. Ik denk: gaat over Angie. Misschien getuigenverklaring, oké? Geen Channler. Geen moord.'

'Jij was degene die zijn naam ter sprake bracht,' zegt McAvoy, die de sigaret langzaam uit elkaar haalt en de delen terug op het natte, plakkerige tafelblad legt. 'Je hoorde me praten aan de telefoon. Je hoorde me zijn naam noemen. En je vroeg me naar Chandler. Daarom zijn we hier.'

Algirdas trekt een nadenkend gezicht. Begint op zijn onderlip te bijten. Hij reikt in zijn overhemd en haalt er een doffe metalen hanger aan een ketting uit. Hij steekt hem als een fopspeen in zijn mond.

'Je beschermheilige?'

Algirdas snuift. 'Wisselgeld van mijn eerste Engelse pint. Twee pence. Negen jaar geleden. In kroeg zoals hier.'

'Ontroerend,' zegt McAvoy, die de plotselinge stoot tegen zijn been opvat als Pharaohs teken dat hij moet inbinden.

Algirdas drinkt zijn glas leeg. Hij kijkt naar Pharaoh. Lijkt met iets te worstelen en geeft brommend toe. 'Ik ben niet illegaal. Ik heb papieren. Ik heb recht hier te zijn, in Grimsby.'

Pharaoh stopt het laatste spekzwoerdje in haar mond. 'Dat kan me allemaal geen moer schelen, vriend. Iedereen die vrijwillig in Grimsby blijft rondhangen, moet wel voor iets heel ergs op de vlucht zijn. Wat mij betreft ben je welkom.'

Algirdas knikt, alsof hij een besluit heeft genomen. 'Ik heb Channler ontmoet in net zo'n bar. Southampton, ja? Vijf, zes jaar geleden? We dronken. Maakten een praatje. Hij luisteren naar mijn verhaal. Hij was schrijver. Grote schrijver. Dat zei ie.'

'Ging hij soms je levensverhaal schrijven? Je beroemd maken?'

Algirdas slaat op tafel. Het is lastig in te schatten of hij kwaad is of opgewonden. 'In Litouwen, ik was zanger. Plaat gemaakt. Grote hit. Niet alleen in mijn land.'

Pharaoh probeert haar lachen in te houden. 'Trad je ook op in de Litouwse *Top of the Pops*?'

'Ik op tv. Radio. Posters in slaapkamer. Grote ster.'

'O ja?'

'Ja. Ik was goed.'

'Waar ging het fout?'

'Verdomde smeerlapperij. Ik wou meer geld. Ze betaalden niet. Ik vond dat ik ster was. Zij niet. Ik kapte ermee. Wachtte tot telefoon ging. Nam echte baan om rekeningen te betalen tot alles goed kwam. Kwam nooit goed. Echte baan werd echte leven.' Hij staart naar het tafelblad met ogen waaruit spijt en verbittering spreken.

'En Chandler…?'

'Hij vond het een geweldig verhaal. Zei dat hij een boek kon schrijven. Zou een bestseller worden. Mijn levensverhaal. Popzanger wordt havenarbeider in Southampton. Toen verloor ik mijn arm. Channler kwam me opzoeken. Hij zei dat drama een boek realistischer maakt. Menselijker, zei hij. Zei dat hij zou bellen. Interview regelen. Met uitgever praten.'

'En heeft hij gebeld?'

Algirdas kijkt weg. 'Hij begon aan een ander boek. Altijd schrijven. Altijd werken. En ja, soms drinken. Niet vies van drank.'

'Waarom ben je eigenlijk naar Grimsby gekomen?'

'Werk. Ik heb hier een vriend wonen. Bood me werk aan. Zo veel keus is er niet voor een man met één arm.'

McAvoy neemt een peinzende houding aan. 'Maar Chandler heeft nog een keer contact met je opgenomen, is het niet? Recentelijk.'

Algirdas knikt. 'Hij belde, misschien maand geleden. Vond mijn nummer. Zei dat hij een boek in gedachten had. Was mij niet vergeten. Wilde afspreken.' Hij doet zijn mond dicht, weifelend of hij moet doorgaan. McAvoy schuift geruisloos zijn enige pint over tafel en de Litouwer pakt die dorstig aan.

'Maar eerst...'

'Moest ik iets doen voor een vriend van hem. Was verhuisd naar IJsland. Moest een container boeken op vrachtschip. Vroeg of ik het kon regelen...'

'En dat kon je?'

Algirdas haalt zijn schouders op. 'In de haven gebeurt van alles. Ik heb vrienden. Weet hoe het systeem werkt.'

'En Chandler wist dat?'

'Hij moet het geweten hebben. Ik vertelde het hem. Hoe gemakkelijk je mensen in en uit kon krijgen. Politie, beveiliging, helpt geen moer. Mensen gaan en komen wanneer ze willen.'

Pharaoh wendt zich tot McAvoy, maar hij kijkt haar niet aan. Hij blijft staren naar de man die hem elk moment kan gaan vertellen hoe Fred Stein dood in een reddingsboot is geëindigd.

'En je zei ja?'

'Channler zou mijn verhaal vertellen. Mensen laten weten wie ik vroeger was.'

McAvoy begrijpt die overweldigende behoefte aan erkenning, en dat een miezerig derderangsschrijvertje als Russ Chandler in staat is om andere kerels, sterker en meer capabel, voor zijn karretje te spannen met mooie beloften.

'Wat moest je doen?'

'Channlers vriend belde mij. Hij zei dat container dicht moest blijven. Op bodem van dek. Geen inspectie. Niet ingesloten. Niet boven op stapel. Ik boekte container voor hem.'

'Je hebt die vriend gesproken?'

'Kort gesprek. Twee minuten. Kwam meteen ter zake. Of hoe zeg je dat? Alsof praten 'm pijn deed. Stem klonk alsof hij gewurgd werd...'

McAvoy sluit zijn ogen. Hij ruikt weer het bloed en de sneeuw.

'Ik wachten op telefoon van Channler...'

'Heeft hij gebeld?'

'Nee,' zegt Algirdas stil. Dan kijkt hij opeens op. 'Maar hij zit in gevangenis, zeg je. Hij kan mij niet bellen. Hoe moet hij nu mijn boek schrijven? Channler is geen moordenaar. Klein kereltje. Eén been. Dronkenlap. Hoe moet hij iemand vermoorden?'

McAvoy verliest zijn geduld. 'Hij heeft ook niemand vermoord, jij stomme goedgelovige sul. En hij heeft nooit een fatsoenlijk boek geschreven. Hij is een ellendige mislukkeling die nu een verdomde bestseller in handen heeft!'

Zich door het haar strijkend staat McAvoy geïrriteerd op, waarbij hij zijn stoel omgooit en de glazen op tafel omstoot. Nu hij zich tot zijn volle lengte verheft, kijkt Algirdas naar hem op alsof hij een reus is. Zijn mond gaat open en dicht als een stervende vis. Pharaoh wil een hand op de arm van haar brigadier leggen, maar hij schudt haar af en stormt de pub uit, zich niet bewust van de starende blikken en de zinloze woorden van de uitsmijter.

De koude lucht slaat hem in het gezicht.

Hij hoort Pharaohs hakken over het natte trottoir kletteren. Beseft dat ze een sprintje moet trekken om hem in te halen, dus vertraagt hij zijn pas om haar de kans te geven hem te overtuigen niet kwaad weg te lopen.

'McAvoy!' roept ze. 'Hector.'

Hij draait zich om, zijn gezicht rood, zijn haar nat, het zweet druipend in het kuiltje onder aan zijn hals.

'McAvoy, ik begrijp niet...'

'Nee,' snauwt hij. 'U begrijpt het niet.'

'Maar alles wijst toch op Chandler? Ik bedoel, het ziet ernaar uit dat hij schuldig is...'

'O, en of hij schuldig is.' McAvoy staart omhoog naar een hemel die totaal verstoken is van sterren. 'Schuldig aan spelletjes spelen met mensen. Schuldig aan parasiteren op de ijdelheid en angsten van mensen. Schuldig aan een hoop woede. Maar een moord plegen? Als verstekeling meevaren op een vrachtschip met een lasbrander en een reddingsboot? Daphne in een volle kerk in stukken hakken? Mij twee keer vloeren? Nee, zo is hij niet.'

Hij voelt Pharaohs hand op zijn onderarm en ditmaal schudt hij haar niet af.

'Hoe is hij dan wel? Vertel het me.'

McAvoy ademt uit. Kijkt de verlaten hoofdstraat door, met de willekeurige constellaties van knipperende neonlampen en kapotte winkelborden.

'Dat mag hij u zelf vertellen,' zegt hij kwaad. 'We gaan bij hem langs.'

Pharaoh kijkt naar hem op, haar borsten nazwoegend van het rennen en haar geur indringend in de luchtbel die hen beiden lijkt te omvatten.

Hij trekt zich terug.

Staart naar zijn voeten en verplaatst zich in Daphne Cotton.

In Fred Stein.

In Angie Martindale.

Zelfs in die rotzak Trevor Jefferson.

Hij komt opeens tot het besef dat 'goed' en 'kwaad' niet hetzelfde is als 'juist' en 'fout'.

En hij weet dat de reden waarom hij de juiste dader moet oppakken, waarom hij de echte moordenaar in de juiste cel moet slingeren om de weegschaal in balans te brengen, dezelfde reden is waarom hij zich niet door deze sexy, hartstochtelijke, sterke vrouw laat kussen.

Omdat er iemand moet zijn die zich aan de regels houdt.

En niemand anders het een barst kan schelen.

24

McAvoy en Pharaoh zijn zestig kilometer van Hull als de telefoon gaat. En ook zestig kilometer van Wakefield Prison. Nog geen uur verwijderd van een privékamer, een tafel, drie stoelen, en een uur in het gezelschap van de enige man die kan vertellen of hij gelijk heeft.

Pharaoh, die achter het stuur zit, haalt het mobieltje van tussen haar dijen en neemt op met het woord 'Tom'. Ze stoot een paar korte grommen en vloeken uit. Haar gezicht betrekt als ze ophangt.

Zwijgend, met een hand afwezig omhoog om McAvoys vragen af te weren, parkeert ze in de harde berm.

'Ik denk dat onze rit hier eindigt,' zegt Pharaoh.

'Hoezo? We hebben nog kilometers te gaan...'

'Chandler. Hij heeft geprobeerd zelfmoord te plegen.'

McAvoy krijgt het gevoel alsof hij in zijn maag is gestompt. 'Hoe?'

'Hij had een scheermes in dat kunstbeen van hem. Niemand heeft dat gecontroleerd. Ze vonden hem in zijn cel met een bloedende keel. En polsen. En enkels. Nou ja, enkel...'

'Hij wist dat we kwamen,' zegt McAvoy mat.

'Dat wist hij niet, Hector.' Haar stem is nauwelijks hoorbaar boven het geluid van de vrachtwagens die rakelings langs hen heen denderen. 'We waren van de radar, schat. De gevangenisdirecteur bewees ons een vriendendienst. We deden dit op eigen houtje. Als zijn advocaat erachter was gekomen...'

'Hij wist het.'

'Hector.'

'Hij wist het verdomme.'

Er valt een moment van stilte.

Hij weet wat ze hierna gaat zeggen. Weet dat Pharaoh haar nek ver genoeg heeft uitgestoken. Dat zij, Spink, Tremberg en het hele team zichzelf gaan overtuigen van Chandlers schuld. Dat ze gaan doen wat nodig is om de bewijsvoering van Colin Ray waterdicht te krijgen. Zodat het lijkt alsof ze hun mannetje te pakken hebben.

'U weet dat hij het niet heeft gedaan. Niet echt, bedoel ik.'

'Ik weet niet wat ik moet denken, Hector. Dit is het gedrag van een schuldig iemand.'

'Een schuldig iemand die toevallig onschuldig is.'

Pharaoh schudt haar hoofd. 'We hebben geen enkel bewijs, hè?' zegt ze, half tegen zichzelf. 'Jij en ik niet. Colin niet. We hebben er vanaf het begin een klerebende van gemaakt. Eenheid Zware Georganiseerde Criminaliteit? Laat me niet lachen, we kunnen nog niet eens onze eigen broek ophouden.'

McAvoy staart uit het raam. Naar de dreigende hemel.

'Hoe denk je dat het werkelijk zit?' vraagt Pharaoh.

McAvoy zucht. 'Ik denk dat wat Chandler zag als een idee voor een boek, door iemand anders werd gezien als iets groters. Iets waar een zekere logica in zat. Ik weet niet...' Hij klopt zichzelf met een gekneusde knokkel op het voorhoofd, furieus omdat hij er niet in slaagt de wirwar van gedachten die zijn geest laat duizelen te ontrafelen. 'Dit is niet willekeurig. Dat weet ik wel. Het gaat niet om moord uit lust of geld of wraak. Deze sterfgevallen zijn alleen logisch in het hoofd van één persoon. Iemand herstelt het evenwicht. Ontneemt de slachtoffers hun tweede levenskans. Het zijn mensen die overleefden terwijl niemand anders in leven bleef. Ze worden vermoord op dezelfde manier waarop de dader denkt dat ze hadden moeten sterven. Dat betekent iets. Hij bootst de omstandigheden na. Hij probeert het wonder weg te nemen. Het enige motief dat ik voor Chandler kan bedenken, is dat hij er een boek aan over wil houden, maar ik heb de man ontmoet en er stond woede en zelfhaat in zijn ogen te lezen, maar geen...'

'Boosaardigheid? McAvoy, het gaat niet altijd om –'

'Weet ik, weet ik. De meeste misdrijven zijn gewoon het gevolg van woede of dronkenschap of dat je iemand harder slaat dan zijn hoofd kan hebben. Maar ik heb boosaardige ogen gezien en de ogen van de man die dit doet zijn zo niet. Dit gaat over verdriet en wanhoop en iets moeten doen wat je niet wilt doen. Het gaat over opoffering. Het is...'

Pharaoh legt een hand op de rug van de zijne. Ze knikt naar hem. 'Hector, wie vermoordt deze mensen volgens jou?'

'Iemand zoals ik,' antwoordt hij.

'Jij zou dit nooit doen. Jij zou mensen nooit kwaad doen.'

'Toch wel,' zegt hij tegen de vloer. 'Voor mijn gezin. Uit liefde. Ik zou naar de hel gaan voor de mensen van wie ik hou. Ik zou huilen terwijl ik het deed, maar ik zou het doen. U niet?'

Pharaoh wendt zich af. 'Niet iedereen offert zich op voor de liefde.'

'Dus moeten we iemand zoeken die dat wel doet. Iemand die sterk genoeg is om mij aan te kunnen. Iemand die in staat is om zich uit een container te bevrijden en een oude man te vermoorden. Iemand die Chandler goed genoeg kent om gebruik te maken van zijn connecties. Om hem Algirdas te laten bellen. We zoeken iemand die zich opoffert voor de liefde.'

Zijn gezicht staat kwaad en hij gebaart opgewonden. Pharaoh lijkt onwillekeurig iets terug te deinzen in haar stoel en McAvoy beseft onmiddellijk hoe intimiderend hij moet overkomen.

'Het spijt me, baas. Ik wilde alleen...'

Pharaoh schudt ongelovig haar hoofd. De spanning wordt pas doorbroken als ze hem een halve glimlach schenkt, gevolgd door een stomp tegen zijn schouder. 'Je hebt voor jou wel een handleiding nodig. Jouw Roisin moet een heilige zijn.'

McAvoy brengt een lachje voort. 'Ze is beter dan wij allemaal,' zegt hij, met een vaag wuifgebaar naar de straat met zijn dronken passanten, de dichtgespijkerde winkels en met afval bezaaide portieken. 'Beter dan dit alles.'

Pharaoh kijkt hem aan en houdt zijn blik vast. Uiteindelijk knikt ze besluitvaardig. 'Zorg ervoor dat ze blijft stralen, Hector. Wie weet breekt dan ook bij jou het zonnetje door.'

25

McAvoy leunt tegen een van de rode bakstenen zuilen van de elegante portiek rond de glazen schuifdeuren.

'Rechercheur McAvoy?'

Hij draait zich om en ziet een lange, slanke, kortharige vrouw in een donsjack over een witte jas en broekpak. De vrouw steekt een bleke, ringloze hand uit, die geheel verdwijnt als McAvoy haar de hand schudt, waarbij hij erop let niet te knijpen.

'Megan Straub,' stelt ze zichzelf voor.

McAvoy glimlacht en is blij te zien dat ze dat ook doet.

'Ik ben de arts van Anne,' zegt ze, waarna ze hem gebaart haar te volgen, terug in de warme omhelzing van de moderne verpleeginrichting. 'Ik geloof dat sommige van onze leidinggevenden en papierschuivers niet erg blij zijn met uw verzoek,' vervolgt ze opgewekt als de dubbele deuren openzoeven en ze door een lange gang met een glimmend houten vloer beginnen te lopen.

'Nou, zoals ik uitlegde, het betreft een moordzaak...'

'Zoiets zeiden ze, ja,' reageert dokter Straub onbezorgd. Dan lacht ze en voegt eraan toe: 'Ik kan me niet voorstellen dat Anne een verdachte is.'

'Nee, zeker niet,' begint McAvoy, maar hij doet er plots het zwijgen toe als hij ziet dat de arts bij een deur is blijven staan, met haar vingers op de klink.

Dokter Straub opent de deur.

De kamer wordt verlicht door een rechthoekige lichtgloed die neerstrijkt door een hoog gordijnloos venster in een donkere karmijnrode muur, behangen met zwart-witschetsen in brede gouden lijsten.

Anne Montrose ligt midden op een smeedijzeren hemelbed. Haar beide armen rusten boven een gladgestreken, crèmekleurige sprei met vergulde stiksels, en haar blonde haar ligt als een poel gesmolten goud op het kussen.

Het infuus dat haar voedt, en het slangetje dat haar afvalstoffen wegvoert, zijn discreet verborgen achter twee hoge rococolampen. McAvoys oog wordt getrokken door het handgesneden grenenhouten nachtkastje en de bijpassende boekenkast tegen de nabije muur, onder een gigantische spiegel die het vertrek nog groter en weelderiger doet lijken dan het al is.

'Ze ligt erbij als een prinses,' fluistert McAvoy.

Achter zich hoort hij dokter Straub lachen. 'De familie van onze patiënten wil de kamer soms zelf inrichten. Of het voor hen of voor de patiënt is durf ik niet te zeggen, maar bij het personeel is dit een absolute favoriet.'

'Het licht dat door het raam valt...'

'Er hangen daar een paar lampen,' legt dokter Straub uit. 'Hoe vreselijk het weer ook is, het lijkt hier altijd een zomerse dag. Speciaal zo ontworpen.'

'Kan niet goedkoop zijn geweest.'

'Naar ik begrijp worden haar rekeningen altijd prompt betaald.' Voorzichtig loopt dokter Straub naar het bed en ze glimlacht naar de gedaante in het midden. 'En als we nieuwe technieken willen proberen die misschien een beetje extra kosten, is dat nooit een probleem.'

'Kolonel Emms zal wel heel gul zijn,' merkt McAvoy op.

'Daar kan ik geen uitsluitsel over geven,' zegt ze met een glimlach die McAvoy alles vertelt wat hij moet weten.

Hij loopt nieuwsgierig naar het bed en buigt zich over het roerloze lichaam van Anne Montrose alsof hij over de rand van een ravijn leunt. Haar huid is volkomen gaaf. Haar gezicht rimpelloos. Haar haar stralend glanzend.

'Het is net alsof ze…'

'Slaapt? Ja. Dat is het moeilijke voor dierbaren om te bevatten. Ze rouwen om iemand die er nog steeds is.'

'En is ze er nog?' vraagt hij zacht. 'Worden ze nog wakker?'

'Sommige patiënten komen weer bij bewustzijn. Niet altijd helemaal zoals vroeger, maar ze kunnen terugkomen.'

'En Anne? Zal zij…'

'Ik hoop het,' zegt dokter Straub met een zucht. 'Ik zou haar graag leren kennen. Afgaand op haar dossier hebben we veel met elkaar gemeen, hoewel ik vrees dat ik niet zo onzelfzuchtig zou zijn om te doen wat zij in het buitenland deed.'

'U bent op de hoogte van haar liefdadigheidswerk?' vraagt McAvoy. Hij stapt weg bij het bed.

'Ik ben haar arts,' verklaart ze. 'Het is mijn taak alles te proberen wat een reactie kan oproepen.'

'U herinnert haar aan wie ze was?'

'Aan wie ze nog steeds is.' Ze zwijgt even en tuit haar lippen. 'Waar gaat dit over, rechercheur?'

McAvoy opent zijn mond en wil haar vertellen dat dit gewoon routine is, maar hij slikt zijn woorden in voordat hij ze heeft uitgesproken. 'Ik denk dat iemand mensen vermoordt die gruwelen en rampen hebben overleefd. En ik denk dat Anne er op de een of andere manier bij betrokken is.'

'Denkt u dat ze in gevaar is?' vraagt dokter Straub, die verschrikt een hand naar haar mond brengt.

McAvoy schudt zijn hoofd. 'Misschien.'

'Maar...'

McAvoy haalt alleen zijn schouders op. Hij is te moe om alles uit de doeken te doen, om de gedachtegang uit te leggen die hem in de wereld van dokter Straub heeft doen belanden.

'Krijgt ze veel bezoek?' vraagt hij vriendelijk.

'Haar moeder.' Dokter Straub begint nu weer levendiger te gebaren. 'Af en toe komt haar zus. En we krijgen uiteraard artsen en studenten over de vloer...'

'Ik begrijp dat ze een relatie had ten tijde van haar ongeval,' zegt McAvoy.

'Ja, haar persoonlijke bezittingen kwamen hierheen toen ze naar deze faciliteit werd overgebracht en ik heb zo vaak mogelijk met haar familie gesproken voor meer details over haar leven. Tijdens haar werk in Irak ontmoette ze een soldaat op wie ze verliefd werd. Naar ik heb begrepen was hij mogelijk zelfs aalmoezenier bij zijn regiment. Een grote liefde, naar het schijnt. Tragisch dat het maar zo kort mocht duren.'

'Gebruikt u dit ook in de therapie?'

'We gebruiken wat we kunnen.'

'Leest u haar voor?' McAvoy knikt naar de boekenkast.

'Soms,' antwoordt ze. 'Ik heb wat romantische verhalen voorgelezen. Een paar gedichten. Met haar gesproken over de politieke situatie in Irak.'

Ze glimlacht bij het zien van McAvoys verbaasde uitdrukking.

'Dingen waar ze in geïnteresseerd was, rechercheur. Ik heb beneden een patiënt die dieper lijkt weg te zakken als we hem niet vertellen hoe Sheffield Wednesday dat weekend heeft gespeeld. Het blijven mensen. Ze zitten alleen gevangen in hun li-

chaam. We zijn voortdurend op zoek naar iets wat reacties los-
maakt. We proberen een wonder te bewerkstelligen...'

McAvoy draait nadenkend zijn tong rond in zijn mond. Hij
kijkt weer naar de figuur op het bed. Sluit zijn ogen. Kijkt in
zichzelf. Knarst zijn tanden en drukt zijn grote handen tegen zijn
voorhoofd, terwijl hij enige logica probeert te ontdekken in wat
hij dacht te begrijpen...

'Gaat het, rechercheur?'

Het wordt wazig voor zijn ogen. De kamer begint te tollen.
Zijn benen voelen slap aan, alsof ze het gewicht van zijn gedachten niet kunnen dragen.

'Wacht hier,' draagt dokter Straub hem op, terwijl ze hem helpt
op de grond te gaan zitten. 'Ik haal een glaasje water.'

De deur zwaait open en McAvoy blijft alleen in de kamer achter, zijn enorme lichaam in de houding van een duizelig schooljongetje, de benen over elkaar, zijn zware hoofd hangend naar de
houten vloer.

Hij vindt de kracht om op te kijken.

Concentreert zich op de boekenkast.

Liefdesromans en dichtbundels, sprookjes en mythen.

Hij reikt naar de kast en pakt een willekeurig boek.

De titel danst voor zijn ogen. Hij knippert. Stelt zijn blik scherp.

De Bijbel.

Hij glimlacht flauwtjes en opent het boek.

De bladzijden vallen eruit als bladeren van een dode boom.

McAvoys schoot ligt opeens vol pagina's tekst, versnipperd,
woest aan stroken en flarden gescheurd.

Hij staart naar de harde boekband.

Op de binnenkaft van het lege boek zijn woeste, grillige letters
gekrabbeld. McAvoy kan vijf woorden onderscheiden, die keer
op keer in de kaft zijn gekerfd, diep genoeg om fataal te zijn wanneer ze in de huid van een mens zouden worden gegrift.

De oneerlijke verdeling
van wonderen

En in het midden van de mantra, tussen de menigte van kwade
letters en woeste krabbels, is in hetzelfde furieuze handschrift
een Bijbelcitaat diep in de kaft gekerfd.

Op die dag zal mijn toorn tegen hen ontbranden; ik zal hen aan
hun lot overlaten en mijn gelaat voor hen verbergen. Ze zullen ver-
nietigd worden. Veel rampen en tegenslagen zullen hen treffen, en
op die dag zullen ze vragen: 'Hebben deze rampen ons getroffen
omdat onze God niet meer bij ons is?' (Deut. 31:17)

McAvoy dwingt zichzelf op te staan; de losse bladzijden uit de
Heilige Schrift dwarrelen van zijn lichaam als hij met een ruk
overeind komt.

Hij ademt zwaar, probeert de woede te begrijpen die zulke
diepe sporen in de Bijbel heeft nagelaten.

Hij staart opnieuw naar de gedaante op het bed.

Dan grabbelt hij rond in de bladzijden, waarbij hij vel na vel
met manisch schrift verkreukelt.

Houdt een stuk papier omhoog met kunstige lijntjes. En nog
een. En nog meer.

Te midden van de krabbels, de furieuze woorden, ziet hij vijf,
zes pentekeningen; vaag en abstract, prachtig en onwerkelijk.

De tranen in zijn ogen, de blauwe tint in zijn blik, maken plots
duidelijk waar hij naar kijkt.

Het zijn allemaal tekeningen van Anne Montrose. Complexe,
liefdevolle, gedetailleerde portretten van haar lachende en glimlachende gezicht.

Hij heeft dit soort tekenkunst eerder gezien.

Hij bekijkt de afbeeldingen om de beurt. Het zijn poëtische

voorstellingen van het gevoel dat ze in de kunstenaar heeft opgeroepen. Glimlachend. Lachend. Slapend…

McAvoy houdt de laatste tekening omhoog, die op een losgescheurd notitieblaadje is gekriebeld.

Het is een portret van Anne Montrose, slapend in een smeedijzeren hemelbed; haar armen boven de lakens, haar haar uitgewaaierd op het kussen.

Het papier is bevlekt met tranen.

McAvoy draait het om.

Het is gesigneerd en voorzien van een datum. Amper een week geleden.

Hij rent naar de deur.

Haalt zijn telefoon uit zijn zak.

Belt de enige persoon die hij in staat acht om de doden op te wekken.

26

Drie uur later parkeert McAvoy voor het Wakefield Hospital. De sneeuw heeft deze buitenpost van West Yorkshire nog niet bereikt. Het is bitterkoud en de lucht voelt aan alsof hij door een vochtige, aangetaste long is uitgeademd.

McAvoy veegt het haar weg van zijn ogen. Recht zijn rug en zet zijn kraag op.

Hij neemt een laatste teug van de buitenlucht, stapt dan door de automatische deuren en loopt met grote passen over het talg-kleurige linoleum. Iemand heeft getracht om de ontvangsthal in kerstsfeer te brengen, maar de versieringen lijken op de een of andere manier ongepast tegen de schilferende pleisterkalk op de muren en aan de plafondtegels met bruine vochtplekken.

Hij probeert over te komen als iemand die weet waar hij naartoe gaat. Loopt zonder blikken of blozen langs de receptiebalie. Kiest op goed geluk een gang en merkt dat hij de borden naar de afdeling Oncologie volgt. Hij besluit dat hij in de verkeerde richting loopt en ziet een andere gang naar rechts. Als hij de hoek om gaat moet hij zich bijna meteen platdrukken tegen de muur als twee forse verpleegsters, hun blauwe uniform strak door hun ronde achterwerk en boezem, hem haast omverlopen terwijl ze, zij aan zij, twee grote linnenwagens met stapels beddengoed voortduwen.

'Aan de kant,' zegt de oudere van de twee, met een zwaar West-Yorkshire-accent.

'Kan maar net, hè?' merkt de andere vrouw op. Ze heeft vuurrood haar en een ronde bril van het soort dat al tien jaar uit de mode is.

'Als ik vandaag dan toch overreden moet worden, had ik me geen leuker stel wegpiraten kunnen wensen. Sorry, maar loop ik zo goed voor de IC-afdeling…?'

Vijf minuten later stapt McAvoy op de derde verdieping uit de lift. Zijn neusgaten vullen zich met de geur van bloed en bleekmiddel; van smaakloos ziekenhuiseten; van piepende zwenkwieltjes en rubberzolen op het bekraste linoleum.

Een dikke gevangenbewaarder leunt tegen de meldbalie, nippend aan een plastic bekertje. Hij heeft zijn hoofd geschoren met de tondeuse op stand twee en de bloemkoolachtige oortjes aan weerszijden van het misvormde aardappelgezicht zijn niet groter dan bij een theekopje.

McAvoy maakt oogcontact terwijl hij naar de man toe loopt. Voor het eerst sinds zijn rugbytijd probeert hij zichzelf groot te maken, in de hoop eruit te zien als iemand met wie niet valt te sollen.

Hij toont zijn legitimatiebewijs en de bewaker gaat rechtop staan.

'Chandler,' zegt McAvoy zakelijk en formeel. 'Hoe is het ermee?'

De man kijkt even confuus, maar de legitimatie en gebiedende toon zijn genoeg om hem op zijn plaats te wijzen, en hij doet geen poging McAvoy te vragen waarom hij dat wil weten, of wie hem heeft gestuurd.

'Hij ligt daarginds op een privékamer,' zegt de bewaker. Hij praat met een accent dat in McAvoys geoefende oor klinkt als dat van iemand uit de Schotse Borders.

'Gretna?' vraagt hij, met iets van een glimlach.

'Annan,' antwoordt de bewaker licht grijnzend. 'U?'

'De Hooglanden. Via Edinburgh en zo'n beetje overal in Schotland.'

Ze wisselen een glimlach uit, twee Schotten onder elkaar, gebroederlijk bijeen in een ziekenhuis in Yorkshire, die heel even het gevoel krijgen weer thuis te zijn.

'Is hij er slecht aan toe?'

'Niet zo slecht als we eerst dachten. Hij zat onder het bloed. De lappen huid bungelden aan zijn nek. Hij moet het zelf hebben gedaan. Hij zat in de isoleer. Er was niemand anders in de buurt.'

'Is hij bij bewustzijn?'

'Amper. Ze hebben hem met spoed geopereerd, maar als de hechtingen niet hun werk doen, komt er misschien microchirurgie aan te pas. Hij was daarnet nog buiten westen, zijn gezicht ingezwachteld als een mummie. Ik ben even de gang op gelopen om koffie te drinken. De andere bewaker is gaan lunchen en zal zo wel terugkomen. Niemand zei dat we bezoek konden verwachten.'

McAvoy knikt. Trekt zich niets aan van de groeiende achterdocht bij de bewaker.

'Ik wil vijf minuten met hem,' zegt hij, en hij boort zijn ogen in die van de man. 'Of hij nu slaapt of niet.'

De bewaker lijkt op het punt te staan te protesteren, maar iets in McAvoys blik maakt duidelijk dat niets of niemand hem gaat tegenhouden, zodat de man snel besluit dat het geen kwaad kan opzij te stappen.

McAvoy bedankt hem met een knikje. Zijn hart bonkt, maar hij brengt het tot bedaren door diep adem te halen en de ogen te sluiten. Zijn schoenen maken verrassend weinig geluid op de linoleumvloer.

De stilte is griezelig. Dreigend. McAvoy vraagt zich af hoe hij zijn laatste dagen zal slijten. Of hij zal sterven te midden van lawaai, omringd door drukte en geklets. Of dat het één pistoolschot zal worden, en daarna niets.

Hij stapt Chandlers kamer binnen.

De gordijnen hebben dezelfde groenbruine kleur als die op de kraamafdeling van het Hull Royal, maar verder is alles een verbleekt en somber blauw.

Chandler ligt hulpeloos en onbeweeglijk op het bed. Zijn kunstbeen staat naast het eenpersoonsbed, de ene pijp van zijn pyjamabroek leeg achterlatend. Niemand heeft de moeite genomen een knoop te leggen onder de kniestomp en de broekspijp is scheef naar links gedraaid, zodat het op het eerste gezicht lijkt alsof het been akelig is geknakt.

Chandlers nek is in verband gewikkeld. Een slangetje aan een zak vol doorzichtige vloeistof loopt naar een naald in de rug van zijn rechterhand. Een ander, dikker slangetje gaat zijn mond en keel in; het is vastgeplakt aan de zijkant van zijn gezicht en over de plakstrook heeft zich al een korst opdrogend speeksel gevormd.

McAvoy reikt in zijn jas en haalt het flesje uit zijn binnenzak. Roisin heeft hem gewaarschuwd het niet zonder handschoenen open te maken. Zei dat de stank zich in de huid van zijn vingers zou vreten en er nooit meer uit ging. Hij trekt de manchetten van zijn overhemd omlaag. Wikkelt die rond beide handen. Houdt het flesje in zijn ene hand en schroeft met de andere voorzichtig de dop eraf.

De stank is overweldigend. Zelfs op een armlengte afstand spert McAvoy zijn neusgaten en hij voelt zich meteen duizelig worden als de pure ammoniak hem naar het hoofd stijgt.

Hij loopt met drie grote stappen naar het bed. Houdt het flesje onder Chandlers neus.

Een…

Twee…

Drie…

De omzwachtelde figuur op het bed begint wild om zich heen te slaan. Zijn ogen schieten open onder de windselen en het zichtbare deel van zijn gelaat vertrekt tot een grimas. Zijn handen vliegen naar zijn mond en beginnen aan de beademingsslang te rukken, aan het verband, terwijl een gedempt, raspend gekuch met een sissend geluid over zijn lippen komt.

Zijn ene been schopt en trommelt op de matras.

McAvoy leunt voorover. Pakt het beademingsslangetje en trekt eraan. Het komt slijmerig uit de open mond en McAvoy laat het op de vloer vallen.

Chandler gaat rechtop zitten en braakt gal in zijn eigen schoot. Begint hoestend aan de zwachtels te klauwen.

McAvoys gezicht blijft onbewogen. Hij kijkt alleen toe. Gunt Chandler dit moment van paniek. De doodsangst en desoriëntatie nu hij ontwaakt in het donker.

Hij luistert terwijl Chandler zijn stem hervindt. Ziet de verraderlijke tong likken aan de droge lippen onder de zwachtels besmeurd met braaksel.

McAvoy buigt zich naar hem toe. 'U hebt het overleefd.'

'Rechercheur…?' De stem klinkt pijnlijk schor. 'Rechercheur McAvoy?'

McAvoy schroeft de dop weer op het flesje met heldere vloeistof en stopt het terug in zijn binnenzak.

'Sorry dat ik u dat moest aandoen, meneer Chandler,' zegt hij, waarna hij met zijn zware lijf naast Chandler op het bed komt zitten. 'U hoeft alleen te antwoorden met ja of nee, meneer. U hebt heel wat achter de rug. U ligt in het ziekenhuis. U hebt geprobeerd zelfmoord te plegen.'

Chandler slaat zijn ogen op. Hij slikt pijnlijk. McAvoy pakt de kan water op het nachtkastje en schenkt wat in een beker, die hij naar de lippen van de schrijver brengt. Chandler neemt een paar slokjes en zakt dan terug op het kussen.

'U hebt het uitgedokterd, is het niet?' McAvoy staart naar de meelijwekkende figuur in de ziekenhuispyjama. 'U weet wie en waarom.'

Chandler geeft een knikje. 'Mijn schuld. Ik en mijn grote mond...'

'Hij zou het toch wel hebben gedaan,' zegt McAvoy, en hij meent het. 'Hij zou een reden hebben gevonden. Het beest dat in hem zat, zou hoe dan ook naar buiten zijn gekomen.'

'Maar hij was een goed mens,' stamelt Chandler. 'Ik kletste maar wat. Dronken gelul, meer was het niet. Ik heb nooit gezegd dat hij zijn hele geloof overboord moest gooien...'

'Hartzeer is een vreselijk iets,' merkt McAvoy op.

'Moord ook,' zegt Chandler.

Ze blijven een ogenblik zwijgend zitten. McAvoy staat op en keert zich af van het bed. Loopt naar het raam om zijn gedachten op een rijtje te zetten. Kijkt langs de gordijnen naar het natte parkeerterrein met de wiegende bomen, de striemende regen op de voertuigen en de hollende figuurtjes, zo klein als wandelende takken. Misschien komt het door de hoogte en het gevoel neer te kijken op de mensheid, maar hij krijgt meer dan ooit de indruk dat het aan hem is – en aan hem alleen – om bescherming te bieden en het recht te laten zegevieren. Hij draait zich om. Tijd voor de ontknoping.

'Simeon Gibbons. Waar is hij?'

De naam hangt zwaar in de lucht. Chandlers mond gaat dicht. Zijn lichaam lijkt enigszins te ontspannen. McAvoy ziet hem opnieuw zijn lippen likken.

'Ik wou dat ik het wist.'

'Wanneer hebt u hem voor het laatst gezien?'

'Ongeveer tien minuten voor mijn arrestatie.'

'Was hij daar? In Linwood Manor?'

'Hij verblijft er permanent. Zijn kamer wordt betaald door een oude legermaat van hem.'

'Kolonel Emms? Die een particulier beveiligingsbedrijf runt in het Midden-Oosten?'

Chandler knikt.

'Sparky heeft diepe zakken.'

Chandler kijkt weg.

'Ik heb hem de biecht afgenomen zonder het te weten.'

McAvoy hoopt dat Emms nu alles opbiecht aan Pharaoh, die is afgereisd naar de Brontë-streek zodra hij haar had verteld wat hij in de kamer van Anne Montrose had gevonden. 'Vertel me hoe het is gebeurd,' zegt hij. 'Hoe u erachter kwam.'

'Inspecteur Ray. Tijdens het verhoor ratelde hij een lijst met namen af. Mogelijke slachtoffers van Simeon. Jouw speurwerk, begrijp ik? Hij noemde een jonge vrouw die in coma lag. Anne Montrose.'

'En u herkende de naam?'

'Ik wist dat ze Anne heette. De rest kon ik zelf invullen.'

'Heeft hij u verteld dat ze Anne heette? In de afkickkliniek?'

'Hij riep haar naam altijd in zijn slaap.'

'Heeft hij u verteld wat er is gebeurd? In Irak?'

'Hij vertelde me over zijn leven. Mensen vertellen mij nu eenmaal van alles. Ze denken dat ik ze beroemd kan maken. Dat hun leven niet voor niets is geweest als ik een boek over ze schrijf…'

'Maar dat wilde Gibbons niet?'

'Hij zocht gewoon iemand om mee te praten. Hij was er slecht aan toe. Heb je hem niet gezien toen je mij kwam opzoeken? Nee, dat zal wel niet. Hij houdt zijn gezicht verborgen voor de buitenwereld. Een en al brandwonden en littekens. Van de explosie. Die hem bijna het leven kostte.'

Bijna maar niet helemaal, denkt McAvoy. Betaalt Emms ook Gibbons' behandeling? Ongetwijfeld.

'Ik ben schrijver, rechercheur. Ik stel vragen. Toen we elkaar ontmoetten, raakten we aan de praat.'

'Jullie werden vrienden?'

'Ja, zo mag je het wel noemen. Het begon met onze liefde voor boksen. Ik zei dat ik er een boek over had geschreven. Dat boek over de profbokser waar ik je over heb verteld. Hij zei dat hij vroeger in het leger had gebokst. Zo is het begonnen.'

'Zit hij er ook voor een alcoholverslaving?'

'Hij drinkt geen druppel, rechercheur. Wat hem ook op de been houdt, hij wil het niet verdoven.'

'Depressie? Posttraumatische stressstoornis?'

'Zou kunnen. Ik wist alleen dat hij heel erg verdrietig was.'

'En Anne?'

'We raakten aan de praat over oude liefdes. Daar was ik zo over uitgeluld, maar hij vertelde me dat hij maar één keer verliefd was geweest. Dat ze gewond was geraakt bij een explosie. Hij bleef ongedeerd, maar zij werd nooit meer wakker. Ik dacht dat hij bedoelde dat ze dood was. Dat was niet zo. Ze bleek in coma te liggen. In een medische privékliniek. Ik wist niet wat ik moest zeggen. Maakte een grapje over de Schone Slaapster. Dat vond hij leuk. Voor het eerst sinds ik hem kende moest hij glimlachen. Hij leek wat uit zijn schulp te kruipen. Begon te praten. Vertelde me wat hij daar had ontdekt. In de woestijn. Dat hij een openbaring had gekregen.'

'Over wat?'

'Over alles.' Chandler sluit zijn ogen. 'Heb je ooit nagedacht over lijden? Over wie het treft? Waarom sommigen geluk hebben en anderen niet? Heb je je nooit afgevraagd of het lijden dat je bij de een wegneemt ergens anders naartoe gaat? Of er een bepaalde hoeveelheid lijden is in de wereld? Daar had hij het altijd over. Dat was iets wat hem kwelde. En ik liet hem begaan. Liet hem praten. Ik kreeg immers flessen drank van hem...'

McAvoy knikt. 'Hebt u hem verteld over uw werk? De mensen die u hebt geïnterviewd? Vreemde verhalen?'

Chandler sluit zijn ogen. 'Ik kletste maar wat.'

'Over Fred Stein?'

Chandler knikt.

'Trevor Jefferson?'

Weer een knik.

'Angie Martindale?'

En weer.

McAvoy slikt hard. 'Daphne Cotton?'

Chandler zegt niets. Blijft alleen zijn lippen likken. Zonder pen en blocnote liggen zijn handen er slap en levenloos bij.

'De enige overlevenden, hè?'

Chandler knikt.

Ze blijven even zwijgend zitten, luisterend naar de wind en de regen die tegen de smoezelige ruiten slaat.

'Wanneer besloot hij ze allemaal te vermoorden?' vraagt McAvoy, waarbij hij Chandler strak in de ogen kijkt. De schrijver verfrommelt zijn gezicht als een tissue en begint te hoesten. McAvoy laat hem nog wat water drinken en leunt dan weer achterover, zonder daarbij het oogcontact te verbreken.

'We zaten op een avond te praten,' zegt hij, meer tegen zichzelf dan tegen McAvoy. 'Hij luisterde graag naar mijn verhalen. Vond het opmerkelijke mensen. Ik zei tegen hem dat zoiets je aan het denken zette. Over het grote geheel. Wat de zin is van alles. De aard van het bestaan.'

'En Gibbons was een christen?'

'Een jongen uit de middenklasse. Hij ging elke zondag naar de kerk en toen hij op kostschool zat, bad hij voor het slapengaan.'

'Maar was hij gelovig?'

'Ik denk niet dat hij zijn geloof ooit in twijfel had getrokken tot aan de explosie. En daarna leek zijn hele leven zinloos. En vond hij zijn eigen religie.'

'Bad hij nog in Linwood?'

'Niet waar ik bij was.'

'Waar kwam het door, Chandler? Wat haalde hij zich in het hoofd?'

Een moment lang is er in de kamer niets te horen, behalve de piepende ademhaling van Chandler. Ten slotte zegt hij: 'Ik noemde het een wonder. Dat die mensen de dood te slim af waren geweest. Dat ze God om de tuin hadden geleid, om het zo te zeggen. Ik maakte een slimme opmerking. Het had zelfs een titel voor het boek kunnen zijn. Het was zomaar iets wat ik zei...'

'En dat was?'

'De oneerlijke verdeling van wonderen.'

'En dat beviel Gibbons wel?'

'Het was net alsof hij het hoofd van Johannes de Doper onder zijn bed had gevonden. Ik heb me heel mijn leven nooit zo waardig gevoeld.'

'Waardig? Hij nam uw woorden en maakte er een religie van. Hij vond een reden om te moorden. Een missie! Een manier om haar terug te brengen.'

'Ik wist het niet.' Chandler schudt zijn hoofd en snuift snot weg. 'Ik wist niet wat hij van plan was.'

'Maar hij heeft erover gesproken met u,' zegt McAvoy, bijtend op zijn lip. 'Hij legde u zijn ideeën voor. Ging te rade bij zijn prediker.'

Chandler werpt hem een kwade blik toe, maar trekt die net zo snel weer terug. 'Ik genoot van de aandacht.'

'Wat vroeg hij?'

Het antwoord komt diep uit de maag van de schrijver, en druipt van gal en spijt.

'Hij vroeg of ik dacht dat genade een eindige bron was. Hij las me passages voor uit de Bijbel. Uit boeken die hij had gevonden. Over rechtschapenheid. Over gerechtigheid. Over wonderen.'

McAvoy vermoedt al wat het antwoord gaat worden op zijn volgende vraag.

'Hij vroeg of u dacht dat het wegnemen van het ene wonder ruimte zou maken voor een nieuw wonder,' zegt McAvoy met zijn ogen dicht. 'Of er nieuwe genade zou ontstaan als je het anderen weer ontnam.'

Er valt een stilte in de kamer.

'En u zei ja.'

'Ik zei dat het misschien zo werkte.'

'En toen belde u de Rus voor hem. De eenarmige popster.'

Chandler kijkt perplex. Hij schudt zijn hoofd alsof hij McAvoy niet kan volgen, maar houdt langzaam in als een dronken herinnering uit zijn door alcohol aangetaste hersenen naar boven komt. 'Ik was bezopen,' jammert hij.

McAvoy schudt ongelovig zijn hoofd. Hij voelt zijn keel samentrekken. De oude wond in zijn schouder begint pijnlijk te kloppen. 'Wie is de volgende, Chandler? Over wie hebt u hem nog meer verteld?'

De schrijver likt zijn tanden. Brengt zijn handen omhoog en wrijft over de korst van speeksel op zijn kin. 'Het spijt me,' zegt hij wegkijkend.

'Chandler?'

'Het was gewoon gezwets. Geklets. Ik dacht niet…'

'Wat is er, Chandler? Wat heb je gedaan?'

'Na ons gesprek daar,' zegt hij snuivend, tussen snikken door, 'vertelde ik hem over jou. Over je vrouw. Hoe sterk ze was. Dat ze al veel miskramen had gehad en het toch bleef proberen…'

'Je bedoelt…'

McAvoy zwijgt. Hij krijgt het gevoel alsof vingers van ijs zijn keel dichtknijpen.

'Het spijt me heel erg.'

De adrenaline giert door McAvoys lijf. Het enige wat hij voor zich kan zien, is Simeon Gibbons die zijn pasgeboren dochter laat stikken tussen Roisins trappende, bebloede benen...

Hij rent weg. Sprint naar de uitgang, haalt het mobieltje uit zijn zak, met het bloed ruisend in zijn oren, zijn schoenen piepend op de vloer en Chandlers gesnik echoënd door de gang.

De bewaker ziet hem. Duwt zichzelf weg van de balie waar hij met zijn plastic bekertje tegenaan leunt. Beseft dat er iets mis is en wil hem tot staan brengen, maar McAvoy klapt tegen hem op en dendert verder. Trekt de deur naar het trappenhuis open en stormt met drie treden tegelijk naar beneden.

Hij kijkt naar zijn telefoon. Geen bereik. Verdomme.

Het spijt me, het spijt me, het spijt me...

Hij probeert zichzelf wijs te maken dat zijn eigen verrekte ijdelheid niets te maken heeft met wat zijn vrouw en kinderen overkomt.

Ratelt in zijn hoofd alles af wat hij weet van de man die van plan is zijn kind te doden. Herinnert zich de fysieke kracht, het gemak waarmee hij McAvoys klappen ontweek.

Het boksersloopje...

McAvoy stopt. Blijft abrupt stilstaan op het groene linoleum, bevroren als een standbeeld door het plotselinge inzicht dat hem met ontzetting vervult.

Chandlers protegé. De bokser. De kamergenoot. De man met zijn gezicht in de schaduw...

Hij rent de benedenhal door, kijkend naar het scherm van zijn mobieltje. Hij probeert zijn thuisnummer, maar het pokkeding wil niet bellen. Met zijn nerveus trillende vingers drukt hij de verkeerde toetsen in.

Hoort het bericht dat Trish Pharaoh na haar ontmoeting met Monty Emms heeft ingesproken:

… hij leeft, McAvoy. Je had gelijk. In Emms' telefoon staan berichten van Gibbons, van weken terug. Ik heb de luitenant-kolonel in de Fleece laten zitten, halverwege de heuvel in Haworth. Hij kan slecht tegen drank, hè? Het was een makkie om aan zijn mobieltje te komen. We moeten het rechtmatig in handen krijgen, want geloof me… het is een klapper. Bewijsstuk A tot en met Z. Het begint met spijt- en dankbetuigingen. Bedankjes omdat Emms hem hielp het land uit te komen. Een of andere Irakees in een lijkzak stopte en de hele wereld vertelde dat Gibbons dood was. Hem een nieuw leven verschafte. Een nieuw thuis. Zorgt voor Anne. Haar rekeningen betaalt. En heel veel 'sorry's'. Sorry dat hij Emms heeft teleurgesteld. Sorry dat hij Annes behandeling niet zelf kan betalen. Sorry voor de dingen die hij fout heeft gedaan. Maar de berichten veranderen. Zo'n maand geleden, als de data kloppen. Hij begint over de zin van het alles. Dat hij een manier heeft gevonden om alles te veranderen. Monty is momenteel te bezopen voor verder verhoor, maar ik ben nog niet klaar met hem. We zullen dit allemaal later afhandelen. Als jij nog steeds Chandler wilt opzoeken, zorg dan dat hij een bekentenis aflegt…'

McAvoy klapt het mobieltje dicht om het tot zwijgen te brengen en klapt het daarna weer open. Hij schreeuwt bijna van vreugde als hij ziet dat hij volledig bereik heeft. Sprint over het parkeerterrein en haalt zijn sleutels uit zijn zak, terwijl hij Roisins mobiele nummer belt.

De telefoon gaat drie keer over…

'Hoi, lieffie. Hoe ging het?'

Een gevoel van opluchting stroomt door hem heen. Zijn vrouw klinkt vermoeid maar springlevend.

Veilig.

Ze zijn veilig.

Zwaar ademend, met het zweet op zijn gezicht, opent hij het autoportier en ploft neer achter het stuur.

'O, schat…' begint hij. 'Ik dacht…'

Hij kijkt naar zichzelf in de achteruitkijkspiegel.

Ziet te laat iets bewegen op de achterbank.

En dan staat het mes op zijn keel.

Uit het duister doemt een gezicht op, als een masker van vlees dat is gesmolten en verschroeid door vlammen. Een hand bedekt deels die van McAvoy en klapt de telefoon dicht.

McAvoy staart in de vochtige blauwe ogen van Simeon Gibbons.

Voelt het mes omlaag gaan over zijn lichaam.

Voelt het lemmet door zijn jas snijden. Door zijn hemd. In zijn huid kerven.

Hij voelt Gibbons vooroverleunen en de kapotte kleding met zijn hand openscheuren. Ziet hem naar het litteken kijken dat een jaar eerder door het mes van een moordenaar is achtergelaten.

Beseft te laat dat ook hij een overlevende is. Een man die aan de dood is ontsnapt.

Hij sluit zijn ogen als hij zich realiseert dat Chandler hem op het verkeerde spoor heeft gezet. Dat zijn vrouw en kinderen veilig zijn, maar dat hij vermoord gaat worden op de manier zoals hij een jaar geleden had moeten sterven.

Er volgt een dreun. Een plotse doffe pijn als een stalen duim met deskundige snelheid en precisie hard neerkomt op zijn halsslagader.

En dan wordt alles zwart.

27

McAvoy ontwaakt in het niets. Hij kan zich niet bewegen. De pijn in zijn keel en hals overheerst alles.

Hij probeert zijn hoofd op te tillen. Slaagt er niet in. Probeert zijn armen te bewegen, maar lijkt niet in staat om zijn ledematen aan te sturen.

Hij luistert. Probeert zich te concentreren. Hij wordt zich bewust van gonzende autobanden.

Hij ligt ineengezakt op de passagiersstoel van zijn eigen auto, die met hoge snelheid beweegt.

Dichtbij hoort hij een stem. Een zacht, sissend, dierlijk gefluister. Het klinkt alsof de stem al een eeuwigheid praat.

'... alleen deze nog, mijn geliefde. Alleen deze nog, word dan wakker. Ontwaak voor mij. Ontwaak voor mij. Kom terug. Alsjeblieft. Kom terug...'

McAvoy probeert uit alle macht het gevoel in zijn ledematen terug te krijgen.

Hij weet zijn droge lippen te likken. Zijn hoofd een fractie te draaien.

'Hij overleefde het. Hij wel en jij niet. Overleefde het zoals ik.

Zoals alle anderen. We zullen hem naar de plaats brengen waar het is gebeurd. Hem laten sterven door het mes zoals hij de eerste keer had moeten sssterven...'

Door het nevelige waas van zijn gedachten heen begrijpt McAvoy wat er gaande is. Dat Simeon Gibbons hem naar de plek brengt waar alles een jaar eerder is begonnen. Waar Tony Halthwaite hem verwondde met een mes, nadat hij het had gewaagd hem te ontmaskeren als een moordenaar van jonge meisjes. Waar hij degene werd die als enige aan de dood ontkwam.

McAvoy draait zijn hoofd. Vangt een glimp op van de weg. Van donkere bomen, wiegend in een wind gevuld met striemende regen.

Herkent het vertrouwde silhouet van de Humber Bridge.

Een halfuur van huis.

Vijf minuten van de plek waar hij een jaar terug een moordenaar pakte, en dat bijna met de dood moest bekopen.

'... Sparky heeft ons teleurgesteld, hè? De kamer. Het bed. Het beste van het beste. En je slaapt nog steeds. Prachtig slapend, maar niet meer dan een ingelijste foto. Hij zei dat hij onze vriend was. Maar ze konden je niet beter maken. Konden je niet laten ontwaken. Ze stonden machteloos. De geneeskunde kon niets uitrichten. We hadden iemands wonder nodig, hè? De schrijver wist dat. Maakte alles duidelijk. Er is een beperkte hoeveelheid gerechtigheid. Genade is eindig. Ze valt als regen op ons neer, maar de hemel staat droog. Er is niet genoeg geluk voor iedereen. Sommige mensen sterven terwijl anderen blijven leven. Waarom jij niet? Waarom hebben ze jou je geluk ontnomen?'

McAvoy voelt de auto over een rotonde slingeren. Ziet boven zich de bomen steeds dichter op elkaar staan.

Hij denkt aan Roisin. Aan de laatste keer dat hij haar mond kuste. Ziet haar voor zich in de keuken, raspend en hakkend en in pannen roerend als een lief klein heksje...

Herinnert zich het gif in zijn zak.

Het glazen flesje ammoniak.

Hij opent zijn ogen. Wendt zijn hoofd.

Kijkt naar de blauwe ogen in een gezicht van verpulverde huid, gesmolten vlees en littekenweefsel.

Reikt met een kloppende arm in zijn zak en sluit zijn tintelende vingers om het glas.

Draait zich om.

Haalt uit...

Slaat het glazen flesje tegen het misvormde gelaat van de man die ze allemaal heeft vermoord.

Probeert het stuur te grijpen en richt zijn blik op de weg.

Krijgt zelfs geen tijd meer om te schreeuwen voordat het voertuig zich met honderd kilometer per uur in het glas-en-bakstenen gebouw aan de rand van het parkeerterrein boort en verandert in een vuurbal.

McAvoy voelt de intense hitte tegen zijn wang als Gibbons zijn gezicht tegen de ruit van het ontwrichte passagiersportier drukt. De voorruit is geheel verbrijzeld en de vlammen onder de motorkap beginnen het voertuig binnen te krullen, als wapperend wasgoed in de wind.

McAvoy stompt met zijn vuist onder Gibbons gestrekte rechterarm en voelt iets breken als hij diens elleboog raakt.

Een moment lang wordt het contact verbroken en McAvoy grijpt de portierkruk. Hij duwt, maar het portier wil niet wijken.

Hij kijkt weg van Gibbons en draait zich in zijn stoel om naar het portier. Schopt met beide voeten tegen de ruit. Een keer. Twee keer. Het glas spat uiteen en de verse zuurstof die de auto in stroomt doet de vlammen hoger oplaaien; de oranjerode tongen van vuur flakkeren razendsnel over het stuur, het dashboard en de twee mannen op de voorzitting.

McAvoys broekspijpen vatten vlam. De hitte schroeit zijn handen. Kust zijn gezicht.

Ditmaal trapt hij tegen het portier. Trapt met alles wat hij in zich heeft.

Het portier bezwijkt met een kermend gekraak, waarna McAvoy naar de opening klautert.

Twee handen grijpen zijn schoenen. Sterke armen sluiten zich rond zijn benen.

Hij blijft naar voren kruipen, Gibbons achter zich aan slepend, tot de beide mannen op het natte parkeerterrein ploffen.

McAvoy schopt zijn benen vrij en rolt instinctief weg bij het voertuig.

Hij probeert te staan.

Dan stort Gibbons zich boven op hem. In de gloed van de brandende auto zien zijn littekens er monsterlijk uit. Er staan nu geen tranen in zijn ogen. Het zwart van zijn pupillen heeft het blauw van zijn irissen bijna verzwolgen.

Ze bevinden zich twintig meter van het brandende voertuig. Gibbons sleurt hem overeind. De wonden aan de hals van de ex-soldaat lijken weer open te gaan.

McAvoy voelt dat hij naar de donkere schaduw van het bos aan de rand van het parkeerterrein wordt gesleept.

Hij doet zijn best om houvast te krijgen op het natte asfalt. Tracht zich aan Gibbons' greep te ontworstelen. De ander lijkt te beseffen wat hij doet en zwaait opnieuw met de punt van zijn duim naar McAvoys nek. Hij ziet de hand aankomen, trekt zijn hoofd terug en geeft met rechts twee snelle klappen tegen de zijkant van het hoofd van Gibbons, die naar achteren wankelt.

McAvoy valt. Probeert op te staan en glijdt weer onderuit.

Alles doet zeer. Hij ziet de aangeslagen Gibbons zijn hoofd weer helder schudden. Ziet hem zijn vuisten ballen. Het glinsteren van een mes in zijn hand. Ziet hem zijn hoofd draaien en neerkijken op het uitgestrekte, kwetsbare lichaam van McAvoy.

McAvoy krabbelt overeind tot hij op zijn knieën zit. Zet zich met een hand af tegen het natte asfalt en duwt zichzelf omhoog. Hij weet zich net op tijd op te richten om Gibbons vanaf een paar meter te zien aanvallen als een katachtig roofdier.

De vuistslag is instinctief. McAvoys blik wordt even helder. De pijn zakt een ogenblik weg. Eén hartslag lang is hij een grote, sterke reus; een kerel die een prima bokser had kunnen zijn als hij het niet erg had gevonden pijn uit te delen.

Zijn vuist komt bijna vanaf de grond. Hij raakt Gibbons onder de kin en de man verandert van richting. Schiet achterwaarts als een tennisbal die door een racket is weggeslagen.

Het laatste beetje energie vloeit uit McAvoys lichaam en hij valt achterover op de natte wereld.

Dan explodeert de auto.

De avondlucht wordt gevuld met vlammen en metaal en scherven glas.

Gibbons wankelt door de harde dreun nog altijd naar achteren als de ontploffing hem aan flarden rijt.

McAvoy ziet niet het moment van verlossing. Ziet niet hoe de moordenaar in stukken wordt gescheurd en als slachtafval over de aarde wordt verspreid.

Hij ligt op zijn rug, starend naar de hemel, en vraagt zich af of de wolken Roisin en zijn gezin een witte kerst gaan bezorgen.

Epiloog

Word wakker, word wakker, word wakker...

Het glas warme melk met kaneel op het nachtkastje van dokter Megan Straub is koud aan het worden. Op het onberoerde oppervlak heeft zich een dik vel gevormd.

Te gespannen om de knop om te zetten. Te opgewonden om er niet aan te denken...

Ze zit rechtop in bed en leest bij het licht van een zaklamp om de magere, Aziatisch ogende man die hier, in de grootste slaapkamer van dit bescheiden appartement, naast haar sluimert niet wakker te maken. Vanaf deze buitenwijk van Keighley is het drie kwartier rijden naar het hospitaal, waar haar patiënten in een diepe slaap liggen verzonken terwijl ze zelf de slaap niet kan vatten.

'*Mercy*,' leest ze in het Engels. 'Het Engelse woord voor genade komt van het Latijnse *merx*, voor "koopwaar", een prijs die betaald moet worden.'

Ze fronst bij de definitie. Verwondert zich over de handelsoorsprong van een woord dat met goddelijke interventie wordt geassocieerd. Kun je het kopen? Kan het ware begrip van het woord door de eeuwen heen zijn verwaterd? Bestaat er een manier om de schijnbaar willekeurige, sporadische toekenning van Gods genade te beïnvloeden?

Ze piekert verbijsterd. Analyseert concepten die te groot lijken om te ontrafelen. Vraagt zich even af of bidden ooit iets anders is dan een wanhopige smeekbede om hulp.

Dokter Straub twijfelt opeens of ze het boek had moeten meenemen. Of ze het niet beter onaangeraakt had kunnen laten liggen, te midden van de sneeuwstorm aan papieren op het vloerkleed rond het ziekenhuisbed van Anne Montrose. Misschien zou die brede politieagent, met de zachte blik en de snelle blos, terugkomen om het evangelie op te rapen dat hem uit de kamer heeft laten sprinten.

Ondanks de warmte van de naakte man naast zich voelt dokter Straub een koude rilling over haar rug lopen. Ze kruipt dieper onder de dure donsdeken en houdt de zaklamp schuin om de geruïneerde pagina's van het heilige boek beter te verlichten. Probeert wijs te worden uit de kriebels en het scherpe gekras. Vraagt zich af waarom ze het niet kan neerleggen.

Ze draait het boek langzaam rond. In de warboel van wilde krabbels weet ze enige betekenis te ontdekken in wat eerst knoeierige hiërogliefen lijken. Misschien komt het door haar lange ervaring in het ontcijferen van doktershandschriften, maar het lukt haar om in dit woud van inkt leesbare regels te onderscheiden.

Bidden is goed, maar zolang de goden doof blijven, moet de mens zelf een handje helpen.

Ze kijkt op. Knijpt haar ogen toe en zoekt haar geheugen af. Ze kent het citaat. Hippocrates? Ja. De man wiens eed de leidraad is voor haar beroep.

Dokter Straub tuurt naar de krabbels. Vindt nog een paar regels die leesbaar zijn.

Waar een mens ook voor bidt, hij bidt voor een wonder. Elk gebed komt hierop neer: Grote God, laat twee keer twee niet vier zijn.

Ze vraagt zich af wie deze woorden geschreven zou kunnen hebben. Wie de pen met zo veel venijn en woede als een mes in het papier heeft gedreven.

De schepper die een gelovige een kanker in de maag kan splitsen, trekt zich niets aan van gebeden.

Dokter Straub slaat het boek dicht.

Ze weet dat er van slapen niets meer terechtkomt. Het verbaast haar zelfs dat ze de moeite heeft genomen om naar bed te gaan. Eigenlijk zou ze hier niet moeten zijn. Ze had terug naar het hospitaal moeten rijden om te wachten op nieuwe ontwikkelingen. De hand van Anne Montrose moeten strelen. Haar moeten aanmoedigen het opnieuw te proberen. Om haar ogen te openen…

Ze was al op weg naar huis geweest toen ze het telefoontje kreeg. Het was een van de verpleegkundigen op de afdeling, haar stem buiten adem van opwinding.

Anne Montrose heeft zich die avond bewogen. Haar oogleden trilden en de monitor vertoonde een piek in haar hersenactiviteit.

Een droom? Dokter Straub heeft zich vaak afgevraagd wat haar patiënten zien. Wat er achter hun ogen gebeurt.

Nu, hier in bed, vraagt ze zich af of Anne Montrose, waar ze ook mag zijn, gelukkig is.

Vraagt zich ook af of ze ooit de kans zal krijgen het haar te vragen. Om iemand te spreken die is teruggekomen.

Ze bijt op haar tanden en voelt haar kaak spannen. Ze wil zich niet te veel laten meeslepen. Probeert haar opwinding in toom te houden. Maar ergens, in het onwetenschappelijke deel van zichzelf, wil ze graag geloven dat Anne Montrose, voor de zon opkomt, een wonder gaat ervaren.

Zachtjes, om de man naast haar niet te wekken, glipt ze het bed uit en ze loopt stil over de gelakte hardhouten vloer. Ze opent de slaapkamerdeur en gaat naar de woonkamer, met zijn witte leren ameublement en smaakvolle zwart-witfoto's.

Ze schakelt de grote plasma-tv in, die een prominente plaats in-neemt op de namaakschoorsteenmantel, en zet het geluid zach-ter terwijl ze langs de nieuwskanalen zapt. Het klokje in de hoek van het scherm geeft aan dat het ver na middernacht is.

Doezelig kiest dokter Straub een van de nieuwszenders die vierentwintig uur per dag bulletins uitzenden. Door de storm zitten honderden huishoudens in Schotland zonder elektriciteit. Een politieagent is met lichte verwondingen opgenomen in het ziekenhuis na een incident bij het Humber Bridge Country Park, waarbij een ontploffend voertuig een nabijgelegen kantoorge-bouw heeft vernield. Bij het incident zou één dode zijn gevallen. Ander nieuws: een onderscheiden Britse legerkolonel is in West-Yorkshire gearresteerd door het rechercheteam dat onderzoek doet naar de dood van Daphne Cotton, die enkele dagen geleden werd vermoord in de Holy Trinity Church te Hull. De politie-woordvoerder benadrukt dat hij niet wordt ondervraagd over de moord, maar over het achterhouden van belangrijk bewijs dat verband houdt met deze en enkele andere zaken...

Links van haar, op een toren van boeken, begint de telefoon van dokter Straub te rinkelen.

Uit angst dat het geluid haar partner wakker maakt en haar berooft van deze stille momenten van overdenking, springt ze snel uit haar stoel om op te nemen.

'Dokter Straub? U spreekt met Julie Hibbert. Sorry dat ik u zo laat bel, maar ik dacht dat u dit zou willen weten...'

'Geen probleem, Julie.' Er klinkt een trilling in haar stem. Kan haar patiënt zijn ontwaakt?

'Het gaat over Anne Montrose, dokter Straub,' zegt de ver-pleegkundige.

'Ja?'

'Ik denk dat het een anomalie moet zijn geweest. Ze is weer stabiel. Terug naar haar normale hersenactiviteit. Regelmatige

hartslag. Wat de oorzaak van haar opleving ook mag zijn geweest, het is verdwenen.'

Dokter Straub bedankt haar. Legt de hoorn neer.

Neemt plaats in de stoel en leunt achterover tegen het kussen.

Ze schudt bijna onmerkbaar met haar hoofd en sluit dan haar
ogen.

Wonderen.

Dankwoord

Mijn dank gaat uit naar Oli Munson bij Blake Friedmann, voor zijn doorgaans fantastische hulp en het aanhoren van mijn eindeloze vragen, en naar Jon bij Quercus om eigenlijk dezelfde reden. Voor Sarah Jones en Sarah Morgan: bedankt voor wie jullie zijn. Maar bovenal wil ik Nik en de kinderen bedanken. Jullie zijn mijn reden.

Ik ben ook Ottar Sveinsson dankbaar, wiens geweldige boek *Doom in the Deep* van onschatbare waarde bleek bij mijn research naar de drievoudige trawlerramp.

Lees op de volgende pagina's alvast een voorproefje uit het volgende boek van David Mark dat in 2015 zal verschijnen en waarin Aector McAvoy een moord onderzoekt die hem van de donkerste fetisj-clubs naar de hoogste politieke regionen voert.

Proloog

Vergeten te stofzuigen, denkt hij, terwijl hij een pluisje van zijn tong plukt. *Ik had alles mooi moeten maken.*

Hij voelt een druk in zijn onderrug.

Ik had ook eerst moeten zeiken.

Hij duwt zichzelf omhoog, verheft zijn lichaam van de vloer als een uit het water opstuivende zeemeermin, en probeert de kruimels en kattenharen van zijn glimmende borst te vegen.

Al die verdomde olie, denkt hij. *Zo glad en glibberig. Alsof je met een dolfijn gaat worstelen...*

De wekkerfunctie op zijn telefoon piept. Het is al tien uur. Eigenlijk had hij zijn bezoeker niet zo laat willen ontvangen.

Bange schijtbroek, scheldt hij op zichzelf, en dan, met de stem van zijn vader: 'Klotemietje.'

De jongen ligt hier al enige tijd. Hij voelt zich ongemakkelijk. Vies zoals het niet hoort. Zijn hunkering begint weg te ebben.

Hij vraagt zich af of er een woord bestaat voor dit tegengestelde van vurig verlangen: het vervliegen van lustgevoelens; het moment waarop de begeerte haar wurggreep laat verslappen.

Hij begint zich een beetje onnozel te voelen. Een tikkeltje belachelijk.

Hij probeert een betere omschrijving te bedenken voor wat hij ervaart. Hij houdt van woorden. Ziet zichzelf graag als een welbespraakt iemand. Zet de apostrof op de juiste plek wanneer hij belooft elk verlangen van een minnaar te vervullen. Maakt zich er bij zijn gedichten niet gemakkelijk van af.

Armoedig.

Hij wordt zich opeens bewust van de armoedige aanblik van dit tafereel. Liggend in zijn goedkope flatje op de eerste verdieping, naakt op dit goedkope vloerkleed, terwijl hij zijn poes wegjaagt als ze in de deuropening van zijn slaapkamer verschijnt en hem met hooghartige superioriteit aankijkt.

'Nog vijf minuutjes,' zegt hij opnieuw, maar hij vraagt zich af of dit weer op een teleurstelling uitloopt. Of hij zich voor niets heeft verheugd en zijn tijd heeft verspild aan de zoveelste lafaard.

Zijn rug en schouders beginnen te branden in de felle gloed van het straalkacheltje. Een merkwaardig gevoel. De rest van zijn lichaam rilt en heeft kippenvel. Hij draait zich om en onderdrukt een lachje als hij zichzelf voorstelt als een kip aan het spit.

'Braadstuk op het menu,' zegt hij tegen zichzelf, en hij giechelt in zijn blote arm.

Hij ligt met zijn gezicht in de gloed. Niet om uit te houden zo heet. Hij gaat weer op zijn buik liggen, bezorgd dat hij te rood en zweterig wordt. Met zijn ene hand haalt hij nog meer kruimels en pluisjes van zijn gezicht.

De jongen is midden twintig, lang en mager. Het patroon van het stoffige tapijt dat zijn tweekamerappartement geheel bedekt, begint zich op zijn gezicht af te tekenen. Een gezicht met een te grote neus en gespleten door vlezige lippen. Hij is niet bijster aantrekkelijk, maar zijn gezelschap heeft zo zijn voordelen.

'Ik ben heel gewillig,' zegt hij in het vloerkleed en hij ruikt zijn sigarettenadem. Hij wriemelt heen en weer en dwingt zichzelf terug in zijn rol te komen.

Hij is bloot. Ligt op zijn buik, met zijn armen en benen gespreid op de vloer van zijn woonkamer. Er is niet veel ruimte voor zijn slungelige lijf. Hij heeft eerst de tweezitsbank van de kringloop naar achter moeten duwen en de oude dozen van afhaalpizza's in zijn slaapkamer moeten gooien om aan de wens van zijn bezoeker te kunnen voldoen.

'Nog vijf minuutjes,' herhaalt hij, want hij wil nog niet accepteren dat de fantasie van vanavond alleen een fantasie zal blijven.

Hij reikt naar zijn mobiele telefoon, opgeborgen in een van zijn afgedragen witte gympen. Geen nieuwe berichten.

Hij leest de meest recente.

O ja.

Voelt zich weer opgewonden raken. Moet gaan verliggen vanwege de groeiende stijfheid tussen zijn benen.

Begint de hunkering te voelen. Zijn bewegingen krijgen iets verrukkelijk looms.

Tijd om te sluipen als een panter. Hij grinnikt.

Spijkerhard. Beeldschoon.

Je zou er geld voor moeten vragen, knul. Je bent om op te vreten.

Als een dronkaard die na een nuchter momentje een whisky achteroverslaat, verandert de terugkerende roes van seksueel genot zijn waarneming. Hij krijgt een beter gevoel over de voorstelling die hij weggeeft. Herinnert zich vriendelijke woorden en dankbare omhelzingen. Voelt zich enigszins trots worden als hij bedenkt hoe hij er vanaf de open deur uit moet zien. Hij weet dat zijn blote rug en billen een adembenemend plaatje vormen; de inkt die omhoog naar zijn schouders kruipt, was de schreeuwende pijn op de tatoeagetafel waard.

Hij gaat zijn bezoeker gelukkig maken.

Er klinkt plotseling een kraakje op de trap.

Hij glimlacht en ademt nerveus uit.

Hier gaan we.

Hij kromt zijn rug. Presenteert zichzelf om geïnspecteerd te worden. Heft zijn hoofd om er zeker van te zijn dat het bondage-koord nog steeds ligt waar hij het, opgerold als een slang, heeft achtergelaten.

'Is dit wat je wou?' vraagt hij, hees en zwoel.

Het blijft een moment stil. De vloerplanken kraken.

Dan voelt hij het vertrouwde gewicht op zijn rug. Het gevoel van een ander mens die hem tegen de grond drukt. De aangename machteloosheid die hem opwindt, telkens wanneer hij zich aan een ander overgeeft.

Vanuit zijn ooghoek ziet hij een gehandschoende hand het koord oppakken. Hij sluit zijn ogen, kan niet wachten.

'Ben ik je allermooiste?' vraagt hij.

Als het antwoord ten slotte komt, wordt het in zijn oor gesist: een tuimelende vloed van opgewonden woorden.

'Om te sterven zo mooi.'

Dan onverwacht het koord dat in zijn hals snijdt, diep bijtend in het vlees, alsof zijn adamsappel tot in zijn schedel wordt gedreven.

'Haar naam!'

Speeksel borrelt van tussen zijn gruwelijk vertrokken lippen en loopt schuimend over zijn kin in het stof en de kruimels. Zijn ogen puilen tranend uit, bubbelend als soep in een magnetron...

Op slag raken zijn zintuigen verdoofd en tegelijkertijd in paniek. Zelfs zijn gedachten worden verwrongen en samengeperst.

Te strak, te hard, te ruig. Fantasie gaat over in angst.

Weer de stem...

'Je vriendin. Roze bloesems. Het lachende meisje.'

Er heerst alleen nog verwarring en pijn, het gevoel dat hij steeds meer van zichzelf verliest; dat hij kleiner wordt, wegsmelt en oplost in het niets.

'Het meisje. Dat me uitlachte.'

Het wordt zwart voor zijn ogen, terwijl zijn geoliede vingers en magere benen roffelen op de stoffige vloer.

Er volgt een flits van inzicht. Eén hartslag lang wordt alles duidelijk. Waar dit over gaat. Waarom hij sterft. Waarom het leven zijn lichaam verlaat en de poëzie uit zijn ziel wegvloeit. Wat ze willen. Wat hij moet doen…

Weer de stem, nat in zijn oor.

Kwaad. Giftig.

'Het meisje dat keek en moest lachen…'

Een knie drukt hard tegen zijn ruggengraat; zijn rug trekt krom, tanden bijten zijn dunne lippen stuk, en het bloed raast in zijn oren…

Hij wil smeken. Bedelen om zijn leven. Wil dat dit stopt. Blijven bestaan. Schrijven en creëren. Neuken en dansen.

'Haar naam. Hoe heet ze godver?'

Het dringt nu tot hem door. Weet dat dit zijn laatste woorden zullen zijn. Dat alle waarschuwingen voor niets zijn geweest. Hij gaat sterven, en het laatste wat hij in dit leven gaat doen is iemand verraden.

Heel even wordt het koord gevierd. De sterke handen hervinden hun greep.

De jongen snakt naar adem. Probeert te slikken. Weet alleen een hijgend geluid te maken, voordat het koord weer onder zijn kaakbeen snijdt en een bloedrood waas opbloeit voor zijn ogen en hem tot tranen dwingt.

'Suzie…'

Haar naam noemen is een daad van verraad en tegelijk een laatste smeekbede.

I

'Toen ik om middernacht naar bed ging, waren ze er nog niet. Maar toen ik vanochtend om zes uur opstond, zetten ze de hele buurt op stelten.' De man zwaait wanhopig met een arm. 'Ik bedoel, wanneer zijn ze komen opdagen?'

Rechercheur Helen Tremberg haalt haar schouders op. 'Tussen middernacht en zes uur vanochtend, denk ik.'

'Maar ze maakten geen lawaai! En moet je nu eens horen! Het is een gekkenhuis. Hoe is het ze gelukt om niemand wakker te maken?'

Tremberg heeft geen idee. 'Misschien zijn het ninja's.'

De man kijkt haar strak aan. Hij is een eind in de dertig en gekleed voor kantoor. Hij heeft grijzend zwart haar en draagt een volstrekt onmodieuze bril. Iets aan zijn houding doet Tremberg vermoeden dat hij een pensioenverzekering heeft met zo min mogelijk risico en na het snuiten van zijn neus altijd even in zijn zakdoek kijkt. Ze kan zich voorstellen dat hij na een tweede wijntje zijn zinnen begint met de woorden: 'Ik ben geen racist, maar...'

Hij zag de woonwagenbewoners vanuit zijn badkamerraam toen hij zijn tanden stond te poetsen. Zag, in zijn eigen woorden, 'de enorme heksenketel' en belde het alarmnummer. Hij was niet de eerste bewoner in de lommerrijke straat, uitkijkend op het voetbalveld, die telefonisch had geklaagd, maar hij is de enige die heeft besloten Tremberg persoonlijk op de situatie aan te spreken.

Tot een halfuur geleden had Tremberg zich op vandaag verheugd. Sinds ze weer aan het werk is, heeft ze bijna alleen bureaudienst gedraaid. Ze mocht zelfs niet aan de meest onbenullige politieacties deelnemen totdat ze haar gesprekjes met de psycholoog had afgerond en haar arts het laatste formulier in een schijnbaar oneindige reeks had ondertekend om te bevestigen dat de snijwond aan haar hand geen blijvende schade heeft aangericht. Als alles goed verloopt, mag ze vanavond terug in de frontlinie om te kijken hoe haar baas, Trish Pharaoh, een gangsterhulpje in de boeien slaat en een drugsbende oprolt. Ze wil daar bij zijn. Heeft die kans nodig. Moet zich bereidwillig tonen en bewijzen dat ze niet bang is geworden. Ze wil iedereen die daaraan twijfelt laten zien dat ze het voorval met de seriemoordenaar, die haar bijna de keel had afgesneden, heeft weggelachen en op de 'ouderwetse manier' heeft verwerkt – door een sloot wodka te drinken en eens goed uit te huilen.

'Wanneer vertrekken ze?' vraagt de man aan haar. 'Wat gaan jullie eraan doen? Dit is een nette buurt. We betalen allemaal belasting. Ik heb niets tegen dat soort mensen, maar ze kunnen ergens anders heen. Er zijn speciale plaatsen voor! Wat gaan jullie eraan doen?'

Tremberg zegt niets. Ze heeft daar geen antwoord op. Ze wil niet met deze man praten. Ze wil aan het werk. Ze wil niet langer tegen de doelpalen leunen op de sportvelden die de welvarende dorpen Anlaby en Willerby aan elkaar hechten. Ze voelt zich net een keeper die kijkt naar een wedstrijd die zich aan de andere kant van de grasmat afspeelt.

'Ik had in de auto moeten blijven,' mort ze tegen zichzelf, en ze kijkt langs de man naar waar de stacaravans zijn geparkeerd, niet ver van de middenlijn van het nabijgelegen rugbyveld. Neemt het pandemonium in zich op.

Zes stacaravans, vier terreinauto's, een Mercedes en drie paardentrailers, minstens twee aggregaten en – voor zover ze kan zien – één mobiel toilet. Alles staat in een ruime, halve cirkel opgesteld, met in het midden drie bloemetjesbanken en een ligstoel, waarop een groeiend aantal vrouwen en kinderen plaatsneemt om thee te drinken, met agenten in uniform te praten, en soms iets te roepen naar de schoolkinderen en verveelde automobilisten, die uit hun stilstaande voertuigen zijn gestapt om door de parkhekken naar de commotie te kijken.

Net als het merendeel van Oost-Yorkshire kan Tremberg nergens heen. Haar auto staat een paar straten verder, vastgelopen in het verkeersinfarct dat om de twee maanden optreedt als gevolg van een infrastructuur die bij het minste of geringste dichtslibt.

Verveeld, met niets anders te doen dan door de vuile ruit van haar Citroën naar de donkere, sombere lucht te staren, had ze de radio aangezet in de hoop iets rustgevends te vinden. Ze zat twee minuten in 'California Dreamin', en zich zomaar af te vragen waarom Radio Humberside alleen dat nummer leek te hebben, toen de muziek werd onderbroken door een verkeersmelding. Vijf, zes loslopende paarden op Anlaby Road, en woonwagenbewoners die rumoer veroorzaakten op de sportvelden bij de spoordijk. Ze kon weinig anders dan uit de auto stappen om te kijken of ze een handje kon helpen.

'Gaan jullie de paarden afmaken?'

Tremberg richt haar aandacht op de man. 'Pardon?'

'De politie! Gaan jullie de paarden afschieten?'

'Niet persoonlijk,' zegt Tremberg, die haar geduld begint te verliezen. 'Het dierenteam is onderweg. Ze zitten ook vast in het verkeer. We doen ons best. Ik kan een van die beesten wel in een houdgreep nemen, maar dan moet u zijn benen vasthouden...'

Ken Cullen, de magere, bebaarde, geüniformeerde inspecteur die momenteel de leiding heeft en probeert enige orde in de chaos te scheppen, hoort de dreigende toon van de rechercheur en komt aanhollen.

'Het spijt me, meneer, we doen alles wat we kunnen. Als u voorlopig gewoon naar huis wilt gaan en dit verder aan ons wilt overlaten...'

Tremberg wendt haar hoofd af, terwijl iemand die meer geduld heeft met lamzakken de bemoeial wegstuurt. Als de inspecteur zich weer naar haar omdraait, werpt hij Tremberg een stralende glimlach toe.

'Was je maar nooit uitgestapt om te helpen, hè?'

'Ik had niets beters te doen, Ken. Ik zit hier muurvast zoals iedereen. Ik dacht: laat ik eens kijken of ik kan assisteren, maar dit is helemaal niets voor mij.'

'Och, weet ik niet, Helen. Je hebt er wel het lichaam voor om zo'n meute in bedwang te houden.'

Tremberg lacht mee met haar oude brigadier, die onlangs tot inspecteur is bevorderd en net als zij vanuit Grimsby is overgeplaatst naar de overkant van de rivier.

'Ik was blij te horen dat je aan de beterende hand bent,' zegt hij gemeend. 'Doet alles het weer?'

Tremberg steekt een middelvinger naar hem op. 'Mijn vingers werken als vanouds,' zegt ze met een glimlach.

Cullen neemt haar snel in zich op. Kijkt naar haar dunne trainingsjack over een praktisch broekpak met smalle streepjes en een witte blouse. Ze heeft een keurig jongenskopje en draagt geen make-up of sieraden. Hij weet van pubquizzen en afscheidsfeestjes dat ze er opgemaakt heel aantrekkelijk uitziet en fantastische benen heeft als ze haar rok optrekt, maar onder diensttijd kleedt Tremberg zich bewust seksloos. Veel andere vrouwelijke rechercheurs hebben haar voorbeeld gevolgd, bang om de indruk te wekken dat ze hun vrouwelijkheid hebben gebruikt om hogerop te komen, hoewel ze daarmee de verdenking op zich hebben geladen lesbisch te zijn. Vaak zou Tremberg willen dat ze net zo zorgeloos en lik-me-reet als Trish Pharaoh kon zijn, die gewoon draagt wat ze wil en het geen fuck kan schelen of mensen denken dat ze op pikken of op potten valt.

Met zijn tweeën mopperen ze een poosje op de gemeenteraad die de sluiproutes heeft afgesloten, zodat forensen nergens heen kunnen als de verkeersslagaders van en naar de stad verstopt raken. Ze zijn het erover eens dat de lokale overheid wordt bemand door kwezels en debielen, en dat de nieuwe voorzitter van het politiebestuur de boel ongetwijfeld verder naar de kloten zal helpen.

Hun heerlijk potje klagen gaat over op de grauwe luchten en de prijs van benzine wanneer er een jonge agente naar hen toe komt. Ze ziet er in haar modderige gele regenjas vermoeid en verwaaid uit.

'We moeten nog maar een van die beesten te pakken krijgen, inspecteur,' zegt ze, met een stem die doet vermoeden dat ze zich moet inhouden om geen grovere term voor de edele dieren te gebruiken. 'Het is brigadier Parker en Dan gelukt om ze op het parkeerterrein van de Beech Tree in te sluiten. Ze kunnen geen kant op. Een kerel met een landrover heeft de uitgang geblokkeerd. De eigenaren proberen ze nu met een lasso te vangen. Het is een chaos, inspecteur. Arme Mickey scheurde uit zijn broek toen hij er eentje aan de haren wilde meetrekken. De manen, bedoel ik. De helft van Anlaby ligt onder de paardenstront. En die verrekte zigeunerkinderen helpen ook niet, met hun cowboy-en-indianengeluiden…'

Tremberg heeft moeite om haar lachen in te houden, terwijl ze zich voorstelt hoe de plaatselijke bobby's wanhopig proberen de ontsnapte dieren bijeen te drijven, klappend en roepend, en de knollen ervan proberen te weerhouden de plantenborders op te peuzelen van belangrijke mensen.

'En het laatste paard?' vraagt Cullen, die zijn pet opzet.

'Dat is echt een gemene rotzak. Volgens de zigeuner is het een bronstige hengst. Heeft al een deuk getrapt in vijf, zes auto's. Hij lijkt vooral een hekel te hebben aan Audi's.'

'En het dierenteam?'

De agente snuift verontwaardigd en klinkt zelf even als een paard. 'Die zitten heel behulpzaam te vergaderen achter in hun busje. Bladeren zich rot in handboeken en bellen veeartsen in de buurt. Daar verwacht ik niet veel van. Ik zet mijn geld op de grote reus.'

Ze spreekt de laatste woorden uit met een onvervalste glimlach.

'Grote reus?'

Ze wendt zich tot Tremberg. Glimlacht op een manier die de rechercheur inmiddels bekend voorkomt. 'Schotse kerel uit jouw eenheid. Degene die...'

'McAvoy?' Trembergs wenkbrauwen schieten omhoog en ze kijkt om zich heen alsof ze half verwacht dat hij haar gadeslaat.

'Ja. Een van de jongens heeft hem gebeld. Zei dat hij veel van dieren weet. Hij is toch de zoon van een boer of zoiets? Kwam een minuutje geleden opdagen. Ik weet niet waar hij zijn auto heeft geparkeerd, maar ik denk dat hij hierheen is gerend.'

'En wat is hij dan nu aan het doen?'

De politieagente neemt haar pet af en schudt bewonderend het hoofd.

'Hij kan elk moment gaan touwtrekken met een paard.'

Tijdens zijn eerste maanden als rechercheur had brigadier Aector McAvoy het voorschrift 'burgerkleding' letterlijk genomen.

Hij had zich nagenoeg gecamoufleerd met kakibroeken, wandelschoenen en goedkope, champignonkleurige overhemden, die hij elke maandag nieuw uit het plastic haalde. De vermomming werkte nooit. Met zijn een meter vijfennegentig en zijn rode haar, sproeten en hooglandersnor, is hij altijd de opvallendste man in de kamer.

Het was zijn jonge vrouw, Roisin, die een eind maakte aan zijn pogingen om in het behang te verdwijnen. Ze vertelde hem dat zo'n grote knappe kerel het aan zichzelf verplicht is zich niet te kleden als 'een lulletje lampenpit'. Roisin weet het altijd leuk te verwoorden.

Ondanks zijn protesten had hij toegestaan dat ze hem aankleedde als een kind dat met een pop speelt. Onder haar toeziend oog, en blozend bij elke verandering in zijn garderobe, was McAvoy in het korps net zo bekend geworden om zijn nette pakken en kasjmieren jas, zijn leren handtas en manchetknopen, als om zijn speurderskwaliteiten en littekens.

Nu hij plat op zijn rug omhoogkijkt naar de opgezwollen wolken, met modder en hengstenkwijl op zijn revers en paardenstront aan de ene broekspijp van zijn donkerblauwe pak, zou hij willen dat hij weer kaki droeg.

McAvoy probeert het gejoel van de toeschouwers te negeren en krabbelt overeind.

'Goed dan, dondersteen...'

Hij was op weg naar de vergadering van het politiebestuur toen het belletje kwam. Een van de agenten die de ontsnapte dieren bijeen moest drijven, had er genoeg van gekregen nadat hij door een van de merries tegen de zijkant van een glasbak was gesleurd en had besloten er een expert bij te halen. De agent had maar één keer met McAvoy samengewerkt, in de wijk Orchard Park. Ze hadden de deuropening tot een plaats delict moeten bewaken totdat het busje van de technische recherche arriveerde en waren niet bepaald welkom geheten door de buurtbewoners. Hij en McAvoy hadden de beledigingen langs zich heen laten gaan, en zelfs de eerste paar flessen en blikjes, maar toen de grommende Staffordshire-bulterriër was losgelaten, met het bevel hen weg te jagen, was McAvoy degene geweest die niet van zijn plaats week, terwijl de jonge agent een stenen muur probeerde over te halen hem te absorberen. De reusachtige Schot had zich op zijn knieën laten zakken en de hond recht aangekeken, vervolgens zijn hoofd gedraaid en zijn ogen opengesperd, waarna hij het beest zijn brede, open handpalmen liet zien en zich klein maakte op het gebarsten trottoir, onderdanig en ongevaarlijk. Het dier stond meteen stil, alsof het tegen een ruit was gelopen, en tegen de tijd dat er assistentie verscheen en de menigte werd verjaagd, lag het beest op zijn rug om zich door McAvoy's grote ruwe handen over zijn buikje te laten wrijven. De jonge agent had McAvoy's telefoonnummer genoteerd, want hij wist dat het in de toekomst handig kon zijn zo iemand te kennen. Vandaag had hij een belletje naar de Schotse reus het proberen waard gevonden.

McAvoy, die zelfs ja zou hebben gezegd tegen een kopstootduel met een ontsnapte antilope om maar niet aan de bestuursvergadering te hoeven denken, was maar al te graag bereid om zijn auto te dumpen en naar de plaats des onheils te sprinten.

Hij maakt zijn spieren los. Strekt zijn armen en knakt zijn nek van links naar rechts. Er klinken een paar aanmoedigingen van toekijkende automobilisten, en vanuit zijn ooghoek ziet McAvoy tot zijn schrik dat veel toeschouwers de beelden vastleggen met hun mobieltje.

'Schiet dat beest gewoon neer,' roept een stem van ergens in het rumoer. Een voorstel dat kan rekenen op goedkeurend gemompel van sommigen.

'Kun je hem niet verdoven?'

'Ik zet een tientje op de grote kerel!'

McAvoy probeert de stemmen te negeren, maar door het gelach en gekreun dat luid weerklonk toen hij door de chargeren-
de hengst tegen de grond werd geduwd, hebben zijn wangen de
kleur van gekneusde cranberry's gekregen.

'Als je dat paard afschiet, krijg je met mij te maken.'

De stem, met een onmiskenbaar accent, legt iedereen even het
zwijgen op en McAvoy draait zich om. De man die heeft gesproken staat links van hem, leunend tegen de motorkap van een
blauwe Volvo. De eigenaar van de auto heeft zijn toevlucht gezocht tot die typisch Britse gewoonte om net te doen alsof er
geen sprake is van een grote, intimiderende zigeuner die met zijn
achterste de kap van zijn auto opwarmt.

De zigeuner is plomp en kalend, met een rond gezicht en blinkende wangen. Ondanks de kou en samenpakkende wolken staat
hij in zijn blote armen. Zijn kwabbige buik en lichaam worden
niet geflatteerd door het witte mouwloze T-shirt of de veel te
blauwe spijkerbroek.

'Van u?' vraagt McAvoy, met een knikje naar het paard.

De man antwoordt met een schouderophalen, maar het stuk
touw in zijn hand doet vermoeden dat hij op het punt stond een
poging te wagen zijn eigendom terug te krijgen voordat hij zag
dat McAvoy die lastige taak op zich nam.

'Bronstig?'

De man knikt. 'Zo hitsig als een Cornwallse mijnwerker die
voor het eerst boven de grond komt.'

'Allemachtig.'

Hij had hem net bijna te pakken. De hengst had maar een half
metertje bij hem vandaan narcissen staan peuzelen uit een gras-
berm in een van de zijstraten van de drukke verkeersweg. Zacht
pratend en kalm bewegend was McAvoy erin geslaagd dichter bij
het dier te komen dan het anderen was gelukt sinds dit onver-

wachte circus was losgebarsten, maar toen het paard met zijn hoofd heen en weer zwiepte, had een van de passanten McAvoy luid aangemoedigd. Die schreeuw had het dier doen opschrikken waardoor McAvoy, met dure kleding en al, languit op de vuile grond eindigde.

'Naam?'

'Die van mij of het paard, meneer?'

'Het paard.'

'Al sla je me dood. Probeer Boterbloem eens.'

Langzaam, zijn voeten stevig op het asfalt plantend, beweegt McAvoy zich naar waar het dier nu staat. Met een wilde blik, modderig en bezweet, is het paard de tuin in gevlucht van een van de mooie vrijstaande woningen op enige afstand van de weg. De bewoners kijken door de grote dubbelbeglaasde ramen naar buiten. Aangezien er geen auto op de oprit staat geparkeerd en het paard schijnbaar geen interesse toont voor hun magnolia's, genieten ze van het spektakel.

'Rustig, jongen,' fluistert McAvoy terwijl hij zijn armen spreidt en zich naar de open oprit begeeft. 'Vertrouw me.'